Aceleração do Conhecimento

As Crônicas de Nememiah Livro 2

D. S. WILLIAMS

Traduzido por
JULIANA CHIAVATTI GRADE

Direitos autorais © 2015 D.S. Williams

Design de layout e Copyright © 2023 por Next Chapter

Publicado em 2023 por Next Chapter

Arte da capa por CoverMint

Edição impressa grande

CAPÍTULO I

PERIGO

Era completamente óbvio que eu estava em apuros. Um sério problema.

Recuperando a consciência, eu rolei, piscando contra a forte claridade da sala. Eu me vi deitada em um colchão velho, a capa escura manchada e suja. A sala cheirava a mofo, como meias gastas que ficaram muito tempo no fundo do cesto de roupa suja antes de serem lavadas. A última coisa de que me lembro foi de ter sido arrastada para longe da festa de casamento de Striker e Marianne por um grupo de homens. O que aconteceu entre depois e agora, quanto tempo se passou – eu não sabia.

Endireitei-me no colchão e olhei em volta. Não havia muito para ver, o colchão estava no chão de concreto; as paredes também eram feitas de cimento. Uma pequena janela, coberta por uma

1

espessa camada de sujeira, estava situada no topo de uma das paredes. Dava a impressão de que esta sala deveria estar posicionada pelo menos parcialmente no subsolo, para precisar da janela tão alta. Na parede oposta à janela, havia uma porta, feita de metal e trancada. Não havia maçaneta. Eu levantei minhas mãos para minha cabeça, pressionando minhas palmas contra minhas têmporas e fechando meus olhos enquanto o medo me dominava. Senti um gosto esquisito na boca e me senti grogue, meio desorientada, o que me fez acreditar que havia sido drogada. Balançando a cabeça com firmeza, tentei remover os últimos vestígios de imprecisão – precisava estar alerta, sabia que tinha que pensar logicamente sobre esta situação se quisesse sair daqui viva. Meus olhos estavam cansados e secos, e esfreguei os punhos neles.

Com um rápido olhar, confirmei que ainda estava usando o lindo vestido de festa e suspirei de alívio. Deu a ilusão de que ninguém havia me tocado enquanto eu estava inconsciente e me agarrei a isso, não querendo considerar as alternativas. Qualquer coisa poderia ter acontecido enquanto eu estava inconsciente. Minha boca latejava e eu a toquei levemente, estremecendo quando meus dedos roçaram meu lábio. Havia uma divisão profunda na pele e estava inchada. Passando a língua pelo lábio, descobri que um dos meus dentes estava um pouco frouxo. Não parecia haver nenhum outro dano físico. É gratificante descobrir que a borda do gesso do tornozelo estava danificada, onde eu chutei o capanga que me tocou tão intimamente. Ele mereceu.

A maior questão para responder era o que essas pessoas queriam de mim? Meu coração disparou enquanto ponderava a questão e fiz um esforço consciente para não hiperventilar. O pânico era a última coisa que eu podia fazer, não quando estava com tantos problemas. Respirando lenta e profundamente, tentei examinar a situação logicamente, pensando nos momentos antes de ser arrancada do casamento.

Lembrei-me de Lucas e dos outros reagindo de maneira idêntica, espelhando os movimentos uns dos outros. Todos levantaram a cabeça e cheiraram o ar, cientes de algo, ou alguém, se aproximando. Seus olfatos eram aguçados, aguçados além da habilidade humana normal e eu suspeitava que o que eles cheiravam era algo sobrenatural, ao invés de humano. Era a única explicação lógica para a reação deles, quando já estavam cercados por dezenas de odores humanos na recepção.

Não havia dúvida em minha mente de que o organizador do casamento era um vampiro. Quando o conheci e ele apertou minha mão, sua pele estava fria ao toque, mas fui enganada quando ele carregou os sacos de gelo pela casa até a marquise. Sem dúvida, ele fez isso deliberadamente para me confundir. Concentrei-me em seu nome, repetindo-o em minha cabeça, tentando pensar se já o conhecia antes, ou ouvi seu nome mencionado no passado. Eu não me lembrava. Ele não significava nada para mim, mas disse ao homem de cabelo preto que eu era quem eles queriam. Por quê? O que havia sobre mim que eles queriam tanto?

Ajoelhei-me e empurrei-me para ficar de pé, encostando-me à parede de concreto até que a tontura diminuísse. Quando recuperei o equilíbrio, comecei a andar de um lado para o outro no chão de concreto, pensando incessantemente na situação. Estava congelando no pequeno quarto e meu vestido não era adequado para baixas temperaturas, então passei meus braços em volta do meu peito, esfregando-os vigorosamente para tentar me aquecer. O único motivo viável para me sequestrar era minha habilidade psíquica. Sem isso, eu era uma mulher humana normal. Mas se eles quisessem minha habilidade, que possível uso eles poderiam ter para ela?

Eu tinha certeza de que havia encontrado Gerard DuBonet pela primeira vez esta manhã, mas mesmo essa informação era uma suposição – quanto tempo eu estava presa? Por quanto tempo eu fiquei drogada? Era o mesmo dia? A sala era iluminada por um único tubo fluorescente e era impossível saber há quanto tempo eu estava aqui, que horas eram, que dia poderia ser. A janela estava imunda, impossível de ver através dela. Eu não sabia dizer se era dia ou noite através do vidro sujo. Esticando-me contra a parede, tentei alcançar a janela na esperança de limpar um pouco da sujeira, mas estava muito alta. Não havia um pedaço de mobília para ajudar a ganhar altura, apenas o colchão e seus míseros centímetros não ajudariam. Com um suspiro de frustração, desisti da tentativa e voltei a andar.

Outra ideia me fez parar. Gerard DuBonet apertou minha mão quando nos conhecemos. Ele tinha algum tipo de habilidade, ele poderia me ler através do toque? Isso era possível? Quase desconsiderei a ideia, mas estava lidando com vampiros o que tornava ser possível. Nos últimos meses, conheci Rowena, que podia sentir minhas emoções através do contato, e Acenith e Striker, que podiam me manter calma com o toque de suas mãos em meu ombro. Eu sabia que alguns dos vampiros podiam conversar telepaticamente e Ripley podia ler os pensamentos de outras pessoas. Parecia plausível pensar que Gerard DuBonet poderia descobrir algo sobre mim através do toque. Eu certamente não poderia desconsiderar a ideia. Mas eu não conseguia entender como ele poderia ter me encontrado pela manhã e planejado me sequestrar à noite. Eu não poderia forçar aquela parte do quebra-cabeça a fazer algum sentido.

Ainda havia outras perguntas para serem respondidas, por exemplo, por que Marianne não previu a chegada de estranhos na recepção do casamento? A resposta veio quase imediatamente – sua habilidade não era conhecida por ser impecável e com a emoção do dia do casamento, talvez tivesse falhado mais do que o normal. Embora ela parecesse estar ligada a mim de alguma forma com sua habilidade – vendo muitas coisas que me envolviam – talvez desta vez simplesmente não tivesse funcionado.

O que me levou de volta à minha primeira pergunta. Mesmo que Gerard DuBonet soubesse da minha habilidade, como ele descobriu sobre ela em primeiro lugar?

Recomecei a andar, pensando inquietamente durante o dia e além. Meus contatos eram limitados; meus únicos amigos fora Lucas e os outros eram Lonnie, Hank e Maude. Apenas Lucas e os vampiros sabiam da minha habilidade. Eu não acho que eles contaram a Nick Lingard e seu grupo de metamorfos. Então de onde veio a informação?

Talvez eu estivesse errada, embora não conseguisse pensar em nada que pudesse me apontar para o sequestro, além da minha capacidade de falar com os mortos. O homem de cabelo preto disse a Lucas que eu tinha algo que eles queriam. A única opção lógica era o dom psíquico. Eu não tinha ideia de por que eles achavam que seria útil, nem o que eles poderiam querer fazer com isso. Eles não me pareceram ansiosos para fazer contato com ancestrais mortos há muito tempo. Eles perceberam que eu só tive contato com espíritos que eram importantes para mim de alguma forma? Eu duvidava que pudesse fazer contato com espíritos, apenas porque alguém tentou me forçar a fazer isso.

Era incrivelmente tentador abrir a caixa em minha mente e falar com mamãe e os outros. Eu estava com raiva de mim mesma por mantê-los trancados, foi um erro. Eu estava convencida sobre ter a habilidade sob controle, permitindo contato apenas quando eu queria. Ao fazer isso, não tive nenhum aviso do perigo que enfrentava. Cerrei os punhos em frustração e revirei os olhos para minha própria estupidez. Fiquei tão feliz por ganhar algum controle sobre os espíritos que não pensei nas possíveis repercussões de mantê-los em silêncio. Se eu tivesse mantido as linhas de comunicação abertas, eles teriam me avisado sobre o perigo que eu enfrentaria. Por que mamãe não me avisou no casamento? Talvez ela só pudesse me avisar se tivesse contato suficiente para ver o perigo se aproximando. Ao soltá-la apenas por alguns minutos, não dei a ela a chance de reconhecer a ameaça. Era a única explicação lógica.

Agora eu queria falar com eles desesperadamente, mas tinha certeza de que seria imprudente. Se essas pessoas, quem quer que fossem, quisessem usar minha habilidade, permitir que os espíritos saíssem poderia ser um erro. Eu não sabia como ou mesmo se eles sabiam do meu dom ou que meios poderiam usar para descobri-lo. E se eles tivessem alguma maneira de reconhecer os espíritos na minha cabeça? Alguém poderia me tocar e saber sobre eles se eles estivessem falando comigo? Não. Liberar os espíritos parecia uma opção ruim agora.

Eu circulei pelo quarto com frustração, sabendo que não havia nada que indicasse onde eu estava sendo mantida, mas procurando de qualquer maneira. Quando eles me arrastaram para longe, eles saíram correndo pela floresta. Eu fui carregada pelo homem que me tocou tão intimamente e estremeci com a memória. Ele cheirava fortemente a loção pós-barba e, quando me jogou por cima do ombro, sentiu grande prazer em segurar sua mão em minha bunda enquanto corria. Eu não poderia estimar o quanto havíamos viajado pela floresta escura, antes de eu ser colocada sem cerimônia em um carro. Um pano colocado sobre meu nariz e boca foi embebido em um líquido de cheiro adocicado, que me deixou inconsciente. A partir daí eu não tinha ideia de para onde fui levada, de quanto havíamos viajado ou de onde eu estava agora.

Lucas estava procurando por mim? Meu coração deu uma guinada – ele seria capaz de me encontrar? Os vampiros podem ser capazes de rastrear nosso caminho pela floresta, mas o que aconteceu quando chegaram onde o carro estava estacionado? Havia alguma esperança de que eles me rastreassem de lá? Presumi que meu cheiro teria desaparecido no ar a partir desse ponto. Eu não tinha certeza de como a capacidade de rastreamento deles funcionava, mas tinha certeza de que eles precisavam de algum cheiro, algum rastro meu para seguir. Quando isso acabou, provavelmente não havia como eles seguirem a direção em que viajamos. Minha confiança já abalada despencou ainda mais ao pensar que eles seriam incapazes de me encontrar. E se eu fosse mantida aqui para sempre?

Afastando esse pensamento da minha mente, refleti sobre minhas chances de resgate. A única coisa que consegui fazer foi tentar mandar uma mensagem para Ripley sobre o organizador do casamento. O mesmo organizador de casamentos, que *não era* um organizador de casamentos. Eu me amaldiçoei – por que não contei a Lucas sobre Gerard DuBonet? Eu deveria ter mencionado como suas mãos estavam frias, mesmo que eu fosse estúpida o suficiente para acreditar em seu ardil com o gelo. Com tudo acontecendo na preparação para o casamento, o pensamento havia escapado completamente da minha mente. Eu tinha a impressão de que eles o conheciam, e ele parecia tão confiante e no controle que eu não tinha motivos para pensar o contrário.

Respirando fundo, tentei me recompor e manter o medo, que borbulhava sob a superfície, sob controle. Eu *tinha* que manter isso sob controle. O medo não iria me manter viva.

Passos pesados se aproximaram e parei de andar, observando ansiosamente a porta. Os passos pararam do lado de fora e uma chave foi colocada na fechadura e girada.

O que quer que eles quisessem, eu estava prestes a descobrir.

CAPÍTULO 2
SÉRIOS PROBLEMAS

Para meu completo desgosto, o homem de cabelos pretos estava parado na porta, seu olhar demorando-se sugestivamente em meu peito.

—Já era hora de você acordar.

Ele atravessou a sala e segurou meu braço, arrastando-me para um corredor estreito. Ele virou para a esquerda, puxando-me ao lado dele e lágrimas brotaram em meus olhos de seu aperto doloroso. Não havia dúvida de que iria deixar um hematoma.

Ele me arrastou por um lance de escadas de madeira grosseiramente talhadas e eu tropecei ao lado dele enquanto ele caminhava por outro corredor. Este era ricamente decorado com papel de parede, um padrão de folha em vermelho tinto com o fundo creme. O chão sob meus pés era de carvalho polido e manchado, a superfície brilhando sob as luzes do teto. Ele parou em frente a uma porta dupla, guardada por dois homens corpulentos em ternos escuros. Nenhum deles olhou para nós, seus olhos focados na parede oposta. O homem de cabelo preto bateu na porta com força.

— Entre.

Um dos guardas empurrou as portas e fui arrastada sem cerimônia para dentro da sala. Era um escritório de formato oval com fileiras de livros encadernados em couro adornando prateleiras de madeira, perfeitamente encaixadas nas paredes curvas. Um homem estava sentado atrás de uma enorme mesa de madeira no centro da sala. Uma grande janela estava aberta atrás dele, a luz do sol entrando na sala e as cortinas de renda flutuando suavemente na brisa. Jardins cuidadosamente cuidados eram visíveis do lado de fora, plantados com uma seleção de palmeiras majestosas e flores tropicais brilhantes. Vastas faixas de grama eram ricamente verdes e meticulosamente aparadas. Não estávamos nem perto de Montana — isso era óbvio. O homem que me arrastou escada acima me empurrou para uma cadeira com encosto reto antes de soltar meu braço.

— Deixe-nos, Sebastian.

— Sim, senhor.

Eu olhei para Sebastian quando ele passou e saiu

da sala, fechando as portas silenciosamente atrás dele.

— Senhorita Duncan.

Voltei minha atenção para o homem na cadeira. Ele era alto e magro, com cabelos loiros na altura dos ombros, que caíam em torno de seu rosto em ondas suaves. Ele era barbudo, o cabelo bem preso ao redor de sua mandíbula. As linhas finas ao redor de seus olhos cor de chocolate sugeriam que ele tinha quarenta e poucos anos e estava vestido casualmente com uma camisa de seda branca, o decote aberto revelando um pequeno V de pele bronzeada.

— Como você sabe meu nome?

Ele sorriu.

— Oh, eu sei um pouco sobre você, Srta. Duncan. — Ele se levantou e caminhou ao redor da mesa, seus movimentos curiosamente graciosos, dado que ele era tão esguio. Sentado na beirada da mesa, ele me olhou com um sorriso tenso. — Meu nome é Laurence Armstrong. — Ele estendeu a mão e eu a apertei cautelosamente, sem tirar os olhos dele. Sua pele era quente, sua mão macia com dedos longos e unhas bem cuidadas. Com seus olhos focados em mim, senti um sussurro de poder viajar de sua mão para a minha, um aumento de calor e uma vibração, que fez os pelos de meus braços se arrepiarem. Afastei minha mão da dele, esfregando-a na minha coxa. Eu não sabia o que era, ou como ele tinha feito isso, mas havia algo estranho nele, algum tipo de poder que eu não conseguia reconhecer.

— Você não é um vampiro? — Eu questionei cautelosamente.

Ele riu secamente.

— Não, claro que não. Diga-me, o que você pensa que eu sou?

Eu balancei minha cabeça.

— Não sei.

— Não importa. Não é importante. — Ele me encarou por um longo momento, seus olhos penetrantes e sem emoção. — O importante é o que você pode fazer por mim.

Fazer-me de boba parecia a melhor opção. Na verdade, minha única opção, já que não fazia ideia de por que estava aqui. Não havia nenhuma razão válida para suspeitar que esse estranho sabia sobre minha habilidade, mas ainda era a única explicação lógica que eu tinha para ser sequestrada. Laurence Armstrong estava tentando ser charmoso e eu não queria que ele soubesse do que eu suspeitava. Melhor guardar o conhecimento em meu peito e ver o que posso descobrir com ele.

— Não faço ideia do que você está falando.

Seu olhar era penetrante, como se instintivamente soubesse que eu estava mentindo.

— Oh, vamos, Srta. Duncan. Nós dois sabemos

do que estou falando. — Ele se inclinou para frente, então seu rosto estava a centímetros do meu e falou baixinho. — Você tem um poder. Um poder único. Quero isso.

Dei de ombros, tentando manter minha expressão neutra.

— Eu não sei do que você está falando. Eu sou uma artista. Eu pinto.

Um longo silêncio seguiu esta declaração. Seus olhos castanhos eram calculistas enquanto ele olhava para os meus, como se pudesse ler a verdade em minhas íris. Eu encarei de volta, com muito medo de piscar, mantendo meu rosto o mais calmo e relaxado que pude. Quando ele falou, sua voz era dura, a compostura educada havia desaparecido.

— Você *vai* me dizer o que eu quero saber. Podemos fazer isso da maneira mais fácil ou da maneira mais difícil. Isso não importa para mim.

— O que, como fazer seus comparsas me apalparem? — Eu respondi com raiva. — Você vai deixar eles me estuprarem depois? — A repulsa me incitou à raiva rapidamente e me lembrei dos dedos de Sebastian me sondando, e estremeci com a forte lembrança.

Armstrong pareceu surpreso e ficou mais do que ligeiramente desequilibrado com minhas palavras.

— Do que você está falando?

Eu o encarei desafiadoramente, me endireitando

na cadeira.

— Aquele Sebastian. Ele me tocou.

— Tocou em você?

Era evidente que eu teria que soletrar.

— Ele colocou os dedos... dentro de mim. — Lutei contra a onda de calor que subiu pelo meu rosto e falhei miseravelmente.

Seus olhos ficaram mais frios e ele berrou, me fazendo pular.

— SEBASTIAN!

A porta se abriu imediatamente, dando a impressão de que Sebastian estava esperando do lado de fora. Ele entrou; fechando as portas e ficando ao lado da cadeira onde me sentei. Eu podia sentir o cheiro de sua forte loção pós-barba e torci meu nariz em desgosto.

— Sim, senhor.

Armstrong levantou-se abruptamente e era alguns centímetros mais alto do que Sebastian. Ele estava irritado, os tendões visíveis em seu pescoço enquanto olhava com raiva para o homem mais baixo.

— Quais foram suas ordens em relação à senhorita Duncan? — ele retrucou com raiva.

— Você me disse para pegar a Srta. Duncan de Montana e trazê-la aqui, senhor.

Minha suposição estava correta; eu não estava mais em Montana.

— Quais foram suas ordens *expressas* em relação ao contato com a senhorita Duncan? — O rosto de Armstrong estava vermelho de raiva, uma veia pulsando visivelmente em sua têmpora.

Sebastian parecia confuso.

— Senhor?

— Eu disse a você que não deveria haver contato sexual. Sob *quaisquer* circunstâncias.

— Mas, senhor, o sugador de sangue me disse que ele era seu companheiro. Não tive outra opção a não ser verificar...

Eu não tinha certeza se era minha imaginação ou meu próprio medo, mas Sebastian parecia assustado. Seus olhos escuros estavam arregalados e ele estava abrindo e fechando os punhos.

Armstrong aproximou-se do homem menor, a fúria claramente visível em sua expressão.

— Você deveria deixá-la intocada! Eu deixei minhas ordens extremamente explícitas a esse respeito!

O que aconteceu a seguir levou apenas uma fração de segundo, mas fui submetida a todos os detalhes horríveis, como se o tempo tivesse desacelerado deliberadamente para que eu não pudesse perder. Eu ouvi um clique silencioso, semelhante ao trinco de uma porta sendo girada, e então Armstrong ergueu o braço esquerdo e passou a mão pelo pescoço de Sebastian.

Sebastian caiu de joelhos, agarrando espasmodicamente seu pescoço cortado. Eu podia ver tendões, veias, músculos – até mesmo o osso branco brilhante de sua coluna através da pele rasgada. O sangue escorria do ferimento em uma torrente, ensopando rapidamente sua camisa branca antes que ele caísse de cara no tapete.

Eu gritei enquanto Sebastian estava morrendo diante de mim. Sons gorgolejantes saíam de sua garganta enquanto o sangue bombeava incessantemente de seu pescoço, uma poça escarlate se formando no tapete ao seu redor. Eu coloquei minhas mãos sobre meus olhos, tentando bloquear o espetáculo macabro. Isso me impediu de ver sua agonia, mas não me protegeu da imagem mental de ver sua garganta reduzida a tanta carne e sangue.

Agora eu tinha certeza com o que estava lidando. Lobisomens.

Uma mão agarrou meu braço, mais gentil do que a de Sebastian, mas ainda firme. Armstrong me levantou enquanto eu continuava gritando. Eu lutei ineficazmente contra seu aperto enquanto ele me puxava para fora do quarto.

— Limpem a bagunça, — ele ordenou aos guardas atordoados. Ele me arrastou pelo corredor, empurrando-me diante dele para outra sala. Ele me abaixou suavemente em uma poltrona de couro, agachando-se diante de mim. — Minhas desculpas, senhorita Duncan. Lamento que você tenha que ver isso.

Inalando profundamente, comecei a ganhar um pouco de controle, mas não conseguia olhá-lo nos olhos. Ele me aterrorizou, mais do que qualquer pessoa que eu já conheci antes.

— Você gostaria de algo para comer? Ou talvez uma bebida? Um pouco de café, talvez?

Como se eu pudesse pensar em comer ou beber quando acabei de testemunhar um homem tendo sua garganta arrancada. *Estúpida, Charlotte. Você e estúpida. Você precisa de sua força. Aceite a oferta.* Eu balancei a cabeça em silêncio.

Armstrong tocou uma campainha perto da porta e eu desviei o olhar dele, concentrando-me em controlar minha respiração irregular. Esta sala era grande e luxuosa, com sofás e poltronas de couro preto lustroso. As paredes eram decoradas com papel de parede aveludado em ouro claro e o chão coberto por um carpete branco de pelúcia. Luminárias antigas repousavam sobre mesas de centro de madeira elegantemente esculpidas. Olhei furtivamente para a janela, esperando por alguma pista de nosso paradeiro. O sol brilhante lançava sombras no gramado verde e as plantas definitivamente pareciam tropicais. Onde diabos eu estava?

Uma mulher de meia-idade apareceu na porta,

vestindo um uniforme azul claro com um avental branco amarrado na cintura, sapatos brancos discretos nos pés. Ela não olhou para mim e parecia imperturbável com a minha presença.

— Você chamou, Sr. Armstrong?

— Traga um prato de sanduíches e um pouco de café para a nossa convidada.

A mulher fez uma reverência e fechou a porta silenciosamente quando saiu da sala. Armstrong caminhou de volta para onde eu estava sentada, abaixando-se em uma poltrona em frente à minha e retomou seu estudo descarado do meu rosto.

— Você realmente é uma bela jovem.

Olhei para ele, esperando inquieta pelo que viria a seguir.

— Hmmm. O tratamento silencioso. Embora eu possa entender sua repulsa, devo avisá-la, acho o tratamento do silêncio muito cansativo. — Ele se inclinou para frente, uma carranca vincando sua testa bronzeada. — Seus amigos sugadores de sangue não estavam tão quietos quando foram executados.

Assustada com essa admissão, pisquei para ele, incerta.

— Ele... Sebastian... ele prometeu que não seriam mortos.

— Como você acabou de descobrir, Sebastian não é

bom em seguir ordens. Depois que você foi removida da casa dos Tines, meus homens terminaram o trabalho que eu havia ordenado. Os sugadores de sangue, todos os seus amigos humanos. Todos mortos. Não podíamos correr o risco de nenhum deles tentar localizá-la.

Por alguns longos segundos, fiquei entorpecida – totalmente desprovida de pensamento ou sentimento consciente. Então a dor atingiu em meu peito, como se meu coração tivesse sido esfaqueado com uma faca fria e afiada e tudo o que pude fazer foi permanecer ereta na poltrona, não cair de joelhos com a dor.

— Eu não quero te machucar. — A voz de Armstrong era mais gentil agora, menos áspera e mais persuasiva. — Tudo que eu quero é informação. Quando você me der, estará livre para partir.

Mantive meu olhar abaixado, focando em minhas mãos e no anel de ouro de Lucas em meu dedo. Lucas poderia realmente estar morto? Rowena e Marianne, todo mundo? Isso era um truque ou ele estava dizendo a verdade? Duvidava de sua honestidade e com certeza não acreditava que ele me deixaria ir se eu contasse o que ele queria saber. Mais provavelmente, ele me mataria assim que eu contasse.

Eu inalei uma respiração profunda e me forcei a

olhar em seus olhos frios, falando baixo e com firmeza.

— Eu não sei o que você quer de mim. Não tenho a menor ideia do que você está dizendo. Não tenho nada que possa lhe dizer.

Armstrong ficou furioso ao se jogar da poltrona. Fechei os olhos com força, convencida de que ele ia me bater, mas em vez disso ele me ergueu da cadeira, seu aperto inflexível em volta do meu pulso.

Ele me arrastou sem cerimônia para fora da sala, pelo corredor e desceu as escadas. Ele escancarou a porta de metal e me empurrou para dentro da cela de concreto. Eu tropecei e caí, batendo meu ombro e quadril com força contra o chão implacável.

— Você vai me contar tudo o que sabe. Você pode ter certeza disso, — ele gritou com raiva.

A porta bateu e ouvi a chave girar na fechadura, o barulho ecoando pelo quarto vazio. Arrastei-me até o colchão, soluçando de terror ao cair sobre ele. Eu me enrolei em uma bola, meu corpo tremendo tão violentamente que envolvi meus braços em volta das minhas pernas para tentar controlar os tremores. As lágrimas correram livremente enquanto eu considerava se as únicas pessoas que eu realmente considerava família neste mundo poderiam estar mortas.

CAPÍTULO 3
CONHECIMENTO REVELADO

Não havia como dizer quanto tempo eu estava deitada no colchão, se era dia ou noite, ou quantas horas se passaram. Desde que Armstrong me jogou de volta na sala de concreto, eu não comi nem bebi. Minha garganta estava seca e meu estômago roncava ameaçadoramente, dolorido de fome. A sala ainda estava congelando e eu passei a maior parte do meu tempo tentando reter o pouco calor corporal que eu conseguia.

Eu cochilei e quando acordei, um balde, que não estava lá antes, estava no canto do quarto. Investiguei e descobri que estava vazio e, com o coração apertado, percebi que aquele era o meu banheiro. Este era o lugar onde eu aparentemente lidaria com as necessidades físicas durante minha prisão.

Antes de cair em um sono agitado, passei muito tempo pensando se o que Armstrong havia dito poderia ser verdade. Lucas e seus amigos poderiam estar mortos? Não só eles, mas também todos os convidados do casamento? Fosse uma ilusão ou não, descartei a ideia. Calculei o número de homens que apareceram tão de repente no casamento e cheguei a quinze. Mesmo que fossem todos lobisomens e vampiros, eu não acreditava que quinze pessoas pudessem enfrentar mais de duzentas pessoas e matar todas elas. Alguém tinha que sobreviver, eu tinha certeza disso. Eu precisava acreditar que Armstrong estava mentindo e me agarrei teimosamente à esperança.

Nesse momento, eu precisava me manter viva e isso parecia cada vez mais duvidoso se eu não conseguisse algo para comer e beber logo. Eu me encolhi no canto, as pernas dobradas até o peito e meus braços em volta delas. Havia uma boa chance de o sustento não ser um problema em breve, porque com toda a probabilidade eu morreria congelada. Este quarto era desorientador; tentar descobrir se era dia ou noite, ou quanto tempo havia passado era inútil. Era impossível dizer e a luz sobre minha cabeça brilhava constantemente.

Como um mantra, repassei as poucas informações que consegui acumular. Por mais que eu amasse Marianne, sabia que seu poder psíquico era, na melhor das hipóteses, aleatório e não podia ser confiável. Ripley poderia ouvir meus pensamentos e era a única esperança que eu tinha. Eu não sabia a distância que a leitura de sua mente poderia percorrer, mas era minha única esperança e eu estava me agarrando a ela. Por horas seguidas, eu repeti isso na minha cabeça. *Gerard DuBonet, Laurence Armstrong, Gerard DuBonet, Laurence Armstrong.* Eu tinha certeza de que se Ripley pudesse captar meus pensamentos, se eles pudessem rastrear Gerard DuBonet ou descobrir sobre Laurence Armstrong, eles poderiam me encontrar. Minhas esperanças de resgate dependiam de muitos ses e talvez, mas era tudo o que eu tinha para me agarrar.

Ouvi passos se aproximando e escutei atentamente. A porta se abriu e um dos guardas que eu tinha visto no andar de cima entrou, silenciosamente me levantando e me arrastando pelo corredor. Fui levada para cima e para a sala de estar para a qual fui levada da última vez.

O guarda me empurrou para uma cadeira e encontrei Armstrong esperando minha chegada. Ele estava sentado à minha frente, vestindo calça preta e uma camisa azul-celeste, as pernas cruzadas na altura do tornozelo. Na mesinha de centro havia um prato cheio de sanduíches e um bule de café; açúcar e creme cuidadosamente dispostos ao lado.

— Você deve estar com fome, — ele comentou baixinho.

Olhei para ele com desconfiança, me perguntando se isso era um estratagema. Ele ia me deixar comer, ou essa era sua ideia de uma piada de mau gosto?

— Por favor, sirva-se, — disse ele, acenando com a mão em direção à comida.

Agarrei um sanduíche e o enfiei na boca, observando-o cautelosamente enquanto ele servia o café. Ele não falou de novo até que eu enfiei outra meia dúzia de sanduíches na boca, desesperada para comer o máximo que pudesse antes que ele me parasse. O café estava muito quente para beber, mas peguei a jarra de creme, engolindo-o rapidamente.

Armstrong riu, o som frio e sem humor na sala.

— Você é um animal e tanto, não é?

Depois de comer todos os sanduíches, recostei-me na cadeira e olhei para ele com desconfiança.

— O que você quer?

— Então, senhorita Duncan. Você sabe exatamente o que eu quero. Quero que me diga como funciona o seu dom.

— Que dom?

Ele suspirou pesadamente, esfregando a mão no queixo barbudo.

— Eu esperava que você tivesse caído em si agora. Você está aqui há três dias e, como pode ver,

— ele acenou ao redor da sala, — ninguém está vindo em seu socorro.

Permaneci em silêncio, observando-o apreensiva. Pelo menos agora eu sabia há quanto tempo estava aqui, embora parecesse muito mais do que três dias.

— Tudo bem, deixe-me dizer o que eu já sei. — Ele fez uma pausa, olhando para mim com aqueles olhos castanhos intensos. — Você tem uma habilidade psíquica. Estou ciente disso porque seu pequeno bando de sugadores de sangue atacou alguns dos meus parceiros. Eles liberaram dois deles, e um veio até mim com informações. Ele me falou sobre você e foi uma conversa muito interessante. Este parceiro em particular ouviu a discussão que você estava tendo com sua mãe. Imagine sua surpresa, quando descobriu que sua mãe não estava em casa, mas conseguiu avisá-la de suas chegadas. Embora ele fosse estúpido demais para considerar as possibilidades, eu o fiz, e uma pequena investigação confirmou que sua mãe está morta há dois anos. Então, eu me perguntei, como essa menina fala com uma mãe que já está morta e enterrada? — Ele se inclinou para frente, batendo na testa. — Ela obviamente tem algum tipo de talento psíquico, um talento muito poderoso.

Continuei a observá-lo, tentando manter meu

rosto neutro, me perguntando onde isso estava indo e o quanto ele realmente sabia.

— Ainda não vai falar? Não importa. Você vai de uma forma ou de outra. No momento, continuarei minha pequena história enquanto você está ouvindo com tanta atenção. — Ele se recostou no sofá, esticando o braço ao longo das costas. — Agora, penso comigo mesmo, de que serve uma garota que pode falar com sua mãe morta? Não há nada a ganhar com tal habilidade. Que possível benefício poderia ser? Mas admito que fiquei intrigado, imaginando quanta habilidade psíquica você tinha. Você estava tendo uma conversa completa com sua mãe morta. Um diálogo de mão dupla. No interesse de conduzir uma investigação completa, decidi enviar outro dos meus parceiros sugador de sangue para a casa Tine.

— Gerard DuBonet? — O nome escapou da minha boca espontaneamente e desejei não ter dito nada. Eu não queria ajudá-lo, por mais próximas que suas conclusões estivessem dos fatos.

— Sim. O Sr. DuBonet tem um talento notável. Através do toque, ele obtém um instantâneo da história de uma pessoa. Quase como folhear centenas de fotografias antigas de uma só vez. E o que você acha que o Sr. DuBonet descobriu quando tocou em você?

Eu não gostava de onde isso estava indo.

— Eu não tenho a menor ideia.

— Ele me disse que você tem uma aura psíquica notável. O único problema é que o Sr. DuBonet não conseguiu acessar a informação que eu queria. Ele me disse que você tem uma habilidade de proteção que ele não pode violar.

Ele se levantou, andando lentamente ao redor da mesa para se agachar ao meu lado. Eu ouvi o estranho som de clique e enormes garras brotaram das pontas de seus dedos. Ele usou uma garra para acariciar vagarosamente meu pescoço e eu lutei contra o pânico crescente, lutando para permanecer sentada e não revelar nada em minha expressão.

— Isso me diz que você tem algo notável escondido nessa sua linda cabeça, mas parece que não consigo chegar lá. E é por isso, — ele empurrou a garra contra meu pescoço, onde minha veia jugular pulsava rapidamente, — que eu quero que você me conte sobre isso.

Minhas mãos tremiam e eu as agarrei em meu colo. Eu não sabia o que ele pretendia fazer com qualquer informação que eu lhe desse, mas tinha certeza de que nada de bom resultaria disso.

— Receio que você tenha sido mal informado, Sr. Armstrong. Não tenho ideia do que você está falando e só posso dizer o que já disse antes. Meu nome é Charlotte Duncan e sou uma artista. Não há *nada* de incomum em mim.

Ele não usou as garras. Seu punho correu para o meu rosto e eu fechei os olhos, me encolhendo com o que estava por vir. Sua mão fechada conectou com minha bochecha, me jogando de volta contra a cadeira com força suficiente para derrubá-la, derrubando-me no chão. A dor foi registrada apenas brevemente, antes de eu ficar inconsciente.

CAPÍTULO 4
CONAL

Acordar na sala de concreto após uma surra tornou-se um evento regular após aquele primeiro soco, um que enfrentei com medo e desespero.

Qualquer informação que eu encontrasse era adicionada ao meu SOS mental, embora eu estivesse cada vez mais convencida de que ninguém viria em meu auxílio. Apesar da desesperança, que se intensificava, eu não queria desistir. Se eu desistisse, o que mais haveria? Então continuei a transmitir o que sabia, sem saber se algum dia seria ouvida por Ripley. Cada vez que eu era arrastada escada acima, anotava mentalmente qualquer coisa que pudesse ser importante. Comecei a estimar o número de guardas, com base na área da casa para a qual fui escoltada. Eu tinha um bom olho para rostos e podia reconhecer novas pessoas conforme os turnos mudavam. Cada vez que via alguém novo, eu o adicionava à minha lista. Por horas a fio, repassei as informações na minha cabeça. *Gerard DuBonet, Laurence Armstrong, quinze guardas, ensolarado e úmido. Gerard DuBonet, Laurence Armstrong, quinze guardas, ensolarado e úmido.*

Cada vez que eu era levada para cima, esperava que fosse a última vez. Armstrong estava ficando cada vez mais frustrado, as surras que ele dava eram mais brutais a cada dia que passava. Meu rosto e braços estavam pretos e azuis, meu corpo doía quase constantemente.

Mais uma vez, ouvi passos se aproximando e me encolhi, fechando os olhos com força ao pensar em outra sessão com Armstrong. Eventualmente, ele se cansaria desse jogo e me mataria. Eu ficaria grata quando esse tempo chegasse. Eu não tinha certeza de quanto tempo mais eu poderia fazer isso, não sabia quanto tempo eu poderia manter a força para negar a ele o que ele queria. Mesmo com medo de desistir, eu sabia que tinha que continuar lutando contra ele. Eu ainda não conseguia imaginar o que ele pretendia fazer se descobrisse sobre mim, como minha habilidade psíquica poderia ser útil para ele.

Fui puxada de volta para o andar de cima e levada para o escritório. Evitei olhar para o pedaço de carpete onde Sebastian havia morrido. O sangue havia sido limpo, mas uma leve mancha permanecia e me ocorreu a vaga noção de que Armstrong teria de substituir o carpete. Por que esse pensamento específico passou pela minha cabeça, eu não sabia, mas parecia melhor pensar em coisas práticas do que no que estava para acontecer. Talvez ele estivesse esperando até depois de ter rasgado minha garganta, então ele não teria a despesa de substituí-la duas vezes. Balancei a cabeça, sabendo que com certeza estava perdendo a cabeça, e olhei para Armstrong. Fiquei surpresa ao descobrir que havia um segundo homem na sala conosco. Isso me deixou instantaneamente mais cautelosa – isso era algo diferente e eu não confiava nisso.

— Senhorita Duncan. Que prazer de sua parte se juntar a nós. — Armstrong indicou uma cadeira ao lado do estranho e o guarda me empurrou para ela. Olhei cautelosamente para o estranho, não querendo fazer contato visual com ele. Ele era um homem urso, alto e musculoso com ombros largos e pele bronzeada. Ele tinha uma mecha de cabelo preto rebelde, que se enrolava na gola da camisa e sua mandíbula forte estava sombreada com o início de uma barba. Ele olhou para mim e antes que eu pudesse abaixar meu olhar, notei que seus olhos eram incomuns. Tão escuros que pareciam escuros como breu e tinham a forma de um animal, algo não completamente humano neles.

— Este é Conal Tremaine, senhorita Duncan.

Conal, conheça Charlotte Duncan. — Armstrong nos apresentou, como se estivéssemos participando de um jantar formal. Eu podia sentir o homem me estudando, seu olhar piscando sobre a massa de hematomas roxos cobrindo meu rosto e pescoço.

— O que diabos está acontecendo, Armstrong? — A voz do grandalhão era profunda, profunda o suficiente para que eu pudesse senti-la em meu peito quando ele falou. — Você me sequestrou e me trouxe aqui para isso? Por que diabos eu preciso ver sua obra?

— Sim, eu trouxe você aqui para isso, — Armstrong concordou de mau humor. — Eu quero que você descubra exatamente o que está na cabeça dela. A senhorita Duncan não está sendo cooperativa.

— Você sabe que não uso minha habilidade em humanos, é muito perigoso.

— Tremaine, tenha em mente que seu bando está sendo mantido por meus homens. Eu odiaria dar-lhes ordens que pudessem causar a morte desnecessária deles. — Armstrong expressou sua ameaça calmamente, sua voz calma. — Mas eu vou, se você não me der o que eu quero.

Os olhos do grandalhão brilharam de raiva e senti uma energia crescendo ao meu lado, que parecia vir dele. Roçou minha pele, como um vento quente.

— Controle-se, Tremaine. Ou essas ordens serão dadas mais cedo ou mais tarde, — alertou Armstrong.

O homem engoliu em seco, aparentemente controlando sua raiva e o calor se dissipou tão rapidamente quanto apareceu.

— Eu poderia machucá-la, — ele finalmente disse.

Armstrong franziu os lábios como se estivesse considerando alternativas.

— Eu realmente não me importo. Não importa o que aconteça com a mente dela, não é disso que estou atrás. Mas eu quero o que ela está escondendo no cérebro, e você pode conseguir.

Conal Tremaine me examinou, observando os hematomas, o lábio partido, os cortes no rosto e nos braços.

— O que exatamente essa humana deveria ter em mente que é tão importante?

— Algo que posso usar a meu favor, se eu conseguir.

Conal Tremaine refletiu sobre essa declaração por um momento ou dois, com a testa franzida como se estivesse considerando suas opções.

— Tudo bem.

Ele virou a cadeira para me encarar e Armstrong agarrou a parte de trás da minha cadeira, girando-a para que eu encarasse Conal Tremaine. Ele olhou nos meus olhos por um segundo ou dois, antes de levantar a mão direita como se fosse me tocar. Recuei, apavorada com o que ele pretendia fazer, mas Armstrong me agarrou firmemente pelo pescoço com o braço, mantendo-me imóvel.

Conal Tremaine levantou a mão novamente, colocando as pontas dos dedos na minha testa. Um latejamento agudo começou em minhas têmporas e eu fechei os olhos com força, choramingando baixinho. O latejar aumentou até eu ter certeza de que nunca havia sentido uma dor tão horrenda e tive uma imagem mental de seus dedos entrando em meu cérebro, sondando os circuitos e seções. Seus dedos se moviam lenta e vigilantemente pelo meu cérebro, olhando para um lado e para o outro, tocando e sentindo enquanto ele invadia a minha mente. Em estado de puro pânico, voltei-me para minha caixa mental, certificando-me de que estava bem lacrada. Seus dedos seguiram imediatamente para onde estava escondida nos recessos mais escuros da minha mente. Foi agonizante, o ataque aparentemente real de seus dedos dentro da minha cabeça e eu comecei a tremer, o suor escorrendo pelas minhas costas enquanto eu lutava contra ele. Eu não conseguia entender o que estava acontecendo, mas queria que parasse, precisava que ele tirasse os dedos de mim e parasse a dor implacável, que estava me deixando enjoada.

Eu forcei meus olhos abertos e o encontrei me observando, seus olhos negros olhando para os meus enquanto ele lutava pela tampa da caixa. Com extremo esforço, concentrei toda a minha atenção em manter a tampa fechada, lutando contra ele e tremendo com o esforço. Contra a minha vontade, ele empurrou com mais força e, embora eu tentasse freneticamente detê-lo, ele abriu a tampa da caixa. Olhei com os olhos arregalados, hipnotizada pela expressão em seus olhos negros, enquanto ele via meus segredos mais íntimos e a verdade do que eu era, o que eu poderia fazer. Eu sabia que ele estava vendo as pessoas com quem falava com frequência, podia ouvir suas vozes aumentando em minha mente enquanto ele sondava.

E então ele piscou.

Ele tirou a mão da minha testa e eu desabei na cadeira, a bile subindo na minha garganta enquanto minha cabeça latejava impiedosamente. Eu não conseguia parar o gemido que saiu dos meus lábios, ou o desejo ardente de que ele tivesse me matado. A morte seria uma opção melhor, comparada a essa agonia.

— Ela é poderosa, considerando que ela é humana. Há algo em sua mente, mas não consigo alcançá-la. — Ele se recostou na cadeira, deixando cair a mão na coxa e voltando sua atenção para Armstrong.

Tinha sorte que Armstrong está atrás de mim, incapaz de ver minha expressão – não havia dúvida de que ele teria visto o olhar assustado que não consegui esconder. Conal Tremaine olhou para mim por um segundo, seu rosto não demonstrando nenhuma emoção. Sua expressão era completamente neutra quando ele voltou sua atenção para Armstrong.

— O que quer que você pense que ela tem, está extremamente bem escondido. Vou precisar de mais tempo para romper as barreiras que ela ergueu.

— Faça isso agora, — Armstrong exigiu. — Quero isso, eu quero o poder que ela detém.

— Ok. — Conal Tremaine levantou a mão novamente e eu chorei. — Contanto que você esteja feliz por ela morrer aqui e agora, tudo bem por mim.

— Espere! — Houve silêncio por alguns segundos, mas não consegui ver o rosto de Armstrong para saber o que ele estava pensando, o que estava fazendo. Tudo o que eu podia ver era o homem na minha frente, com a mão a apenas alguns centímetros da minha testa. — Qual é o problema?

Conal Tremaine deu de ombros.

— Ela não é como nós, ela é fraca. Há uma boa razão para eu não fazer isso em humanos, isso reduz suas mentes a um mingau, mata o tronco cerebral. Outra tentativa logo após a primeira fará com que ela morra aqui em seu escritório. Ainda assim, —

disse ele, recostando-se na cadeira e cruzando os braços sobre o peito largo, — não faz diferença para mim.

Armstrong ficou em silêncio novamente e eu podia imaginá-lo considerando o que o homem havia dito. Eu não podia ver seu rosto e não ousei me virar e descobrir o que sua expressão facial me diria. Eu tinha certeza de que, se me movesse, a dor na minha cabeça só aumentaria e eu estava tendo dificuldade suficiente para permanecer consciente. Manchas pretas dançavam dentro e fora da minha visão, a náusea sendo contida apenas por pura força de vontade. Quando Armstrong falou, sua voz era ao mesmo tempo zangada e resignada.

— Tudo bem. Vou te dar três dias. Obtenha as informações dela nos próximos três dias, ou eu vou te matar e ter seu bando aniquilado.

— E se eu conseguir a informação?

— Você estará livre para ir e nossa rixa acabará. A dívida será esquecida.

— Aceito. — Conal olhou rapidamente para mim, antes de voltar seu olhar para Armstrong. — Tenha em mente que há lua cheia em dois dias.

— Estou ciente disso, — Armstrong retrucou. Ele agarrou meu braço e me arrancou da cadeira, arrastando-me em direção à porta. Ele me empurrou sem cerimônia para os guardas e gritou para eles me levarem de volta à minha prisão. Uma vez lá, vomitei prontamente no balde, vomitando repetidamente até não sobrar nada, minha garganta ardendo e minha visão embaçada pela dor de cabeça intensa. Caí no chão, encostei a testa no concreto frio e chorei.

Quando pude, rastejei de quatro até o colchão e fiquei olhando para o teto. Por que Conal Tremaine mentiu? Ele quebrou todos os escudos que eu tinha. Por que ele não contou a Armstrong o que viu? Rolei para o lado, enrolando-me em uma bola e tentando conservar um pouco de calor em meu corpo. Pela milionésima vez me perguntei por que estava tão frio aqui embaixo, quando estava tão quente lá em cima.

O som familiar e indesejável de passos veio do corredor e eu me preparei, incapaz de reprimir o gemido assustado que escapou de meus lábios. Ainda não, ele não podia esperar que eu passasse por isso de novo. Eu não tinha voltado aqui por muito tempo, parecia que apenas alguns minutos haviam se passado – eu não poderia sobreviver a uma segunda tentativa tão cedo.

Para minha total confusão, quando a porta se abriu, Conal Tremaine foi empurrado para dentro da sala e caiu no chão em uma pilha amassada. Ele havia sido espancado, o sangue ainda jorrando de um corte profundo em sua testa.

A porta bateu e ouvi a chave girar na fechadura.

Permaneci imóvel por um minuto e então comecei a engatinhar em direção ao homem jogado no chão. Ele permaneceu totalmente imóvel, para todos os efeitos, ele parecia inconsciente, mas eu estava cautelosa. Tê-lo preso aqui me deixava nervosa, eu sabia que ele não era um humano normal, mas não tinha descoberto exatamente o que ele era. Suspirei pesadamente. Tudo o que eu sabia era que ele não tinha dado meu segredo a Armstrong e por isso eu devia algo a ele.

Rastejei até o segundo balde que recebi um ou dois dias atrás, que continha água potável. Armstrong aparentemente descobriu que eu não poderia sobreviver para sempre sem nutrientes, então agora recebia um balde de água e restos de algo não comestível todos os dias. Olhei com pesar para o meu lindo vestido, que parecia muito pior depois de dias de abuso.

— Desculpe, Acenith, — murmurei, agarrando a borda do vestido e puxando até conseguir arrancar um pedaço de tecido dele.

Mergulhei o material na água, usando-o para enxugar suavemente o ferimento na testa do homem enorme. Gastando muita energia que eu mal tinha, empurrei e empurrei até que ele deitasse de costas, só então percebendo que o corte na testa não era o único ferimento que ele havia sofrido. Havia quatro arranhões profundos em seu peito, visíveis sob a camisa rasgada. Depois de alguns segundos de ansiosa deliberação, desabotoei sua camisa para poder limpar as feridas, que pareciam marcas de garras. Eu não tinha dúvidas de quem tinha feito isso com ele e por quê – porque ele manteve meu segredo. O mínimo que eu podia fazer era tentar ajudá-lo.

Ele era bonito, pensei, enquanto limpava os ferimentos com cuidado. Ele não era classicamente bonito, mas atraente de uma forma terrena e ao ar livre. Cílios pretos emolduravam seus olhos fechados, e havia uma covinha em seu queixo, parcialmente obscurecida pela barba por fazer que crescia em suas bochechas e mandíbula. Imaginei que ele estivesse entre trinta e quarenta anos, excepcionalmente musculoso, com ombros largos e um impressionante tanquinho. Eu me perguntei se ele era casado – ele tinha família em algum lugar? Uma olhada rápida confirmou que ele não usava aliança. O pensamento era reconfortante, embora não garantisse que ele era solteiro, pelo menos eu esperava que ele não tivesse uma esposa ou namorada se preocupando com ele em algum lugar. Ele tinha um bando, que Armstrong estava ameaçando. Quantas pessoas estavam envolvidas, quantas ficariam feridas se eu não contasse a Armstrong o que ele queria saber?

Achei que Conal Tremaine devia ser um

lobisomem, como suspeitava que Armstrong fosse. A suposição parecia fazer sentido com Armstrong falando sobre um bando. Isso significava que eu poderia ter muito mais problemas se ele quisesse dizer o que disse sobre a lua cheia. Eu não sabia quanto do que eu tinha lido sobre lobisomens era verdade, mas eu tinha certeza que a próxima lua cheia só poderia ser ruim. Continuei meus esforços de primeiros socorros, preocupada com o pensamento deste homem se transformando em um lobisomem em poucos dias. Havia outro corte menor em seu abdômen e eu o limpei com cuidado, removendo o sangue que havia derramado em sua pele morena lisa. Satisfeita por todos os ferimentos que eu podia ver estarem limpos, eu estava prestes a enxaguar o pano quando ele recuperou a consciência, segurando meu pulso em um aperto doloroso.

Eu gritei e tentei me afastar, apavorada quando ele rosnou no fundo do peito. Ele abriu os olhos e soltou seu aperto imediatamente, olhando mais atentamente para mim, seus olhos escuros observando minha aparência desgrenhada, o pano molhado ainda preso em meus dedos. Mantendo seu olhar em mim, ele tocou sua testa, então seu peito antes de se sentar.

— Você estava limpando minhas feridas?

Eu balancei a cabeça, apavorada com este homem imponente.

— Você está com muitos problemas, Srta. Duncan. — Sua voz era profunda, um grunhido estrondoso que era estranhamente reconfortante.

— Meu nome é Charlotte, — eu respondi suavemente.

— Charlotte. — Ele se levantou abruptamente, seus movimentos fluidos e graciosos para um homem tão alto e sólido. Caminhando lentamente, ele examinou as paredes e o teto, estudando cada centímetro quadrado. Sentei-me em silêncio, esperando enquanto ele terminava sua inspeção, imaginando o que ele estava procurando no quarto vazio.

Quando ele pareceu satisfeito, voltou para onde eu estava e sentou-se de pernas cruzadas no chão à minha frente.

— Esta sala não parece ter nenhuma câmera escondida ou dispositivos de escuta. Não acho que Armstrong pensou que levaria tanto tempo para conseguir o que quer, tenho certeza de que ele não planejava manter dois prisioneiros aqui. Acho que estamos seguros para falar livremente.

Observando-o com cautela, percebi que meu pulso ainda latejava onde ele me agarrou. Ele poderia me quebrar como um galho e eu não estava convencida de que lado ele estava. Mas ele manteve meu segredo e senti que deveria confiar nele, pelo menos um pouco. Que escolha eu tinha?

— Você é um lobisomem? Como Armstrong?

— Eu sou lobisomem, Armstrong não é. Ele é um metamorfo, um aspirante a lobo. — Seus olhos negros piscaram pela sala novamente como se ele quisesse confirmar que não havia nada aqui, que Armstrong pudesse usar para ouvir nossa conversa. — Os metamorfos são escória, eles estão abaixo de nós. Eles não têm honra.

— Ele tem o seu... bando, Sr. Tremaine.

— Se vamos usar o primeiro nome, pode me chamar de Conal, — ele respondeu. — Sim, ele tem meu bando. Se eu não entregar o que ele quer, ele vai matá-los.

— E você?

Conal inclinou a cabeça.

— Já sou um homem morto. Não importa o que ele diga, ele não tem nenhuma intenção de me permitir sair. — Ele olhou para mim, seus olhos procurando meu rosto. — Eu matei o irmão dele alguns meses atrás. Paguei a penalidade exigida, mas isso não é suficiente para ele. Ele quer olho por olho.

Eu não estava tentando entender o código de comportamento dos lobisomens e metamorfos. Eu tremi, congelando no vestido fino que eu estava usando há dias.

— Você viu o que estava na minha cabeça, — eu disse, — por que você não contou a ele? — Não fazia sentido fazer rodeios. Conal tinha visto meus segredos e esconder qualquer coisa dele agora parecia inútil.

— O que você é? — ele questionou abruptamente, ignorando a minha pergunta.

— Eu sou apenas uma humana. Eu tenho uma habilidade psíquica.

Conal balançou a cabeça com firmeza.

— Eu não tenho tanta certeza sobre você ser apenas uma humana. Há quanto tempo você tem visitas corpóreas?

— Um mês, talvez um pouco mais. Eu ouvi suas vozes primeiro, por anos antes de agir sobre elas. Então as... visitas começaram.

— Sua habilidade é incrivelmente poderosa. Fiquei surpreso quando quebrei seu escudo e descobri o que você estava escondendo.

— Também me surpreende, — murmurei e o pensamento não era inteiramente feliz.

Conal me encarou por um minuto inteiro e eu me forcei a retornar seu olhar sem desviar. Era como ser estudada sob um microscópio e lutei contra o desejo de me contorcer.

— Você não sabe por que ele quer isso? — ele finalmente perguntou.

Eu balancei minha cabeça.

Conal inalou profundamente, soltando o ar com um som agudo.

— Ele quer usar o que você tem na cabeça como uma arma. Para ganhar poder sobre os outros ao seu redor.

Eu não conseguia entender o que ele estava sugerindo. Como algo em minha cabeça poderia ser usado como uma arma?

Conal viu minha confusão e esclareceu.

— Aqueles espíritos em sua cabeça, você tem muito poder sobre eles. Mais do que eu imaginaria que qualquer humano já teve. Sua habilidade é incomum em uma mortal. Extremamente incomum.

— Ainda não entendi, — eu admiti.

O olhar escuro de Conal se fixou no meu.

— Você tem visões corpóreas, não é? Você vê os espíritos manifestados fisicamente diante de você?

Eu balancei a cabeça com cautela.

— Eu vi em sua mente, você tem o poder de fazer essas visões corpóreas cumprirem suas ordens.

Senti meus olhos se arregalando.

— Como você sabe disso?

— Eu vi as coisas que você fez quando estava sondando sua mente. Meu dom me permite acessar sua mente, comparável a procurar arquivos em um computador. Você usou um dos espíritos para cumprir suas ordens.

Eu fiz uma careta desconfortavelmente.

— Eu fiz minha mãe fazer um garçom tropeçar.

Conal se mexeu, dobrando a perna para cima e envolvendo os braços em volta do joelho.

— Junte tudo isso e você terá a resposta. Você pode usar os espíritos para cumprir suas ordens. Imagine ser capaz de usar um *exército* de espíritos para cumprir suas ordens.

A ficha caiu.

CAPÍTULO 5

ALIADOS

Eu me levantei desajeitadamente, ainda lutando com os efeitos da sondagem de Conal. A dor de cabeça ainda latejava, exacerbada pelo que Conal havia planejado para mim. Andei para frente e para trás, digerindo as implicações. Ele continuou sentado no chão, aparentemente contente em esperar que eu falasse.

— Ainda não entendi. Não vou dar a ele um exército.

Conal olhou para mim, uma sobrancelha levantada em diversão indisfarçável.

— Vocês humanos não são muito rápidos em compreender. Lembra-se do que ele disse quando avisei que a sondagem poderia prejudicá-la?

Eu pensei sobre a conversa e a compreensão me ocorreu.

— É por isso que ele me bate no rosto, nos braços, na parte superior do corpo. Por que ele disse que não se importava com o que acontecia com a minha mente. — Estremeci quando a compreensão surgiu. — Ele não quer minha habilidade psíquica. Ele quer minha composição genética.

— Boa menina. Talvez você seja mais esperta do que eu pensava. — Conal mordeu o lábio inferior pensativamente. — Ele precisa saber exatamente o quão poderosa você é. Quando ele descobrir toda a extensão de suas habilidades, imagino que ele irá colher seus óvulos e fertilizá-los com esperma metamorfo. Provavelmente dele mesmo. Ele criará seus próprios filhos psíquicos. Crianças que podem controlar e comandar um exército de mortos.

— Mas como isso vai ajudá-lo? — Eu argumentei. — Mesmo que eles carregassem a mesma habilidade psíquica, levaria anos até que fossem úteis para ele.

Conal riu asperamente.

— Voltou a pensar como uma humana estúpida. Independentemente de quanto tempo leve, criar sua própria raça de metamorfos psíquicos lhe dará um poder tremendo. Mais poder do que qualquer um poderia imaginar. Ele está preparado para esperar. Com o treinamento e o incentivo corretos, ele poderia fazer com que cumprissem suas ordens em oito anos, talvez menos. E enquanto isso, ele tem você. — Ele parou por um longo momento, olhando-me impassivelmente. — E se ele te torturar por tempo suficiente, você vai ceder a ele.

— Eu não vou, — afirmei decidida, mas minha mente gritava dúvidas para mim. Os espancamentos estavam se tornando cada vez mais brutais. Quanto tempo eu poderia resistir a esse tipo de abuso físico? Se ele ameaçasse matar pessoas, se eu não fizesse o que ele dissesse, eu seria capaz de enfrentá-lo? Eu sabia que não podia.

Minhas pernas cederam e eu desabei no chão. Meus dentes batiam e eu envolvi meus braços em volta das minhas pernas, tentando ganhar um pouco de calor. Isso era mais do que frieza física, a enormidade do que Conal havia explicado estava causando um calafrio que era mais natural, resultado de choque e medo.

— Você está com frio, — Conal afirmou suavemente.

Eu balancei a cabeça em silêncio, ainda tentando entender o que Conal havia explicado. Finalmente pude ver por que eu era importante para Armstrong e pude entender, ainda mais claramente, por que ele não poderia obter a informação que queria.

— Não sei por que está congelando aqui, quando está quente lá em cima.

— Armstrong é um mestre em tortura. Estamos pelo menos parcialmente no subsolo, o que manteria a área mais fria do que no andar de cima, mas é feito de concreto sólido e imagino que ele tenha alguma maneira de manter a temperatura artificialmente baixa. É um método de tortura muito antigo, quanto mais desconforto você sente, mais provável é que você dê a ele o que ele quer. — Ele manteve os braços abertos. — Vou esquentar você.

Desconfiada de suas intenções, eu balancei minha cabeça. Como eu sabia que ele não iria me atacar? Eu nem o conhecia. Ele pode parecer estar do meu lado, mas a incerteza ainda me mantinha cautelosa.

— Por favor, — Conal disse rispidamente. — Você está com frio e eu sou um lobisomem. Meu corpo é naturalmente muito mais quente do que o de um ser humano. Eu não vou te machucar, eu te dou minha palavra. Preciso que você seja capaz de falar comigo para tentarmos encontrar uma saída daqui. Isso ajudará você a pensar com mais clareza se estiver aquecida.

Eu rastejei em direção a ele, observando-o com cautela. Ele não fez nenhum movimento brusco, permanecendo perfeitamente imóvel enquanto eu rastejava entre suas pernas no meu próprio tempo. Eu parei, sem saber o que fazer a seguir e Conal gentilmente agarrou minha cintura, virando-me para que minhas costas ficassem contra seu peito. Ele me ergueu como se eu não pesasse mais do que um bebê e então deixou cair os braços em volta de mim, envolvendo-me em um casulo de calor. Fechei os olhos, saboreando o calor e o alívio que pairava sobre mim quando comecei a me esquentar.

Conal me permitiu alguns minutos de paz enquanto o calor se espalhava pelo meu corpo e eu caí ainda mais contra seu peito, sentindo-me mais segura do que em dias.

— Agora, eu disse a você o que eu consegui descobrir. Eu preciso que você me conte tudo o que sabe, para que eu possa tentar descobrir uma maneira de sair daqui, — ele anunciou, sua voz ressoando em seu peito contra minhas costas. Era reconfortante.

Contei a ele toda a história, do começo ao fim. Eu não tinha certeza se podia confiar nele completamente, mas ele era a única pessoa em quem eu podia confiar. Ele sabia o meu segredo, que ponto havia em esconder qualquer outra coisa dele? Contei tudo desde quando conheci Lucas, sendo atacada pelo vampiro, minha recuperação com a ajuda do Dr. Harding. Eu contei a ele sobre os outros vampiros voltando para se vingar do lobisomem – e como minhas habilidades psíquicas enviaram os outros para resgatar Lucas e seus amigos. Eu contei todas as experiências psíquicas que tive e continuei até o dia do casamento. Quando terminei, deitei com expectativa contra seu peito duro, esperando por sua resposta.

Conal levou um tempo para absorver o que eu disse a ele, antes de falar.

— Você diz que ele conseguiu que Gerard DuBonet se infiltrasse na casa deste Tine?

Eu balancei a cabeça.

— Ele estava lá na manhã do casamento. Disse-me que era o organizador do casamento. Você conhece ele?

— Eu o encontrei uma ou duas vezes. Ele é um patife. Sempre à procura de uma maneira de ganhar dinheiro rápido.

— Ele poderia dizer o que eu era me tocando?

— Sim. Ele é capaz de ler as pessoas, através do toque. Ele seria capaz de dizer que você tinha uma habilidade psíquica, mas esse escudo que você tem é incrivelmente forte. Ele não teria passado por isso. Ele não é tão talentoso. — Ele caiu em silêncio novamente, pensando. — Esses sugadores de sangue... eles nunca tentaram transformar você?

— Não. — Eu não gostava que ele os chamasse de sugadores de sangue, ele dizia isso com tanto desprezo, e era óbvio que ele não gostava de vampiros. — Eu não quero ser uma vampira.

— Isso geralmente não impede os sugadores de sangue. Eles não se alimentam de humanos. Você tem certeza disso?

Eu balancei a cabeça, ciente da pele muito quente de Conal contra minhas costas.

— Eles o fizeram no passado, mas todos desistiram de matar humanos e sobreviveram com sangue animal.

Conal estava pensativo, suas mãos enormes esfregando meus braços inconscientemente.

— É difícil acreditar que haja sugadores de sangue por aí que não ataquem humanos. Eu nunca ouvi falar disso antes, — ele disse duvidosamente. — Você tem certeza absoluta de que eles não matam humanos?

— Sim.

— E esse... Ripley? Você diz que ele tem a habilidade de ler mentes. A que distância ele pode ler?

— Eu não sei, — eu admiti. — Mas tenho tentado transmitir informações, esperando que ele possa me ouvir.

— Se ele ainda estiver vivo.

Eu me afastei dele, indignada com a sugestão de que eles estavam mortos. Apesar do que Armstrong havia dito, eu não acreditaria.

— Eu *tenho* que pensar que eles estão bem.

Conal estendeu a mão para mim, me pegou e me depositou de volta no espaço quente entre suas coxas.

— Você precisa se manter aquecida. Eles vão

voltar para nós em breve e você precisa de sua força. — Seus olhos escuros eram indecifráveis enquanto ele olhava para mim. — Sinto muito por ter chateado você. Eu até acho que você possivelmente está certa. Não consigo imaginar que quinze metamorfos possam matar duzentas e cinquenta pessoas sem que alguém tenha a oportunidade de escapar. Os sugadores de sangue são a escolha óbvia para a sobrevivência, eles escapariam mais rápido que os humanos.

Eu me irritei, indignada, preparada para deixar o santuário de seu calor novamente, mas Conal me antecipou, envolvendo seus braços com mais força ao redor do meu corpo. Isso não me impediu de expressar minha raiva.

— Eles nunca deixariam os humanos se defenderem sozinhos. Você não os conhece.

— Tudo bem, tudo bem, — ele respondeu suavemente, esfregando as mãos em meus braços enquanto tentava me acalmar. — Vou tentar ver as coisas do seu ponto de vista, mas você tem que se lembrar, lobisomens e vampiros são inimigos há milênios. É difícil acreditar que possa haver alguns sugadores de sangue bons por aí.

— Pare de chamá-los assim! Eles *são* boas pessoas, — eu anunciei com raiva. — Vai ajudá-los a nos encontrar se você me contar o que sabe sobre

Armstrong e onde estamos, para que eu possa tentar levar as informações a Ripley.

Conal esfregou meus braços, me puxando para mais perto de seu peito. Ele não se desculpou pelo comentário dos sugadores de sangue, o que me irritou, mas ele estava tão quente e eu apreciei o calor depois de estar com tanto frio, então me vi disposta a lhe perdoar uma vez e não lutei para me afastar. Sua pele era lisa e firme contra as áreas expostas das minhas costas e era como deitar contra um radiador elegante.

— Tudo bem, — ele finalmente disse. Ele parecia ter decidido confiar em mim. — Fiz um pouco de reconhecimento quando me trouxeram aqui, não consegui ver nada porque estava com os olhos vendados, mas meu olfato é bom. Há pelo menos vinte guardas no terreno e no prédio. Não posso ser exato, porque havia muitos vestígios de cheiro, alguns novos e outros antigos. É uma estimativa aproximada.

— Ok. — Eu me contorci em seus braços, virando para que eu pudesse ver seu rosto. — O que você sabe sobre Armstrong?

Conal franziu o cenho pesadamente, como se a pergunta o incomodasse.

— Essa é a coisa estranha sobre tudo isso. Ele geralmente é um vigarista medíocre, tem uma mão em alguns cassinos em Las Vegas e dirige meia dúzia de casas de strip-tease. O suficiente para ganhar dinheiro, mas qualquer coisa maior e ele geralmente trabalha para outra pessoa. — Conal olhou para mim, seus olhos negros mostrando sua perplexidade. — Isso é incomum para ele. Ele não é corajoso o suficiente para assumir algo como sequestro.

— Que dia é hoje?

— O que isso tem a ver com alguma coisa?

— Nada. Só me perguntei há quanto tempo estou aqui. Eles me levaram no sábado. Achei que poderia... dar uma indicação de nossas chances. — Eu não queria articular o que eu realmente estava pensando – se tivesse passado muito tempo, Lucas provavelmente estaria morto. Eles não viriam atrás de mim.

— É quinta-feira. Pela aparência do céu quando Armstrong removeu a venda, acho que era final de tarde.

Quinta-feira. Fazia cinco dias completos desde que fui sequestrada. Parecia muito mais tempo.

— Onde você estava quando eles o levaram? — eu questionei.

Conal respirou fundo.

— Com meu bando, em Natchez, Mississippi. — Ele estava esfregando minhas costas e me mexi desconfortavelmente quando sua mão acariciou alguns dos hematomas em minhas omoplatas. —

Ele te machucou gravemente, — ele rosnou com raiva.

— Não é tão ruim, principalmente contusões. Ele me bate quando fica com raiva, — eu admiti calmamente. Eu podia ver os cortes profundos em seu peito agora que estava deitada em seu colo, já que ele não se preocupou em abotoar a camisa. — Ele não usou suas garras em mim.

— Eu posso ver isso. — Conal olhou para o meu rosto, levantando a mão para esfregar o polegar suavemente na fenda do meu lábio e no corte na minha bochecha. — Ele não quer fazer nada que possa machucá-la o suficiente para arruinar seus planos.

Estremeci sob a carícia gentil, afastando-me de sua mão para olhar para ele. Sua expressão era neutra, mas eu não estava confortável com o toque carinhoso, era muito íntimo entre um homem e uma mulher que mal se conheciam.

— Você sabe quanto tempo demorou para ser trazido de Natchez para cá?

Conal deixou cair a mão nas minhas costas, descansando-a contra a curva do meu quadril.

— Algumas horas, talvez um pouco mais.

— Então, onde poderíamos estar? — Meu conhecimento de geografia era, na melhor das hipóteses, rudimentar, nunca foi minha matéria favorita na escola.

— Não tenho certeza de que direção viemos, só posso supor. Mississipi ou Louisiana.

Não consegui esconder minha consternação.

— Isso não diminui muito. Você sabe onde Armstrong geralmente fica?

Conal suspirou.

— Eu não sei muito sobre ele. Acho que ele pode morar na Louisiana, mas não sei onde. Nova Orleans, talvez?

Dois estados era uma área enorme para procurar. Como alguém poderia nos encontrar? Apesar das minhas dúvidas, acrescentei esses novos detalhes às informações que estava coletando.

— Por que você matou o irmão dele? — A pergunta foi feita antes que eu tivesse tempo de pensar se deveria ser feita ou não, mas esse homem havia matado alguém. Eu estava presa com ele, então parecia uma pergunta razoável.

Os olhos de Conal brilharam negros e duros.

— Seu irmão estuprou uma das integrantes do meu bando. Ela o conheceu em um bar em Jackson e ele a seguiu até seu apartamento e a atacou. Deu uma surra nela. Eu o cacei e o matei.

Estremeci, a imagem visual que ele pintou não era um pensamento reconfortante, embora a razão pela qual ele assassinou pudesse ser justificada. Eu me perguntei se estava julgando, eu tinha um assassinato em meu passado e não podia atirar pedras.

Ficamos em silêncio, ambos imersos em pensamentos e meus olhos começaram a se fechar por conta própria enquanto eu enviava mentalmente minha mensagem para Ripley. *Gerard DuBonet, Laurence Armstrong, quente e úmido, vinte guardas, Mississippi ou Louisiana, possivelmente Nova Orleans. Gerard DuBonet, Laurence Armstrong, quente e úmido, vinte guardas, Mississippi ou Louisiana, possivelmente Nova Orleans.* Um pensamento me ocorreu e alterei ligeiramente a mensagem. *Gerard DuBonet, Laurence Armstrong, quente e úmido, vinte guardas, Mississippi ou Louisiana, possivelmente Nova Orleans, Conal Tremaine é um lobisomem e está me ajudando.*

Outra pergunta me ocorreu e eu a expressei.

— Você sabe por que Lucas diria a eles que eu era sua companheira?

Conal ficou pensativo por um minuto antes de responder.

— Lobisomens são dedicados a seus parceiros. Nós acasalamos para a vida toda. Imagino que ele presumiu que eram lobisomens, não metamorfos. Se eu estivesse sequestrando alguém e me dissessem que ele ou ela estava acasalado, eu teria que reconsiderar minha decisão. Eu nunca separaria de bom grado um casal que fosse acasalado. É algo que nunca fazemos. — Ele fez uma pausa, esfregando a mão no meu quadril enquanto pensava. — Seu Lucas provavelmente esperava que eles reconsiderassem se ele dissesse que você estava acasalada com ele. Imagino que tenha sido o último recurso para tentar evitar que você seja levada, parece que ele tinha poucas outras opções viáveis na época. — Ele baixou o olhar para o meu, fazendo uma careta. — Foi uma jogada arriscada, ele deveria saber que eles poderiam... buscar provas físicas. — Ele amaldiçoou severamente; sua voz baixa e eu me encolhi com sua escolha de palavras. — Os lobisomens nunca desonrariam uma mulher assim. Foi um comportamento repreensível, algo que apenas escórias como metamorfos fariam.

Ficamos em silêncio por alguns minutos e me perguntei se ele era parceiro de alguém. Embora não fosse casado, talvez já estivesse ligado a alguém da maneira especial que havia explicado.

— Você tem uma companheira?

Conal sorriu, balançando a cabeça.

— Não, eu não tenho. Sou filho de Lyell Tremaine, líder do Bando Tremaine. Devo escolher outra lobisomem de sangue puro para acasalar, mas ainda não encontrei aquela com quem gostaria de acasalar por toda a vida.

Eu pensei sobre o que ele disse, imaginando sobre uma raça... você os chama de raça, se eles fossem lobisomens? Pensando em selecionar uma pessoa e se comprometer com ela pelo resto de sua vida. Dada a minha formação, era um conceito estranho entender esse tipo de compromisso com outra pessoa. Adormeci, sentindo-me um pouco mais segura com os braços de Conal Tremaine ao meu redor.

CAPÍTULO 6
EMARANHADOS

O sonho foi estranho, quase realista em sua intensidade. Havia um cachorro me lambendo, sua língua ao mesmo tempo áspera e macia contra minha pele. A umidade contra minha bochecha estava esfriando quando o ar frio a atingiu. Como poderia haver um cachorro aqui? O sonho começou a se distorcer quando acordei, percebendo onde estava e o que, ou melhor, *quem* estava me lambendo.

— O que diabos você está *fazendo*? — Eu lutei para fora dos braços de Conal e fiquei de pé, sabia que meus olhos estavam ardendo de fúria. Eu não podia acreditar que ele estava fazendo algo tão... *íntimo*, sem minha permissão ou conhecimento.

Conal se recostou contra a parede, seu rosto era

uma máscara sem emoção. Seus olhos negros estavam sérios quando ele falou.

— Você está ferida. Minha saliva ajudará a curar suas feridas.

— Você não pode simplesmente sair por aí... *lambendo* as pessoas! — Eu balbuciei furiosamente. Eu tremia da cabeça aos pés, furiosa com sua calma. — Isso é... bem... é rude, é isso que é! Nós nem nos conhecemos!

Seus olhos se encheram de diversão.

— Acho que provavelmente sabemos mais sobre o outro do que a maioria dos humanos e lobisomens jamais saberão. — Ele se levantou e foi só então, parada perto dele, que percebi exatamente o quão alto e musculoso ele era. — E você não reclamou até acordar. Até esse momento, você parecia estar gostando.

— Eu não estava gostando! — Apesar da minha negação, um rubor surgiu em minhas bochechas.

— Tudo bem, — Conal disse calmamente. — Peço desculpas.

Por talvez um minuto eu olhei para ele, tentando acalmar minha raiva e ignorar o fato de que ele era tão bonito de um jeito rústico e de classe trabalhadora e eu estava realmente percebendo isso. Eu balancei minha cabeça, tentando afastar o pensamento da minha mente e a raiva se dissipou rapidamente quando a confusão tomou seu lugar. Como eu poderia olhar para ele e pensar que era bonito, quando eu estava apaixonada por Lucas? O que havia de errado comigo?

Ele caiu no colchão com as costas contra a parede e estendeu os braços, um convite silencioso para voltar ao calor que ele oferecia. Permaneci de pé por um minuto, tentando manter o lampejo de raiva, mas então meus ombros caíram em derrota. Não fazia sentido lutar com a única pessoa que poderia me ajudar a escapar. Eu me arrastei e me sentei entre suas pernas novamente, saboreando o calor, mesmo quando fiquei tensa quando meu ombro nu tocou seu peito. Pensei em pedir para ele abotoar a camisa, mas resolvi não tocar no assunto.

— Quanto tempo eu dormi?

— Uma hora, talvez duas. — Conal arqueou o pescoço para olhar para a janela suja. — Acho que pode ser de noite.

Eu toquei um dedo em minha bochecha, roçando o corte que Conal estava lambendo. Para meu espanto, realmente me senti melhor, certamente menos dolorosa do que antes de dormir.

— Eu disse a você que ajudaria, — Conal disse calmamente.

— Como?

Conal encolheu os ombros largos. — Nossa

saliva tem propriedades curativas. Quando estamos em batalha, às vezes ficamos gravemente feridos. Lamber as feridas faz com que elas cicatrizem muito mais rápido. Nossa saliva tem propriedades antibacterianas e uma qualidade anestésica.

Minha voz estava triste quando eu respondi.

— Alguns meses atrás, isso teria parecido loucura.

Conal sorriu e notei as covinhas profundas em suas bochechas. Eu me vi sorrindo de volta para ele – a primeira vez que sorria em dias.

Seu sorriso desapareceu muito rapidamente, para ser substituído por uma carranca profunda.

— Eu acho que eles virão atrás de nós em breve. Não tenho escolha, terei que sondar sua mente novamente. — Ele agarrou minha cintura em suas mãos e me virou sem esforço, então eu estava de frente para ele. — Eu não quero fazer isso, é extremamente perigoso.

— O que poderia acontecer? — Era uma pergunta que eu particularmente não queria ouvir a resposta, mas não pude deixar de perguntar.

— Você é a primeira humana em quem eu tentei. Eu usei isso em outros da minha espécie e metamorfos. Já matou alguns, — ele admitiu suavemente. — Outros ficaram psicologicamente incapacitados.

Não consegui pensar em uma única resposta. O que eu poderia dizer? Que resposta havia para dar, sabendo que Conal estava sendo forçado a fazer algo que poderia me deixar incapacitada para o resto da vida?

— Suponho que você não pode simplesmente fingir que está fazendo isso?

— Armstrong sentiria que não era autêntico. — Ele suspirou, esfregando as mãos em meus braços. — Se eu não tornar isso realista, fazê-lo acreditar que estou progredindo, ele vai ficar chateado. Teremos que dar a ele um pouco de informação, fazê-lo pensar que está funcionando e que está se aproximando de seu objetivo. — Seu olhar cintilou ao redor da pequena sala antes de baixar os olhos para os meus. — Enquanto você dormia, eu estava pensando em nos tirar daqui. Há muitos guardas, eu não poderia enfrentá-los sozinho e protegê-la. — Ele fez uma pausa, me estudando cuidadosamente. — Eu me perguntei se poderíamos usar os espíritos, fazê-los destrancar a porta? Pode nos dar uma chance, nos fornecer o elemento surpresa.

— Acho que não podemos arriscar. Armstrong não pode descobrir sobre meu poder. Seria muito perigoso se ele entendesse o que eu poderia fazer. Além disso, só fiz um espírito fazer algo físico uma vez. Não posso garantir que funcionaria uma segunda vez.

Conal assentiu pensativo.

— Tenho certeza que você pode fazer isso de novo, Charlotte. Mas você está certa, é uma má ideia.

— Você não pode simplesmente... se transformar em um lobo? Você não poderia lutar com ele se fosse um lobisomem? — Eu perguntei esperançoso.

Ele bufou zombeteiramente.

— Lá vai você, pensando como uma humana novamente. Lobisomens são diferentes de metamorfos. Eles mudam por capricho, ou se tornam meio homem, meio animal. Um verdadeiro lobisomem só se transforma na lua cheia.

O que ele disse a Armstrong voltou para mim e eu estremeci.

— A lua cheia está chegando.

Conal assentiu, seus olhos negros impassíveis.

— Em duas noites.

— Você vai se tornar... — O medo tomou conta do meu peito e eu fechei os olhos. Ele se tornaria um lobo e eu ficaria presa dentro desta sala com ele. — Isso ainda vai acontecer, mesmo se você estiver dentro deste prédio?

— Infelizmente, sim. O mito diz que temos que estar ao luar para transformar – isso não faz diferença. Vou me transformar em lobo na primeira noite de lua cheia e isso acontece por três noites seguidas. Na forma de lobo, não vou reconhecê-la, não vou identificá-la. Eu vou matar você. — Sua voz não continha nenhuma emoção, ele declarou isso como um fato frio e duro.

Esfreguei as mãos no rosto e no cabelo emaranhado.

— Esta situação está ficando cada vez melhor, — eu gemi.

— Vamos nos preocupar com uma coisa de cada vez. Precisamos nos preparar para nosso próximo encontro com Armstrong. — Ele fez uma pausa, olhando para mim e a expressão em seu rosto suavizou. — Charlotte, você precisa se concentrar.

Foi uma luta me arrastar para trás do pensamento aterrorizante de ser dilacerada por um lobisomem. Quando olhei para ele, achei difícil acreditar que esse homem se tornaria uma fera. Parecia incompreensível.

— Ok, estou ouvindo.

— Vou dizer a Armstrong que quebrei um escudo, mas você tem um segundo escudo no lugar. Isso vai nos dar algum tempo. Temos que deixá-lo pensar que estamos progredindo. Vou sondar sua mente e vai ser extremamente doloroso, mas prometo, não vou sondar mais fundo do que o necessário, para fazer com que pareça autêntico.

Eu balancei a cabeça, engolindo nervosamente.

— Enquanto isso, temos que encontrar uma maneira de sair daqui. Pensei em quebrar aquela janela e tirar você daqui antes de me transformar. Acho que você é pequena o suficiente para passar por ela. A única falha nesse plano é que há metamorfos lá fora, guardando o terreno e eles levarão apenas alguns minutos para sentir seu cheiro. Armstrong quer que você fique intacta – nesse caso, ele provavelmente vai me matar antes da lua cheia. Vai ser como andar na corda bamba, tentando nos manter vivos e de alguma forma convencer Armstrong a não me matar antes da lua cheia. Se eu conseguir sobreviver até lá e ainda estiver vivo, temos uma chance de lutar – mas ainda preciso descobrir como tirar você do perigo.

Minha cabeça estava girando e o pânico apertou meu peito. Eu tinha certeza de que iria morrer, não importa como as coisas acontecessem. Não havia um lado bom na bagunça em que nos encontramos. Era irônico pensar que eu estava procurando uma maneira de me matar alguns meses atrás, mas agora eu queria viver. Quando olhei para o rosto de Conal, sabia que ele veria o pânico em meus olhos. Lágrimas transbordaram contra meus cílios e rolaram pelo meu rosto. Estremeci quando o líquido salgado picou nos cortes abertos.

Conal se inclinou e lambeu minha pele

suavemente, sua língua pegando as lágrimas e limpando-as. Seu hálito quente em meu rosto era estranhamente reconfortante, sua língua passando carinhosamente pelo corte em minha bochecha. Ele me capturou em seus braços e me virou em seu colo até que eu deitei em seu corpo, seus braços me envolvendo. Fiquei imóvel, fechando os olhos enquanto ele gentilmente trabalhava seu caminho até o corte em meu lábio inferior. A ponta de sua língua sondou o corte e o efeito anestésico de sua saliva foi calmante. O momento foi quebrado quando ele parou e eu abri meus olhos para encará-lo.

Conal estava olhando para mim, seus olhos negros queimando com emoção e tensão visíveis nos músculos de sua mandíbula. Eu devolvi seu olhar, uma multidão de emoções me assaltando de todos os lados. Os sentimentos que experimentei não foram apenas alívio e conforto.

— Eu quero te beijar, — ele admitiu com a voz rouca e havia ternura em sua expressão, uma suavidade que eu não tinha visto antes. O olhar que um homem dá a uma mulher quando a quer. Ele continuou a me olhar em silêncio, meu rosto confuso refletindo em seus olhos enquanto esperava minha resposta.

Era impossível falar, vocalizar qualquer coisa quando eu estava sufocada pelas emoções que me percorriam. Eu estava com medo e cansada. No meio daquelas emoções, havia algo mais, sentimentos por este homem que me segurou tão firmemente em seus braços, que estava fazendo tudo o que podia para tentar me manter viva. Este era um homem que estava disposto a arriscar sua própria vida para me ajudar. Incapaz de encontrar palavras para me expressar, eu balancei a cabeça hesitantemente.

Ele baixou a cabeça e sua língua pressionou contra meu lábio inferior, pressionando pequenas lambidas contra a fenda. Quando ele ficou satisfeito, ele capturou minha boca contra a sua em um movimento suave, seus lábios quentes e macios. Ele me beijou suavemente, com ternura requintada e quando ele roçou sua língua em meus lábios, eu me abri instintivamente para ele.

Passei minha língua por seus dentes timidamente, o desejo queimando em minha virilha enquanto eu explorava sua boca com a minha. Conal gemeu e aprofundou o beijo, puxando-me para mais perto dele e seu calor irradiava através do meu vestido fino. Eu passei meus braços em volta do pescoço dele, ciente de nada que importasse, além de ter esse homem me beijando. Sua mão serpenteou para cima da minha cintura até que ele estava segurando meu seio em sua palma, esfregando meu mamilo com ternura com o polegar enquanto me beijava mais e mais. Eu estava ciente do quanto ele me desejava, sabia que eu o queria tanto. Percorri seu ombro com as pontas dos dedos, desenhando um caminho até seu peito, deslizando minha mão por dentro de sua camisa aberta. Encontrei um mamilo duro e o rolei entre o polegar e o indicador, encantada com a forma como o fez reagir e gemeu em minha boca. Seus lábios eram tão quentes, tão incrivelmente macios...

A realidade me atingiu como um trem a vapor e me afastei dele, agachada no canto como um coelho assustado.

— Sinto muito, isso é errado, eu não deveria estar... — Minha voz falhou incerta e eu me encolhi.

Conal sorriu com ternura. O olhar em seus olhos confirmou que ele estava sendo submetido à mesma onda de hormônios que eu.

— Eu deveria estar me desculpando, Charlotte. Eu não deveria ter feito isso. Você está apaixonada pelo sugador de sangue.

Eu balancei a cabeça miseravelmente. Vergonha e horror pelo que fiz inundaram minha psique e passei meus braços em volta do peito, tentando me controlar. Como pude deixar isso acontecer? O que eu estava pensando? Eu amava Lucas, o amava com todo o meu coração. *Mas Lucas pode estar morto,* minha mente traidora sussurrou. Eu me sacudi fisicamente, sem vontade de acreditar que Lucas poderia ter ido embora para sempre e me repreendendo por sequer considerar a possibilidade. Mesmo que ele se fosse, como eu poderia beijar outro homem? Pior ainda – eu gostei. A culpa envolveu minha mente, como uma hera, estrangulou minha alma.

E então, ouvi os passos.

CAPÍTULO 7

TRANSFORMAÇÃO

A dor era insuportável. Eu sabia que Conal estava sondando o mais levemente possível, mas a dor era intolerável, insuportável. Minha cabeça ia explodir, pensei que meu crânio ia se abrir a qualquer momento e queria morrer. Eu desmaiei antes que Conal removesse seus dedos de minhas têmporas e acordasse na sala fria que era nossa prisão.

Conal estava deitado no chão, ele estava inconsciente e havia sido espancado, um de seus olhos inchado e fechado, pele visível preta e azul. Havia uma infinidade de marcas de garras em suas costas e ombros e ele gemeu quando tentei arrastá-lo para o colchão. Era fisicamente impossível movê-lo, então me ocupei limpando os cortes e arranhões que haviam sido infligidos em seu corpo.

Eu não tinha saído de nossa sessão com

Armstrong em muito melhor forma. Meu ombro doía por causa de um soco que Armstrong dera e havia outro arranhão em minha bochecha. Armstrong me atingiu na cabeça com suas garras estendidas, resultando em um corte profundo em minha testa. Eu tinha hematomas em minha garganta onde ele me agarrou com força enquanto Conal sondava minha mente. Lágrimas rolaram sem controle pelo meu rosto enquanto eu limpava a bagunça sangrenta que estava nas costas de Conal, me perguntando quanto mais disso poderíamos sobreviver.

Quando Conal acordou, ele me puxou para seus braços e me abraçou. Parecia não haver saída para essa situação, nenhuma maneira de sobreviver ao que Armstrong estava fazendo conosco. Conal se levantou, levantando-me sem esforço em seus braços, colocando-me suavemente sobre o colchão imundo antes de deitar ao meu lado, envolvendo-me no círculo de seus braços. Deitei minha cabeça em seu peito e gemi baixinho. Uma dor de cabeça latejava em minhas têmporas, sem meios de aliviá-la. Eu daria um milhão de dólares por um pouco de Tylenol e me perguntaria se a sondagem de Conal havia causado algum dano, se a dor era um sinal de algum ferimento oculto nas profundezas do meu cérebro.

Horas se passaram, horas passadas aninhadas

nos braços um do outro e esperando pelo som de passos se aproximando que começariam a próxima rodada de tortura. Pouco se falou entre nós, eu tinha certeza que morreríamos aqui e suspeitava que Conal concordava comigo. Embora eu esperasse e rezasse para que Lucas e os outros nos encontrassem, parecia cada vez mais provável que eles tivessem sido mortos pelos homens de Armstrong em Montana. Minha determinação de acreditar que eles estavam vivos parecia mais improvável à medida que as horas passavam. A esperança estava desaparecendo, embora um pequeno canto da minha mente continuasse me lembrando que Lucas era forte, e se houvesse alguma maneira de ele me encontrar, ele o faria. Mas parecia não haver esperança de sobrevivência agora. Se Armstrong insistisse que Conal sondasse minha mente novamente, isso me mataria.

Horas depois, os passos se aproximaram e a porta foi escancarada. Era o próprio Armstrong que estava parado na porta, olhando para nós, deitados juntos no colchão. Ele riu zombeteiramente e caminhou mais para dentro da sala.

— Que aconchegante. O lobisomem e sua prostituta. Parece que vocês ficaram muito amigos um do outro. — Dois guardas estavam atrás dele, armas em punho.

Conal permaneceu quieto e eu me perguntei o

que estava por trás dessa visita. Por que Armstrong estava aqui embaixo, quando normalmente éramos arrastados escada acima? Armstrong se agachou ao nosso lado e olhou de soslaio para mim.

— Que desperdício, você é uma coisinha tão bonita. Eu ficaria encantado em mantê-la. — Ele olhou para a janela, embora eu soubesse muito bem que não havia nada para ser visto através dela. — Lua cheia esta noite, Tremaine. Como vocês orgulhosos lobisomens continuam me dizendo, vocês só mudam na lua cheia. Daqui a uma ou duas horas, você terá que se transformar, sentirá o desejo no fundo de sua alma e não poderá evitá-lo. — Ele se levantou abruptamente, agarrando um punhado do meu cabelo e me puxando com ele.

Eu gritei quando um punhado do meu cabelo foi arrancado pela raiz, e ele me segurou para que seu rosto ficasse a apenas alguns centímetros do meu.

— Esta é sua última chance, sua vadia teimosa! — Armstrong rosnou. — Diga-me o que eu quero saber! Eu sei que você tem poderes muito maiores do que o lobo deixou transparecer, sei que ele tentou esconder a verdade de mim. Diga-me a verdade agora mesmo ou vou deixar você aqui enquanto ele se transforma.

Com os dentes cerrados, encarei seus olhos desafiadoramente e sabia que estava assinando minha própria sentença de morte.

— Meu nome é Charlotte Duncan. Eu sou uma artista. Não sei do que você está falando.

Desta vez, ele não se preocupou com sutilezas quando me bateu. Ele deu um soco no meu estômago, tirando o ar dos meus pulmões e eu caí no chão, estrelas piscando em minha visão periférica enquanto eu rolava em uma bola protetora. Armstrong chutou minhas costas meia dúzia de vezes para garantir, proferindo uma série de palavrões a cada golpe.

Conal rugiu guturalmente e se lançou do colchão, mirando na garganta de Armstrong com suas mãos grandes. Armstrong foi rápido demais para ele, desviando para o lado. Os dois guardas se juntaram a Armstrong para espancar Conal, chutando e socando-o até que ele ficasse imóvel no chão.

Aparentemente satisfeito consigo mesmo, Armstrong se afastou do corpo espancado de Conal, enxugando as mãos nas calças para remover o sangue de Conal de sua pele. Sua atenção se voltou para mim e eu choraminguei.

— Eu posso ver que esta é uma situação em que eu não vou ganhar, sua vadia burra. — Ele se ajoelhou ao meu lado, estendendo suas garras e um arrepio de medo percorreu minha espinha. — Eu poderia ter lhe dado qualquer coisa que você quisesse, se você apenas tivesse cooperado. Agora, porém, vou deixar você aqui com seu amigo, Conal. Ele vai se transformar em uma ou duas horas, não vai conseguir se conter. Nada vai me agradar mais do que vir aqui amanhã de manhã e ver pedaços de você espalhados por toda a maldita sala. Então vou matar Tremaine e cada membro de seu bando. E a culpa será toda sua. — Em um movimento que mal pude distinguir, ele baixou a mão e cruzou meu peito, rasgando a pele com suas garras estendidas. — Aí. Isso vai dar ao seu companheiro de sexo o cheiro de sangue. Ele não será capaz de resistir.

Ele se levantou, sorrindo enquanto admirava sua obra macabra. Sangue estava jorrando de onde ele rasgou minha pele e eu podia senti-lo, quente enquanto escorria sobre meus seios e costelas. Em um último ato de desafio, continuei a encará-lo, recusando-me a me deixar intimidar por sua intimidação. Ele se virou e passou pela porta aberta, os guardas seguindo atrás e eles bateram a porta, girando a chave na fechadura.

Quando eles saíram, eu olhei para o meu peito em horror crescente. Ele rasgou minha pele da clavícula esquerda até o seio esquerdo. Soluçando miseravelmente, peguei um punhado de tecido do meu vestido arruinado e puxei para cima, pressionando a ferida para tentar diminuir o fluxo de sangue.

Agarrando o material em meu peito, rastejei até

onde Conal jazia, muito quieto e preocupantemente silencioso. Por um momento horrível, pensei que ele estava morto, mas com alívio, vi o movimento constante de seus pulmões subindo e descendo. Eu caí contra ele, envolvendo um braço em volta dele enquanto esperava pela morte. Embora fosse obviamente inútil, repassei o mantra em minha mente várias vezes.

Conal recuperou a consciência algum tempo depois e eu poderia dizer que ele estava se aproximando rapidamente do momento em que se transformaria. Seus olhos eram mais selvagens e, apesar da surra que levou, ele estava cheio de energia nervosa, que irradiava de sua pele como uma leve corrente elétrica.

— O que aconteceu? — Sua voz era baixa, cheia de dor.

— Ele me deixou aqui, então você vai me matar quando se transformar em um lobisomem, — eu expliquei estupidamente. — Então ele vai te matar. E então ele vai matar seu bando.

Conal olhou para mim, os olhos cheios de descrença.

— Você está falando sério? Depois de tudo isso, ele está disposto a deixar você morrer porque não conseguiu o que queria?

— Ele está com raiva, acho que pensa que vai cortar suas perdas e se livrar de nós. — Eu não me importava mais. Se era assim que tinha que ser, que assim seja.

A atenção de Conal se moveu para o pedaço de tecido que eu ainda segurava em meu peito e ele se sentou abruptamente. Com um gemido, ele segurou a cabeça entre as mãos.

— Porra. Sinto como se tivesse sido atropelado por um caminhão de dezoito rodas.

— Parece que você foi atropelado por um caminhão de dezoito rodas, — eu concordei cansadamente. Eu dolorosamente me puxei para uma posição sentada ao lado dele.

Conal estendeu a mão para mim, movendo cuidadosamente minha mão e tirando o pano ensopado de sangue de minha pele. Seus olhos se arregalaram quando ele viu a bagunça em pedaços que Armstrong tinha feito no meu peito.

— Aquele bastardo. Eu mesmo vou matá-lo!

— Ótimo. Você pode fazer isso logo depois de me comer. — Eu ri loucamente, o som beirando a histeria enquanto ecoava pela sala vazia.

— Charlotte. — Conal me puxou para seu colo, embalando-me com ternura em seus braços. — Charlotte, me escute. Vou tentar permanecer humano e me impedir de me transformar. Vou ter que usar toda a minha força, cada grama de força de vontade para impedir que isso aconteça. — Ele respirou fundo e engasgou de dor. — Eu preciso que

você me lembre de *quem você é*. Você me entende? —
Ele capturou meu queixo entre o polegar e o
indicador, puxando meu rosto para cima até que
nossos olhos se encontrassem. — Eu preciso de
você, — ele se inclinou e beijou meus lábios
suavemente, — para me lembrar porque eu não
posso me transformar. Lembre-me de quem você é,
o quão importante você é para mim e por que é
importante que eu permaneça humano para não
machucá-la.

Olhei para ele, balançando a cabeça
timidamente. Eu entendi o que ele quis dizer, sabia
pelo olhar em seus olhos negros que isso era mais do
que apenas ele querendo me salvar. Este era um
vínculo emocional, uma profundidade de emoção
que estava além do que ele deveria sentir por mim.
Se eu fosse honesta comigo mesma, estava
experimentando as mesmas emoções. O
pensamento teria me chocado, me feito considerar
meus valores morais, se eu não estivesse tão
apavorada.

— Boa menina. Se passarmos por isso, quando
aquele desgraçado abrir a porta pela manhã, vou me
transformar e rasgar a porra da garganta dele. E
quando eu fizer isso, quero que você corra e encontre
um lugar para se esconder de mim até que eu possa
me transformar de volta. Encontre um armário, um
guarda-roupa, de preferência algo que possa ser

trancado para tentar mantê-la segura. Quando eu voltar à forma humana, irei encontrá-la e vou tirá-la daqui.

Eu balancei a cabeça, muito traumatizada para falar.

— Charlotte, eu sei que você não quer ouvir isso. Eu sei que você ama o sugador de sangue. Mas vou dizer mesmo assim. Eu te amo. Acho que te amei desde o momento em que pus os olhos em você. Não quero te matar, mas preciso pensar que você me ama de volta. Só por esta noite. Só assim, podemos passar por isso. Ok? — Ele esfregou os dedos carinhosamente em minha bochecha, seus olhos escuros penetrantes. — Diga que me ama, lembre-me por que eu te amo, por que estou fazendo isso.

Estendi a mão para ele timidamente, esfregando meus dedos em seu rosto machucado.

— Eu te amo, — eu sussurrei com a voz rouca. — Eu te amo, Conal.

E Deus me ajude, era a verdade.

Ele fechou os olhos e respirou fundo, todo o corpo estremecendo com o esforço.

— Boa menina. — Tremendo com o esforço, ele manobrou nós dois para o colchão, então passou os braços em volta de mim e me segurou firmemente contra seu corpo. Abaixando a cabeça, ele removeu o material do meu peito e olhou para a pele rasgada por um minuto, antes de começar a lamber perto da minha clavícula hesitantemente. Ele foi cauteloso, como se esperasse que eu dissesse para ele parar. Fechei os olhos, forçando-me a falar com ele enquanto ele ajudava a curar a ferida.

— Eu te amo, Conal. Eu quero que você me abrace e me beije. Eu quero que você se lembre do meu cheiro, lembre-se da sensação de me ter em seus braços.

Seus braços se apertaram ao meu redor e ele ficou mais confiante enquanto lambia profundamente as feridas, o movimento de sua língua contra a pele danificada me fazendo estremecer. E ainda continuei a falar com ele, minhas mãos esfregando para frente e para trás sobre a pele quente que emitia uma energia sutil conforme sua necessidade de se transformar crescia.

Cada minuto parecia durar uma hora, cada segundo que passava deixava claro o quanto isso era uma luta para Conal, o quão doloroso era tentar parar algo que não queria que fosse parado. Ele continuou lambendo minhas feridas e tremores emanaram do fundo de seu corpo enquanto ele lutava contra se tornar um lobisomem. Ocasionalmente, ele gemia baixinho, endurecendo enquanto lutava contra o que para ele era uma adaptação natural de humano para besta. Quando parecia que seria impossível para ele continuar, estendi a mão e o beijei, sondando sua boca suavemente com a minha e ele se acalmaria novamente, respirando profundamente contra minha pele como se isso o lembrasse do que estava fazendo.

Eu estava concentrada em Conal, usando tanta energia tentando evitar que ele perdesse o controle que demorei para perceber que algo fora do comum estava acontecendo fora de nossa prisão. A princípio, ouvi sons incomuns vindos do andar de cima, como se móveis estivessem sendo arrastados no chão e derrubados. Então ouvi gritos, tanto de dentro quanto de fora do local. Eu não sabia o que fazer com isso. Tentei ouvir enquanto falava com Conal, tentando ajudá-lo a se concentrar. Ele desistiu de lamber minhas feridas e deitou em meus braços, ofegante com o esforço necessário para permanecer humano. Ele estava encharcado de suor, uma fina camada de suor na testa e ele estava deitado com os olhos fechados, gemendo quase continuamente.

Houve o som de mais gritos próximos e depois o som de passos correndo pelo corredor lá fora. E então ouvi algo que nunca pensei ouvir novamente.

— Charlotte! Onde você está? Charlotte! — Era a voz de Ben e eu me desvencilhei dos braços de Conal para me sentar.

— Ben! Estamos aqui, nesta sala! — Eu gritei com voz rouca.

A porta foi arrombada com tanta força que caiu das dobradiças, o metal pesado soando alto em protesto. Ben e Nick Lingard ficaram lado a lado na porta, Ripley atrás deles.

— Onde está o Lucas? — O pavor tomou conta de mim quando percebi que Lucas não estava aqui. Ele havia sobrevivido?

— Ele está seguro, — Ben me assegurou rapidamente.

Conal se arrastou para uma posição sentada, seus olhos selvagens e sua respiração difícil enquanto ele se concentrava em Nick.

— Metamorfo! — ele rosnou asperamente. Suas costas arquearam e eu pude ver que ele estava quase se transformando.

Coloquei uma mão gentil no seu peito.

— Conal, Conal! — Ele parecia pronto para atacar Nick, com os dentes à mostra, mas o toque da minha mão contra seu peito nu o trouxe de volta para si e, em vez disso, ele olhou para mim, seus olhos intensos como os de um animal. — Ele é um amigo, Conal. Não o machuque.

Com um aceno de cabeça, Conal voltou sua atenção para os homens na entrada.

— Tirem ela daqui. Eu não posso mais parar a transformação.

Ben olhou para Nick e inclinou a cabeça.

—Você a leva. O sangue...

Nick estava ao meu lado instantaneamente, antes que eu pudesse vê-lo se mover e ele me pegou em seus braços. Com Ben e Ripley correndo atrás de nós, saímos pela porta e subimos as escadas em segundos, correndo pela casa que eu aprendi a desprezar. Atrás de nós, houve um uivo arrepiante e imaginei que Conal estava se transformando. Eu passei meus braços mais apertados ao redor do pescoço de Nick, com medo de imaginar o que aconteceria se Conal nos alcançasse.

Para onde quer que eu olhasse, havia carnificina. Corpos espalhados pelo chão, alguns membros faltando, ou pior, eviscerados e havia sangue por toda parte. Avistei William e Gwynn, lutando lado a lado, suas roupas e pele cobertas de sangue enquanto decapitavam um dos guardas. Apertei os olhos e segurei Nick com força, relutante em ver qualquer outra coisa.

Nick diminuiu o passo quando saímos e me deitou na grama. Fomos instantaneamente cercados por uma guarda de vampiros e metamorfos, formando um círculo ao redor de onde eu estava. O Doutor Harding apareceu, maleta médica na mão e eu sorri fracamente para ele.

Antes que eu tivesse a chance de falar, Lucas apareceu na minha visão periférica, caindo de joelhos. Ele estava coberto de sangue, seu jeans ficou preto com ele e ele estava carregando uma espada que ele colocou cuidadosamente no chão antes de pegar minha mão na dele, levando-a aos lábios para beijar meus dedos com ternura.

— Lucas, você veio atrás de mim. — Ao longe eu podia ouvir gritos e berros, o barulho enjoativo de corpos sendo dilacerados e ainda assim, não parecia importar tanto agora que Lucas estava ao meu lado.

Lucas olhou para mim, horror refletido em seus olhos quando ele lançou um olhar para baixo em meus ferimentos.

— Sim, meu amor. Eu vim por você.

De repente, lembrei-me do estado em que estava e olhei para ele, com ansiedade.

— Tem sangue...

Lucas apertou meus dedos, possivelmente a única parte do meu corpo que não foi cortada, arranhada ou machucada. Ele beijou meus dedos suavemente.

— Está tudo bem, Charlotte, eu posso lidar com isso.

Com a ajuda de Nick, o Dr. Harding se ajoelhou e abriu sua bolsa, operando imediatamente no modo médico.

— Charlotte, vou dar-lhe algo para a dor, e então vamos tirar você daqui.

Consegui esboçar um leve sorriso.

— Eu mantive o gesso.

O fantasma de um sorriso curvou seus lábios.

— Fico feliz em ouvir isso. Agora pare de falar e relaxe. Você precisa descansar, você está segura agora.

— Por favor, certifique-se de que ninguém machuque Conal. Ele me ajudou, ele me salvou, — eu implorei baixinho.

— Charlotte, recebemos suas mensagens. Ripley ouviu você. Vou garantir que Conal não se machuque, — Lucas disse. — Eu lhe dou minha palavra de honra, nenhum mal acontecerá a ele.

O Dr. Harding injetou algo em meu braço e eu fui para um lugar tranquilo, a preocupação e o estresse flutuando para longe de mim como se não existissem mais.

CAPÍTULO 8
RESGATADO

Voltei à consciência com uma televisão tocando suavemente em algum lugar do quarto. Eu estava deitada de lado, aquecida e confortável sob uma pilha de cobertores. As memórias começaram a se infiltrar em minha consciência, sendo resgatada, o sangue, os corpos. O alívio foi doce enquanto eu saboreava estar fora de perigo e saber que Lucas e meus amigos haviam sobrevivido. Rolei cuidadosamente de costas, o que foi incrivelmente doloroso. Eu não tinha certeza se havia um centímetro quadrado do meu corpo que não estivesse machucado e doendo. Severamente.

Abri os olhos e olhei em volta lentamente, com muita dor para me mover mais do que um centímetro de cada vez. Estava escuro lá fora e o quarto estava iluminado por um par de elegantes abajures de mesa. À minha direita, uma grande janela revelava uma vista da cidade, milhares de luzes se espalhando ao longe e piscando intensamente. Não o reconheci e me perguntei onde estava. Tentei me apoiar com os cotovelos na cama e gemi. Grande erro.

— Charlotte.

Respirei fundo, inalando o aroma de pinheiro, oceano e sol. Instantaneamente relaxei. Lucas estava aqui, comigo, e eu estava segura.

Ele se sentou na cama cautelosamente, tomando cuidado para não me encostar em mim. Ele sorriu, mas havia preocupação gravada em suas feições perfeitas. Ele estendeu a mão e colocou meu cabelo atrás da minha orelha, seus dedos frios roçando minha pele.

— Oi, — eu resmunguei asperamente, minha garganta dolorida e seca.

— Oi, — ele suspirou. A pele ao redor de seus olhos estava escura, confirmando que ele não tinha se alimentado recentemente. Lucas pegou um copo na mesinha de cabeceira e o segurou para mim para que eu pudesse tomar um gole da água fria do canudo curvo.

— Que dia é hoje?

— Sábado.

— Há quanto tempo estou dormindo?

— Cerca de nove horas.

Tentei encolher os ombros e fiz uma careta quando a dor percorreu meus ombros e costas.

— Parece mais tempo.

— Foi um sono bom e pesado. Jerome disse que você precisava descansar antes de lidar com qualquer outra coisa.

— Você não me mordeu, — afirmei seriamente. — Havia muito sangue.

Ele sorriu.

— Havia muito sangue. Vendo você tão maltratada, o sangue não importou muito. Tudo o que eu queria era tirar você de lá e sabia que não ficaria tentado. Eu sabia que poderia me controlar.

— Eu estou machucada, — eu admiti.

— Eu sei, minha Charlotte. — Ele se inclinou e beijou minha testa, seus lábios pouco mais que um sussurro contra minha pele. — Você foi ferida gravemente. — Ele apontou para uma bolsa pendurada em um suporte de soro, presa a um tubo fino e uma agulha inserida no dorso da minha mão. — Jerome está lhe dando solução salina para reidratá-la e ele vai lhe dar algo de novo em breve para a dor.

— Onde estamos?

— Nova Orleans. Era aqui que você estava presa, em uma casa ao norte da cidade.

Olhei ao redor do quarto.

— Isto não é um hospital?

— Não. Mais uma vez, não conseguiríamos explicar seus ferimentos. Essas marcas em seu peito, — seus olhos piscaram para o meu peito, seus olhos endurecendo visivelmente com fúria, — seriam difíceis de explicar. Decidimos trazê-la aqui para o hotel e quando você estiver bem, eu a levarei para casa.

Casa. Que pensamento maravilhoso. Eu queria ir para casa, queria ser abraçada por Lucas e me sentir segura. Lágrimas brotaram espontaneamente em meus olhos. Isso não seria tão simples quanto eu queria que fosse.

— Charlotte, o que há de errado? Devo chamar Jerome? — Lucas se inclinou sobre mim, seu rosto a centímetros do meu e eu fechei os olhos, com medo de dizer a ele o que eu sabia que tinha que ser admitido. Era justo que eu fosse honesta e a culpa enchesse meu coração.

— Lucas... Estou com vergonha de mim mesma. — Lágrimas caíram pelo meu rosto.

— Por que meu amor?

— Eu... quando estávamos presos, fiz algumas coisas das quais me envergonho. Coisas que eu não deveria ter feito. — Eu estava lutando para colocar em palavras o que precisava ser dito, coisas que precisavam ser trazidas à tona.

— Nada disso importa agora, — Lucas respondeu suavemente. — Você fez o que precisava fazer para sobreviver. Estamos surpresos que você tenha sobrevivido.

— Não! — Fiz uma pausa, respirando fundo. — Eu deixei Conal me beijar. E... eu o beijei de volta. — Eu desviei o olhar, apertando meus olhos fechados, certa de que Lucas ficaria enojado.

— Eu já sabia, minha Charlotte, — Lucas disse, sua voz rouca de emoção. Ele esperou por uma resposta e quando nada veio, ele pegou a ponta do meu queixo com o polegar e me puxou para encará-lo. — Olhe para mim, por favor, — ele ordenou.

Mordi o lábio ansiosamente, mas fiz o que ele pediu. Procurei raiva em seu rosto, mas não havia nada para ver.

— Charlotte, eu sei o que aconteceu. Depois que Conal voltou a ser humano esta manhã, ele e eu conversamos. Ele explicou que Laurence Armstrong disse que estávamos todos mortos. Ele me contou a que você foi submetida e o que Armstrong estava procurando. — Ele suspirou, o som alto no quarto silencioso. — E ele me disse que beijou você e como ele se sente sobre você. Ele me garantiu que sabia que você estava apaixonada por mim.

Passei minhas mãos em minhas bochechas, enxugando as lágrimas.

— Você não está com raiva?

— Não, eu não estou bravo. — A voz de Lucas era tranquilizadora, sua expressão neutra. —

Ciúmes, definitivamente. Mas não com raiva de você ou de Conal, não depois de tudo que você passou. — Ele se inclinou para frente, seus lábios frios roçando fugazmente nos meus. — Eu te amo, Charlotte. Achei que tinha perdido você e quase enlouqueci tentando te encontrar.

— Conal está bem? — perguntei cautelosamente. A última vez que o vi, ele foi espancado e lutou para manter sua forma humana.

— Ele está quase totalmente recuperado. Lobisomens são notavelmente hábeis em se recuperar de ferimentos graves. Nós o ajudamos a liberar seu bando dos homens de Armstrong depois que você foi resgatada com segurança.

— Vocês se odeiam, — eu apontei. — Conal me disse que vampiros e lobisomens são inimigos.

— Isso é verdade, — ele concordou. — Mas isso não significa que não podemos ajudar uns aos outros se surgir uma situação. Depois do que ele fez para mantê-la segura, tenho Conal em alta consideração. Ele fez tudo ao seu alcance para mantê-la viva. Eu devo a ele.

— Todo mundo está bem? — Eu tinha visto William, Gwynn, Ripley e Ben. — Vocês todos vieram para Nova Orleans?

— Sim, e estamos todos bem. Do bando de Nick, o jovem Marco está com o braço quebrado, mas Jerome o curou e ficará bem em alguns dias. Na verdade, todos nós saímos relativamente ilesos disso, comparadoscomparado com você.

— O que aconteceu com Armstrong? — Tremi violentamente, lembrando-me dele me batendo implacavelmente na semana passada.

— Morto. Conal o rasgou em pedaços. Assim como todos os seus homens. — A voz de Lucas era fria, sem qualquer emoção distinguível. — Houve um incêndio misterioso em seu complexo. Cobrimos nossos rastros para que os residentes de Nova Orleans possam descansar em suas camas à noite.

Os estremecimentos se transformaram em tremores e Lucas me pegou em seus braços, seus movimentos lentos e cuidadosos enquanto ele tentava fazer isso sem me machucar. Ele me segurou contra seu peito e eu saboreei a segurança de seus braços.

Eu me aconcheguei contra seu peito, sentindo o músculo duro sob minhas mãos.

— Como você sabia onde eu estava?

Lucas beijou minha testa.

— Não foi fácil, Ripley ouviu sua mensagem sobre Gerard DuBonet, e isso é tudo que tínhamos para começar. Rastreamos seus movimentos pela floresta, mas o perdemos quando eles mudaram para os veículos. Começamos com o que tínhamos, localizamos Gerard DuBonet e descobrimos que ele morava aqui no Mississippi. — Sua voz ficou mais fria novamente. — Demorou um pouco para convencê-lo a falar, mas ele acabou descobrindo que seria menos doloroso para ele se nos dissesse para quem trabalhava.

— Ele está morto?

Lucas assentiu.

— Ele mereceu. Ele estava tentando ganhar dinheiro rápido e não dava a mínima para quem se machucasse enquanto fazia isso. Armstrong aparentemente ofereceu a ele uma recompensa considerável para nos visitar em Puckhaber e descobrir sobre você. Idiota, ele não percebeu que estava dando motivos para os vampiros iniciarem uma guerra com os metamorfos, se Armstrong tivesse conseguido o que queria.

— Eu gostaria de ter contado a você sobre ele. Ele se apresentou para mim na manhã do casamento. Eu pensei que ele poderia ser um vampiro, sua mão estava fria quando ele tocou a minha, mas então eu o vi carregando sacos de gelo e presumi que era por isso que suas mãos estavam tão frias.

— O que eu não entendo, — Lucas disse cuidadosamente, seu olhar focado no meu, — é por que você não recebeu nenhum aviso dos espíritos.

Eu me encolhi, mordendo meu lábio ansiosamente.

— Eu os tranquei.

Lucas parecia incrédulo quando respondeu.

— Por que você faria isso?

— Era tão tranquilo não ter que os ouvir o tempo todo e acho que me senti confortável com o silêncio. Parecia mais fácil mantê-los fechados na caixa, uma vez que aprendi como, do que lidar com eles constantemente reclamando para mim.

Lucas suspirou pesadamente e havia uma nota de frustração em sua voz quando ele falou.

— Charlotte, isso foi uma coisa muito perigosa de se fazer. Você tem a capacidade de fornecer para si mesma avisos de perigo – você deve usá-lo o tempo todo.

— Eu sei, — eu concordei miseravelmente. Ele não estava me dizendo nada que eu já não tivesse me criticado repetidamente.

— Você percebe que, se tivesse mantido suas linhas de comunicação abertas, isso poderia não ter acontecido, — continuou ele. Eu não podia culpá-lo por estar irritado, o que eu tinha feito era estúpido e eu sabia disso. O conhecimento não me fez sentir melhor e as lágrimas escorriam silenciosamente pelo meu rosto.

Lucas ficou imediatamente arrependido.

— Oh, Charlotte, — ele suspirou contra o meu cabelo enquanto me segurava perto. — Não chore. Por favor, não chore.

— Você está com raiva de mim, — eu solucei.

— Não, não. Não estou bravo. Estou frustrado, porque poderíamos ter evitado isso se você tivesse usado o dom incrível que recebeu, — explicou. Ele beijou meus lábios suavemente. — Por favor, me prometa que não vai trancá-los novamente.

— Eu prometo. — Lucas esfregou as mãos nas minhas costas enquanto eu me recompunha, seu toque macio contra o hematoma. — O que aconteceu depois que você conseguiu as informações de DuBonet?

— Recebemos informações há alguns dias, sugerindo que Armstrong estava mantendo você, mas não conseguimos encontrá-lo. Nós nos dividimos em grupos, trabalhando em cada grupo de vampiros e lobisomens nos estados do Sul, tentando descobrir onde você estava presa. Ninguém poderia nos dizer nada. Ripley, Thut e eu estávamos no Mississippi, fomos avisados sobre o bando de Tremaine, mas quando chegamos lá, descobrimos que o bando inteiro havia desaparecido.

— Thutmose está aqui? — Eu conheci o vampiro egípcio, Thutmose Bustani pouco antes do casamento, junto com seu beijo, que compreendia três belas jovens egípcias. Como Lucas e seu beijo, o grupo Bustani dependia de sangue animal para sobreviver, e quando os conheci, tive uma divertida imagem mental deles caçando camelos no deserto egípcio, que é desnecessário dizer, eu não compartilhei. Thut era oficialmente o vampiro mais velho que conheci até hoje – ele realmente *estava* no Egito durante a época dos faraós. Um homem de porte real, ele era alto e parecia quase magro, com cabelos escuros encaracolados cortados rente ao crânio. Ele tinha um nariz forte e adunco e olhos negros sob sobrancelhas negras. De fala mansa, ele tinha um sotaque que sem dúvida manteve desde que foi criado em 3000 aC. Sim, isso mesmo, antes de Cristo.

— O beijo Bustani se ofereceu para nos ajudar a procurar por você, assim como Nick e nossos amigos de Nova Iorque.

Os amigos de Lucas de Nova Iorque eram outro pequeno beijo de quatro membros – Harley Fitzgerald e seu parceiro, Ethan Underwood, seu amigo Alexander Ellis e sua esposa, Imogen Sparks. Todos os quatro eram jovens, em termos de vampiros, com Harley sendo transformado em 1920 e ele era o mais velho do grupo.

— Você não queria que eles soubessem sobre mim.

Lucas sorriu ironicamente.

— Depois que você foi sequestrada, não havia muito sentido em esconder nada deles. Eles estavam naturalmente curiosos para saber por que alguém estaria interessado em sequestrá-la. Além disso,

Amunet estava captando vestígios de seus amigos espirituais há dias e viu sua mãe fazer o garçom, ela sabia que era um espírito e estava se perguntando como ela se materializou no meio do casamento.

Amunet era uma das mulheres do beijo de Thut – com cabelo escuro ondulado e um sorriso rápido, suas belas feições foram marcadas por cicatrizes abundantes de quando ela contraiu varíola, pouco antes de sua transformação. Lucas havia explicado que era incomum para um vampiro carregar cicatrizes depois que eles se transformavam, mas Amunet carregava e ninguém parecia saber o porquê. Amunet não deixou a desfiguração incomodá-la, e com uma figura voluptuosa e uma personalidade feliz, você rapidamente esquecia disso. Além de ser uma poderosa telecinética, capaz de erguer móveis no ar e colocá-los suavemente em outra posição, Amunet era capaz de ver os mortos há muitos anos, embora não conseguisse contatá-los. Ela usou poções de ervas complicadas para ajudar a acalmar seus espíritos e ela e Acenith passaram muitas horas conversando sobre seu interesse comum por ervas medicinais. Claro, meu talento particular foi mantido em segredo por Lucas e os outros, mas achei fascinante ouvir Amunet discutir sua habilidade.

— Traços do meu espírito?

— Aparentemente, nos dias anteriores ao

casamento, Amunet podia ver vestígios de imagens fantasmagóricas ao seu redor. Ela pensou que eram espíritos que se apegaram a você por algum motivo e ia perguntar sobre isso depois do casamento, para ver se eu queria que ela os removesse de você. Quando ela descobriu o que você é capaz de fazer, ficou muito impressionada e mal podia esperar para falar com você sobre essa habilidade.

— Eles ainda estão aqui?

— Não, eles voltaram para Montana junto com alguns dos outros. Ben, Striker e Marianne permaneceram comigo, junto com Nick e seus homens. Harley e seu beijo voltaram para Nova Iorque.

— Como você encontrou o bando de Conal?

— Pegamos o cheiro de onde eles foram levados e os encontramos aqui na Louisiana. Nick e seus homens conseguiram se infiltrar no grupo, uma tarefa nada fácil, pois lobisomens e metamorfos se odeiam. Eles conseguiram informações sobre onde você e Conal estavam presos. Fomos direto para o complexo de Armstrong e Ripley começou a receber suas mensagens.

— Ele me ouviu? — Fiquei estupefata, acreditando que ele não me ouviria.

Lucas sorriu.

— Sim, ele ouviu você. Quando chegamos a oitenta quilômetros de onde você estava, ele estava escutando você em alto e bom som. Foi notável, Ripley normalmente ouve pensamentos de uma distância de talvez um a três quilômetros no máximo, mas você conseguiu transmitir de uma distância muito maior. Graças a você, sabíamos com quantos estávamos lidando e, mais importante, que Conal era um dos mocinhos.

Fechei os olhos, alívio e cansaço tomando conta de mim em partes iguais. Parecia que eu estava longe de Lucas por meses, não apenas dias. Respirei fundo, enchendo meus sentidos com seu aroma e finalmente me sentindo segura. Lucas se aconchegou ao meu lado e traçou seus lábios sobre minha bochecha, beijando-me suavemente até que voltei a dormir.

CAPÍTULO 9
DESEJO

Quando acordei de novo, Lucas havia sumido e Marianne estava sentada na beirada da cama, folheando uma revista. Enquanto seu cabelo permanecia, o preto rico, mas relativamente mundano, ela o havia colocado com gel em meia dúzia de pontas pontiagudas. Ela estava vestindo uma camiseta preta decorada com caveira e ossos cruzados, jeans preto com alfinetes de segurança decorando a frente de cada perna e seus pés estavam envoltos em Doc Martins com cadarços laranja brilhante. O que parecia ser uma coleira de cachorro de couro preto enfeitava seu pescoço esguio. Ela sorriu brilhantemente quando viu meus olhos abertos, largando a revista na mesa de cabeceira e estendendo a mão para me dar um abraço cuidadoso.

— Onde está o Lucas?

— Ele e Striker saíram da cidade para caçar. — Ela torceu o nariz empinado delicadamente. — Os problemas com uma cidade grande é que é muito longe de uma refeição decente.

Decidi ignorar esse pensamento e tentei me sentar na cama. Não era melhor – as dores pareciam aumentar exponencialmente cada vez que eu recuperava meus sentidos. Uma rápida olhada revelou que eu ainda estava usando o vestido que usei no casamento. Mesmo meus fracos sentidos humanos podiam discernir a necessidade de um banho quente e uma troca de roupa.

O Dr. Harding entrou no quarto e sorriu calorosamente.

— Charlotte, é bom ter você de volta.

— É bom estar de volta, Dr. Harding.

— Pelo amor de Deus, Charlotte, me chame de Jerome. Dr. Harding me faz parecer velho, — ele resmungou, mancando pelo tapete. Ele se abaixou na beira da cama, seu olhar piscando sobre o meu rosto. — Você teve uma provação e tanto, mocinha.

Percebi que a grande janela estava escancarada e uma brisa suave soprava as cortinas.

— Posso tomar banho? Acho que preciso de um.

— Você cheira a lobisomem. Entre outras coisas. Mantivemos as janelas abertas para refrescar um pouco, — Marianne respondeu alegremente. Ela piscou. — Isso é o que acontece quando você sai com lobisomens e metamorfos.

— Marianne, pelo amor de Deus, — repreendeu o Dr. Harding, — sutileza não é um de seus pontos fortes. — Ele voltou ao seu escrutínio cuidadoso da minha expressão. — Como está o nível de dor?

— Tolerável, — respondi calmamente. — Qual é o dano?

— Surpreendentemente, nada quebrado. Muitos cortes e hematomas e isso, — ele apontou para o meu peito, — que é de longe o seu pior ferimento. Quando o vi pela primeira vez, pensei que você precisaria de uma infinidade de suturas, mas parece estar se curando por conta própria. Notavelmente rápido, devo acrescentar. Seus olhos cinzentos eram inquisitivos, como se suspeitasse que houvesse algum motivo para a rápida recuperação.

— A saliva de Conal tem propriedades curativas. Ele... — Não havia uma maneira fácil de admitir como Conal tinha feito a cura e eu corei de vergonha. — Ele lambeu as feridas.

Se Jerome ficou surpreso com essa admissão, ele foi notavelmente hábil em manter o sentimento longe de seu rosto. Eu sabia como parecia, os sulcos profundos haviam penetrado da minha clavícula até o topo do meu seio esquerdo. Ele sondou a pele perto da minha clavícula gentilmente, tocando os cortes irregulares que pareciam estar selando por conta própria. Fiquei surpresa quando olhei para baixo e os vi – eles eram muito piores quando Armstrong os infligiu, penetrando até o osso.

— Eu ouvi que os lobisomens têm poderes regenerativos incríveis em sua saliva. Eu nunca vi as evidências até agora. O que Conal conseguiu fazer efetivamente acelerou o processo de cura em pelo menos uma semana ou talvez duas.

— Posso levá-la ao banheiro e torná-la humana novamente? — Marianne perguntou.

Jerome assentiu.

— Vou remover o gesso.

— Não é muito cedo?

— Ah, acredito que podemos lhe dar um pouco de liberdade. Eu dei uma olhada no gesso antes de trazer você de volta para o hotel, e depois do chute que você deu no metamorfo, o gesso não parece muito estável. — Ele piscou, diversão clara em sua expressão.

— Para referência futura, Charlotte, por mais que tenha sido muito satisfatório chutar aquele idiota, os metamorfos são quase tão impenetráveis quanto os vampiros. — Marianne sorriu maliciosamente. — Mas eu pensei que foi muito corajoso de sua parte.

— Obrigada.

— Vou tirar o gesso. Marianne, faça-se útil, prepare a banheira e saia do meu caminho.

— Não posso tomar banho no chuveiro? — Eu disse, e havia apenas uma nota minúscula de um gemido envolvido. Eu queria lavar meu cabelo, ficar debaixo de uma água quente e tirar uma semana de sujeira da minha pele.

— Não, você certamente não pode tomar banho mo chuveiro. Você lutaria para ficar em pé por tanto tempo, — Jerome resmungou. — Você vai ficar fraca e trêmula por alguns dias ainda, mocinha.

— Um banho de banheira, então. — Marianne desapareceu enquanto eu estava deitada na cama e Jerome cortou o gesso do meu tornozelo. Torci o nariz com o cheiro repugnante quando ele o removeu – um banho era definitivamente uma necessidade, mesmo que eu preferisse um banho de chuveiro.

— Vou deixar você em paz, — Jerome murmurou rispidamente. — Tenho certeza que você não precisa da minha ajuda para um banho.

Marianne me ajudou a levantar da cama, me apoiando enquanto eu caminhava lentamente em direção ao banheiro. Fiquei encantada ao descobrir uma banheira de SPA espaçosa no centro do cômodo, cheia até a borda com bolhas perfumadas e água quente fumegante.

Marianne puxou o zíper do vestido arruinado para baixo e eu saí dele.

— Sinto muito, Marianne. Estraguei o dia do seu

casamento e o lindo vestido que Acenith comprou está destruído.

Marianne olhou para mim de onde estava agachada no chão.

— Não se preocupe com isso, Charlotte. Striker e eu vivemos juntos por quase quarenta anos, perder nossa noite de núpcias não foi uma crise, posso garantir. Isso e o vestido são o menor dos nossos problemas. Podemos substituir um vestido, nossa lua de mel pode ser tirada mais tarde. Não poderíamos substituí-la. — Ela fez uma pausa, seu olhar vagando pela minha pele e ela franziu a testa tristemente. — Oh, Charlotte, que bagunça você está. — Eu segui sua linha de visão e vi o que ela estava vendo, a enorme quantidade de hematomas por todo o meu corpo.

— Poderia ter sido pior, — eu sugeri baixinho. — Ele poderia ter me matado.

Marianne respirou fundo e recuperou a compostura. Ela habilmente desabotoou o sutiã que eu estava usando e o colocou em cima do vestido arruinado, seguido rapidamente pela calcinha que me deixou tão envergonhada uma semana atrás. Ela me ajudou a entrar na água profunda e eu me deitei, saboreando o calor.

— Você quer os jatos da banheira ligados? — Marianne perguntou, no processo de recolher as roupas arruinadas.

Eu balancei a cabeça, fechando os olhos e descansando minha cabeça contra a borda da banheira.

— Eu acho que eu gostaria disso.

Jatos pulsantes de água começaram a soprar a água ao meu redor, massageando suavemente meu corpo machucado e dolorido e foi maravilhoso.

— Eu estarei de volta em breve. Vou empacotar e me livrar de tudo isso. Você realmente cheira muito como um cachorro molhado, Charlotte. Andar com lobisomens faz isso com você.

— Obrigada, Marianne. Você sabe como fazer uma garota se sentir bem.

Ela riu, o som como um tilintar de sinos no banheiro e eu sorri para mim mesma quando ela saiu. Comecei a esfregar minha pele (não vigorosamente, pois parecia que a maior parte de mim estava machucada) e Marianne voltou e lavou cuidadosamente meu cabelo, pelo que fiquei grata. Eu puxei os grampos prendendo meu cabelo no coque feito a dias atrás, mas com a quantidade de produtos para o cabelo que Gwynn tinha usado, combinado com não lavá-lo por mais de uma semana, estava uma verdadeira bagunça. Depois de massagear meu couro cabeludo com xampu três vezes e depois condicioná-lo duas vezes, Marianne ficou satisfeita e usou uma ducha para enxaguar a espuma. Ela se sentou na beirada da banheira e observou avidamente enquanto eu começava a depilar todas as áreas que precisavam ser depiladas após sete dias sem poder, eu estava particularmente feliz por depilar a perna que estava engessada.

Quando finalmente estava limpa, fresca e macia, saí da banheira e Marianne me envolveu em uma toalha branca e felpuda. Ela saiu do quarto quando eu garanti a ela que poderia me vestir sozinha, voltando com roupas íntimas limpas, jeans e uma camiseta azul clara. Então ela me deixou sozinha, fechando a porta silenciosamente atrás dela.

Terminei de me secar, ficando em frente ao espelho e franzindo a testa para a pessoa que me encarava. Graças aos esforços de Conal, os cortes em meu rosto estavam cicatrizando bem, mas a maior parte do meu rosto estava marcada por hematomas, alguns escuros, outros amarelados. Havia enormes hematomas roxos na maior parte do meu corpo e um particularmente grande no meu estômago, onde Armstrong me deu um soco. Eu parecia uma bagunça e estava feliz por Conal tê-lo matado, esperando que ele sentisse cada minuto de agonia. Foi um choque me pegar tendo tal pensamento, mas eu não podia sentir pena de Armstrong estar morto – não quando eu podia ver a evidência de sua crueldade por todo o meu corpo.

Vesti-me lentamente, tentando colocar a roupa sobre tudo o que doía. As roupas eram novas, sem dúvida compradas por Marianne desde que chegaram a Nova Orleans. O jeans se ajustava perfeitamente e a camiseta seguia de perto os contornos do meu peito e cintura. Tinha um decote cavado e os ferimentos eram visíveis no meu pescoço e no peito. Eu não podia acreditar na rapidez com que eles estavam curando, embora eu tivesse certeza de que eles iriam deixar cicatrizes. As feridas estavam seladas agora, vergões vermelhos raivosos surgiram em minha pele pálida. Sequei meu cabelo e corri meus dedos pelos cachos, puxando-os para ter alguma aparência de ordem.

Houve uma batida silenciosa na porta do banheiro.

— Posso entrar?

— Claro. Eu estou vestida.

Lucas estava parado na porta e senti um aperto no coração quando olhei para ele. Ele entrou no banheiro e caminhou até onde eu estava em frente ao espelho, sua pele mostrando um toque de cor que confirmava que ele havia se alimentado. Respirei fundo, apreciando o aroma que fez meu coração disparar. Ele estava deslumbrante, vestido casualmente com uma camiseta cinza com decote em V que roçava seu peito e jeans azuis que acentuavam seus quadris magros.

— Você parece muito melhor, — disse ele com aprovação.

— Estar limpa ajuda, — concordei.

— Como está seu tornozelo? Jerome me disse que removeu o gesso.

— Melhor do que o resto de mim. — Olhei para o meu pé, onde a marca da incisão era claramente visível no meu tornozelo. — Parece rígido, fora isso, está tudo bem.

Quando olhei para cima, ele estava atrás de mim, olhando meus olhos no reflexo do espelho e me maravilhei novamente que este homem, este vampiro, me amasse. Virei-me lentamente e ele segurou minha cintura entre as mãos, puxando-me com ternura para seus braços e tomando um cuidado infinito para não segurar com muita força. Ele abaixou a cabeça e pegou minha boca com a sua, a pressão de seus lábios contra os meus. Eu saboreei, envolvendo meus braços em torno dele e segurando-o perto, me perdendo em seus beijos. Os músculos de suas costas flexionaram sob meus dedos e ele arrastou uma linha de beijos para baixo de meus lábios e sobre meu pescoço, abrindo caminho em meu ombro.

— Mmmm, — ele sussurrou com a voz rouca. — Você cheira gloriosamente, amor.

Ele me pegou, depositando-me no topo do lavatório e deslizando entre as minhas pernas. Ele capturou meu rosto em suas mãos e eu deslizei minhas próprias mãos por baixo de sua camiseta, passando meus dedos pelo músculo tenso em seu estômago. Puxei sua camiseta e ele ajudou rasgando-a, jogando-a no chão. Fiquei maravilhado com a perfeição de seu físico. Por um longo momento nos olhamos, Lucas respirando pesadamente e seus olhos escurecendo para um azul que era quase preto. Ele se inclinou para mim, capturando minha boca com a dele e eu corri meus dedos levemente por sua pele, músculos duros se contraindo enquanto eu trabalhava meu caminho lentamente para baixo sobre seu peito. Eu esfreguei meus dedos sobre seu estômago e ele inalou profundamente enquanto eu o beijava no pescoço, sobre seu peito até que eu pudesse capturar um mamilo contra meus lábios. Eu nunca tinha feito isso antes e experimentei, lambendo timidamente a ponta da minha língua em toda a protuberância dura antes de chupá-la suavemente. Lucas gritou, um tremor percorrendo seus músculos.

Eu ouvi um toque silencioso e Lucas rosnou com a voz rouca.

— Para. — Olhei para cima, consternada ao ver suas presas se estendendo sobre o lábio inferior. — Charlotte, por mais que isso seja... maravilhoso, preciso que você pare.

Eu me inclinei contra o espelho obedientemente, ciente de que ele estava lutando. Eu podia vê-lo lutando com seus desejos e esperei em silêncio, dando-lhe tempo para recuperar o controle. Lucas passou os dedos pelos cabelos, despenteando as mechas escuras e então se abaixou para pegar sua camiseta, puxando-a rudemente sobre a cabeça e para baixo sobre o peito.

— Dê-me um minuto, — ele ordenou. Ele se virou e se encostou no lavatório, cruzando os braços sobre o peito e eu esperei pacientemente, meu próprio ritmo cardíaco começando a voltar a um ritmo mais normal.

— Lucas. — Os sentimentos complexos com os quais ele lutava eram óbvios quando ele se virou para olhar para mim, suas presas ainda claramente visíveis. Estendi a mão para ele e ele deu um passo em minha direção com relutância, permitindo-me envolver meus braços em volta de sua cintura.

— Eu te amo.

— Assim como eu amo você, — disse ele calmamente. — Eu sinto muito.

Eu segurei seu olhar com o meu.

— Não há nada para se desculpar. Sabíamos que isso levaria tempo e você não me vê há uma semana. Você tem que começar com o meu cheiro de novo.

Ele suspirou pesadamente e fiquei aliviada quando suas presas se retraíram.

— Eu realmente não tenho certeza do que é pior, — ele admitiu, sua voz triste.

Eu sorri.

— O quê? Lutar contra o desejo de me morder? Ou o fato de que você é provavelmente o vampiro mais frustrado sexualmente no planeta agora?

Ele me encarou por um longo momento antes de um sorriso se espalhar em seus lábios, e eu sabia que tinha quebrado o momento estranho entre nós. Ele me tirou do lavatório e pegou minha mão na dele, pegando meus lábios em um breve beijo.

— Você é uma atrevida, meu amor. Vamos pegar algo para você comer.

CAPÍTULO 10
O BANDO

— Você quer a última fatia, Charlotte? — Nick sentou ao meu lado no sofá e os membros de seu bando – David, Toby, Rafe e Marco descansavam no chão. O braço de Marco estava em uma tipoia, o que não o estava impedindo de se alimentar. Ele era mais novo do que eu, talvez dezoito anos, com a aparência alta e magra de um menino que estava se tornando um homem rapidamente. Seu cabelo loiro como areia caiu em seus olhos, sua expressão de êxtase enquanto ele devorava outra fatia de pizza de pepperoni.

— Claro. — Peguei a última fatia das quatro pizzas gigantes que Lucas havia pedido e a mordi. Eu estava saboreando a oportunidade de comer, fazia pelo menos cinco dias que não comia nada substancial e estava recuperando o tempo perdido.

Lucas sentou ao meu lado, sua perna descansando contra a minha, sua mão descansando possessivamente na minha coxa. Ben sentou-se em uma das duas grandes poltronas e Marianne na outra. Striker estava parado perto da janela, observando as luzes do centro de Nova Orleans, os braços cruzados sobre o peito volumoso enquanto Jerome se acomodava à mesinha, sentado em uma das cadeiras de jantar.

— Eu acho que se você comer muito mais, você pode explodir, — Lucas murmurou com indulgência.

— Estou pensando que provavelmente poderia caber alguns desses donuts, — respondi, olhando para a caixa de Dunkin' Donuts sobre a mesa. — Você não tem ideia de como passei fome na semana passada.

Estávamos acomodados no hotel em Nova Orleans, dividindo três luxuosas suítes entre nós. Os cinco membros do bando de Nick estavam dividindo uma suíte de dois quartos, Marianne e Striker estavam compartilhando com Jerome. Ben, Rowena e Lucas estavam compartilhando a suíte em que estávamos sentados agora. Era enorme e elegante, atualmente estávamos na sala de estar e os quartos estavam situados em ambos os lados da sala, proporcionando a cada quarto uma vista deslumbrante de Nova Orleans abaixo de nós. A

Bourbon Street estava ao virar da esquina e na quietude da noite; a música jazz podia ser ouvida vindo dos muitos bares e clubes populares.

— Talvez um donut, Charlotte. Você vai passar mal se comer demais depois de ter tão pouco no estômago — alertou Jerome. — E pela minha conta, você já comeu oito fatias de pizza.

— É um bom esforço, Lottie, mas talvez você tenha tido o suficiente, — Rafe disse com um largo sorriso. Ele era o mais alto dos membros do bando Lingard que eu conheci, um pouco mais de um metro e oitenta e cinco de músculos poderosos. Aos vinte e quatro anos, ele era geralmente bastante sério, mas tinha um senso de humor perversamente sarcástico. Seus olhos castanhos brilharam quando ele olhou para mim, abrindo a tampa da caixa de donuts. — Estou pegando isso antes de você começar, apenas no caso.

— Você está do lado de quem? — Eu resmunguei bem-humorada. Eu realmente gostei dos homens do grupo de Nick e fiquei grata por eles terem largado tudo para vir ajudar a me resgatar. Havia algo de muito humilhante em saber que tantas pessoas se importavam comigo e estavam dispostas a arriscar suas próprias vidas para salvar a minha.

Rafe ergueu as mãos em sinal de rendição e sorriu enquanto mordia o donut.

— Eu não estou tomando partido. Estou

cuidando dos meus próprios interesses, antes de mais nada.

O telefone tocou e vi todos trocando olhares desconfiados, antes de Ben atender. Eu me virei para olhar para Lucas e ele devolveu meu olhar calmamente.

— Ninguém tem o número do quarto. Temos usado telefones celulares, — ele disse enigmaticamente.

Eu queria perguntar por que, mas antes que pudesse, Ben fez uma pausa e me entregou o telefone.

— É para você. Conal Tremaine.

Peguei o telefone dele, um rubor subindo pelo meu rosto em uma onda de calor.

— Alô?

— Charlotte. Como você está? — A voz profunda de Conal era amigável e cheia de calor.

— Muito melhor. Como você está?

— De volta ao normal. Eu estou supondo que você ainda está com os sugadores de sangue, então?

— Sim, claro. — Meus olhos encontraram Lucas e vi que ele estava me observando. Tentei adivinhar que emoções ele estava sentindo, mas seu rosto estava totalmente inexpressivo. — Como você me achou?

— Liguei para todos os hotéis em Nova Orleans. Você é uma mulher difícil de rastrear. Estou no saguão, com meu pai e alguns anciões. Meu pai quer conhecer você.

— Hum, claro. Tudo bem.

— Lá vai você, pensando como uma humana novamente. O líder do seu beijo precisa nos dar permissão.

— Sério?

Eu podia ouvir o sorriso em sua voz.

— Sério.

Entreguei o telefone a Lucas.

— Conal, seu pai e alguns dos anciões querem me ver. Aparentemente, — eu quase revirei os olhos com o ridículo de tudo isso, — eles precisam da sua permissão. — Eu nem tinha certeza de por que estava explicando a conversa, quando todos na sala sem dúvida ouviram cada palavra que eu disse e as respostas de Conal.

Lucas pressionou a palma da mão sobre o telefone e ele e Ben trocaram um longo olhar.

— O que está acontecendo? — Eu exigi. Algo estava fora de ordem aqui, todos na sala pareciam apreensivos.

Marianne foi quem respondeu.

— Charlotte, temos que ter cuidado em quem confiamos em relação a você.

— O quê? — Eu não entendi qual era o grande problema. Eu me virei para olhar para Lucas e ele olhou nos meus olhos por um longo momento antes de falar.

— Laurence Armstrong pode não ser a única pessoa que vai querer se beneficiar de sua habilidade psíquica.

Uma carranca vincou minha testa enquanto eu lutava para compreender o que ele estava insinuando. Olhei de Lucas para Ben, para Marianne, Jerome e examinei os homens de Lingard, todos pareciam tensos. Até mesmo Striker havia saído de sua posição na janela, com o rosto solene. Voltei meu olhar para Lucas.

— Você está dizendo... *o que* você está dizendo?

— Eu não quero que você se preocupe, Charlotte. Vamos mantê-la segura.

— Isso não é uma resposta! — Virei-me para Ben, esperando alguma confirmação. — Conal me *salvou*. Ele arriscou a própria vida para tentar impedir Armstrong de conseguir o que queria!

— Sabemos disso, — Ben respondeu pacientemente. — Mas seu bando pode querer sua habilidade psíquica para si mesmos.

A raiva borbulhou em meu peito.

— Isso é besteira! Não acredito nem por um minuto. — Conal estava lá para mim, quando eu pensei que não havia mais ninguém para me ajudar e eu não podia – *não* acreditava que ele tinha um motivo oculto. Voltei meu olhar para Lucas e sabia que ele veria a determinação em meus olhos. — Ou você deixa ele subir aqui, ou... eu vou descer lá.

Lucas encontrou os olhos de Ben e eu vi Ben encolher os ombros.

— Você decide.

— Não, não é! É *minha* decisão se quero ver Conal novamente! — Eu gritei com raiva.

— Diga a eles que permitiremos o acesso, — anunciou Striker, — mas os igualaremos em número. — Seu corpo estava rígido de tensão, suas presas já parcialmente a mostra e eu estremeci.

Lucas levou o telefone ao ouvido e falou.

— Conal... sim, você tem minha permissão para visitar Charlotte... não, não estou feliz com isso... — Ele olhou para mim, seus olhos azuis duros. — Ela tem o direito de escolher seus amigos, eu aceito isso. Quantas pessoas você vai trazer com você? Teremos o mesmo número aqui para proteger Charlotte... não, não confio em você... sim. Eu entendo. — Houve um silêncio longo e prolongado e Lucas olhou para Nick, que estava sentado imóvel no sofá. — Sim, Nick e seus homens estão aqui, protegendo Charlotte... não, não vou concordar com isso. Se você trouxer seis pessoas com você, vamos exigir que pelo menos dois dos metamorfos de Lingard permaneçam conosco... — Houve outra pausa mais longa e eu assumi que Conal estava conferindo com as pessoas que vieram com ele. — Concordo.

Estamos na Suite 912... estamos ansiosos para conhecê-lo.

Ele desligou a ligação e houve uma agitação instantânea na sala. Parecia que todos estavam nervosos, apreensivos com a visita de Conal. Todos menos eu.

— Rafe e eu ficaremos aqui com você, — Nick anunciou decididamente. — Toby, David, Marco – peguem Jerome e voltem para o nosso quarto. David, Toby, se transformem caso precisemos de vocês. Marco, você está ferido, fique na forma humana e esteja preparado para escoltar Toby e David de volta aqui. Eles vão precisar de alguém para abrir as portas.

Marco parecia pronto para discutir, mas o olhar no rosto de Nick o deteve. Eles partiram rapidamente, Jerome a reboque, saindo antes que Marianne fechasse a porta com cuidado atrás deles e abrisse a fechadura. Lucas, Ben e Striker estavam amontoados no canto, a conversa deles tão rápida que eu não conseguia entender e Nick e Rafe se juntaram a eles. Marianne sentou ao meu lado e pegou minha mão, apertando meus dedos suavemente.

— Eu não entendo, — eu disse calmamente. — Conal não me machucaria.

— Gostaria de acreditar que ele não o faria, — respondeu Marianne. — Não queríamos ter essa conversa até voltarmos para Puckhaber Falls. Jerome sentiu que você precisava de algum tempo para se recuperar da semana passada e, honestamente, todos nós acreditamos que você teve estresse suficiente para suportar. Mas o fato é que você tem uma habilidade psíquica verdadeiramente única. Laurence Armstrong não será o único que viu esse poder e quer tomá-lo para si.

A ansiedade começou a me corroer com este último comentário.

— Então o que você está dizendo é que nunca estarei segura? Alguém sempre vai estar atrás de mim?

— Não, não vai ser assim, — Marianne respondeu calmamente. — Vamos mantê-la segura, Charlotte. Mas temos que tomar precauções para garantir a sua segurança. Manter sua habilidade psíquica em segredo é fundamental. Os Tremaines sabem disso, precisamos tomar essas precauções para garantir que eles não venham aqui para buscá-la.

Eu honestamente não sabia o que dizer. Eu não duvidei por um minuto que Conal não iria me machucar – não havia nenhuma reserva em minha mente sobre ele. Ele me protegeu tanto quanto foi humanamente possível durante nossa prisão. Mas eu não conhecia o bando dele. Eles veriam isso como uma oportunidade? De repente, me senti mal. Segurando a mão sobre a boca, me lancei do sofá e corri para o banheiro. Cheguei ao vaso sanitário e vomitei, ajoelhado nos frios ladrilhos brancos.

— Charlotte. — Lucas se agachou ao meu lado, uma mão descansando levemente nas minhas costas e a outra segurando meu cabelo para trás.

Eu vomitei no vaso novamente, perdendo o resto do meu jantar no processo. Meu rosto estava coberto por uma fina camada de suor e eu limpei minha mão em minha boca antes de cair no chão ao lado dele, minhas mãos sobre meu rosto.

— Charlotte, — Lucas me entregou uma toalha e eu a passei em meu rosto. — Você estará segura. Não vamos deixá-los fazer nada para machucá-la.

Levantei-me, abrindo a torneira e jogando água no rosto. O espelho confirmou que eu estava horrível, minha pele havia perdido toda a cor e eu podia ver o pânico em meus próprios olhos. Respirei fundo e me virei para Lucas.

— Marianne está certa? Você acha que estarei em perigo o tempo todo?

Lucas se levantou graciosamente do chão e segurou meus ombros.

— Você estará protegida comigo, minha Charlotte.

— Não foi isso que perguntei! — eu gritei. — Estou em perigo? Quantos outros virão atrás de mim? Como posso pedir a você e aos outros que cuidem de mim constantemente?

— Você não tem que nos perguntar, amor. Faremos o que for preciso, para mantê-la segura. Não espero que você esteja em perigo constante. As únicas pessoas vivas que sabem sobre sua habilidade são Nick e seu grupo, o bando Tremaine e Thut e Harley e seu povo. Vamos nos esforçar para manter assim.

— Eu não sou sua responsabilidade. Não somos família. Você vai se cansar de vir constantemente em meu socorro, — eu disse estupidamente. A ideia de estar correndo incansavelmente, olhando continuamente por cima do ombro – era inconcebível. Teria eu apenas escapado do pesadelo da morte da minha família para entrar imediatamente em outro?

— Charlotte, — Lucas suspirou suavemente. — Olhe para mim.

Forcei meus olhos para encontrar os dele e ele segurou meu rosto em suas mãos.

— Eu vou te proteger pelo resto de sua vida. Eu te amo. Mais do que qualquer outra coisa neste mundo. Você significa tudo para mim. Você é minha responsabilidade, porque escolhi esse dever e o aceito plenamente. Não posso continuar com esta existência sem que você esteja nela comigo. Estar longe de você é algo que não posso suportar.

— Eu também aceito essa responsabilidade.

Ben estava parado na porta e entrou no banheiro.

— Charlotte, você é como uma filha para Rowena e eu. Nós amamos você e queremos que você faça parte de nossas vidas. Nós a protegeremos do perigo.

— E Marianne e eu também aceitamos esse dever. — Striker apareceu na porta, sua mão entrelaçada com a mão menor de Marianne, seu comportamento sombrio. — É uma honra protegê-la e farei isso da melhor maneira possível.

Olhei de Ben para Striker e Marianne, depois de volta para Lucas, balançando a cabeça.

— Como vocês podem ser responsáveis por mim? Vocês estariam melhor se eu nunca tivesse cruzado seus caminhos.

— Pelo contrário. Nossa existência é incompleta sem você nela, — Lucas murmurou enquanto me puxava para um abraço reconfortante. — Você fornece luz e escuridão, sombra e substância para o que de outra forma seria uma jornada mundana por décadas. Você está nos fornecendo tanto, se não mais, do que estamos fornecendo a você. E você está me dando o maior presente de todos: felicidade e amor. Posso garantir que não abrirei mão desse presente.

Eu olhei em seus olhos azuis escuros, meus

próprios se enchendo de lágrimas com a demonstração de união que eles forneceram para mim. Eu balancei a cabeça hesitantemente e Lucas me beijou, um breve roçar de seus lábios nos meus.

— Eles estarão aqui muito em breve. Você está pronta para se encontrar com eles?

— Posso ter alguns minutos? Quero escovar os dentes e me arrumar um pouco.

— Claro. — Ele beijou minha testa antes de me soltar e Ben deu um aperto suave no meu ombro quando eles saíram do banheiro. Dei descarga e abaixei a tampa do assento, caindo sobre ele cansadamente. Fechando os olhos, alcancei os recessos da minha mente, abrindo a caixa. Lucas estava certo. Não cometeria o erro de trancar os espíritos novamente, de agora em diante, estaria preparada para tudo.

CAPÍTULO 11
OS TREMAINES

A tensão era tangível quando voltei para a sala de estar, o ar cheio de algo semelhante à eletricidade estática, forte o suficiente para eu sentir na minha pele nua. De um lado, Lucas e seu beijo, Rafe e Nick. Em frente a eles estava Conal e cinco dos membros de seu bando. Ninguém falou. Todos observavam o grupo adversário com desconfiança. Lucas e nosso grupo estavam de costas para mim e Conal foi o primeiro a me ver, sorrindo calorosamente, seus olhos negros brilhando com óbvio deleite.

— Aqui está ela.

Lucas se virou e acenou com a cabeça imperceptivelmente, mas a postura de seu corpo e a dos outros mostrava que eles estavam preparados para uma luta. As presas de Lucas se estenderam, o que eu achei levemente perturbador e muito preocupante. Esta situação poderia se transformar em um banho de sangue e corri para ficar entre as duas linhas de combatentes.

Alguém obviamente tinha que manter a paz nesta reunião. Pela aparência dos lobisomens de Conal, eles estavam tão prontos para a batalha quanto meu pequeno grupo de vampiros e metamorfos. Parecia um encontro entre israelenses e palestinos. Exceto *que* geralmente não se rasgavam com garras, presas e força sobre-humana.

— Conal, obrigada por vir me visitar. — Dei um passo na frente dele e o abracei, sentindo a tensão diminuir um pouco de seus ombros quando ele passou os braços em volta de mim. Ele parecia muito melhor desde a última vez que nos vimos, o hematoma em seu rosto praticamente curado. Ele estava vestido com jeans desbotados e uma camisa preta, botas gastas nos pés. Seu cabelo escuro emoldurava seu rosto como uma auréola enquanto ele sorria para mim, seus olhos negros brilhando.

— Você parece bem, Charlotte. Exceto por uma tonelada de hematomas. — Seus olhos percorreram meu pescoço e peito. — Isso parece melhor. Poderia ter feito mais algum... uh... tratamento.

Atrás de nós, Lucas rosnou do fundo de seu peito e Conal olhou para ele.

— Não estou sugerindo nada, sugador de sangue.

— Mantenha seus olhos para si mesmo, cachorro, — Lucas rosnou, a raiva vibrando em sua voz.

— Vocês dois podem parar com isso, *agora mesmo!* — Eu ordenei, forçando-me a soar firme. — Não vou tolerar que vocês sejam rudes um com o outro. — Tanto Conal quanto Lucas olharam para mim com surpresa indisfarçável e eu coloquei minhas mãos nos quadris. — O mínimo que vocês podem fazer é falar um com o outro com algum respeito. Afinal, vocês dois estavam do mesmo lado, a menos que já tenham esquecido esse pequeno detalhe?

— Charlotte está certa, — Ben concordou com sua calma habitual.

— Tudo bem, tudo bem. Não vou chamá-lo de sugador de sangue, — Conal concordou a contragosto, sua voz um rouco rosnado.

— Ou um sanguessuga, — eu o lembrei asperamente.

Conal cruzou os braços sobre o peito e olhou para mim, mas pude ver o brilho de diversão em seus olhos.

— Ok. Nada de chamá-lo de sanguessuga também.

Eu me virei e olhei para Lucas, dando-lhe um olhar frio. Depois de alguns segundos, ele assentiu.

— Vou me abster da grosseria, — ele concordou, as luzes prateadas em seus olhos girando como um minitornado.

Voltei-me para Conal, percebi que sua atenção estava focada no meu cabelo.

— Não sabia que era tão cacheado.

Eu toquei meu cabelo conscientemente.

— Sim, bem, você não conseguiu o meu melhor visual.

— Eu posso ver isso, — ele disse calmamente, seus olhos escuros suaves e apreciativos. Ouvi outro rosnado profundo atrás de mim e apressei as coisas, olhando para o homem mais próximo de Conal. — Você vai me apresentar?

— Sim. Charlotte Duncan, este é meu pai e chefe do bando Tremaine, Lyell Tremaine.

Ele era alto, com ombros tão largos quanto o filho, e havia semelhanças óbvias no formato da testa e do nariz. Mas o cabelo escuro de Lyell Tremaine mantinha uma quantidade considerável de cinza, seu rosto enrugado e envelhecido como se tivesse passado muitos anos trabalhando ao ar livre. Seus olhos também eram cinza, da cor de estanho e friamente apaixonados enquanto ele me observava. Olhei de volta para Conal, intrigada com a reação de seu pai.

Conal deu de ombros e me lançou um sorriso tímido.

— Papai está convencido de que você é uma bruxa. Acha que você me colocou sob algum tipo de feitiço enquanto estávamos presos por Armstrong.

Meus lábios se contraíram e lutei contra a vontade de sorrir.

— Uma bruxa, hein?

— Eu tentei dizer a ele que você não é assim, mas ele não acreditou, — Conal disse se desculpando.

Eu parei na frente de Lyell Tremaine, esperando até que ele encontrasse meu olhar antes de falar.

— Sr. Tremaine, fui chamada de algumas coisas ao passar do tempo, mas nunca de bruxa. Posso apertar sua mão?

Ele olhou para mim com desconfiança, mas o homem ao lado dele falou. Este homem era magro, provavelmente de cinquenta e tantos anos, com cabelo preto espesso e olhos azuis penetrantes que me examinavam com cautela.

— Você não pode tocar a mão de nosso Alfa, até que tenhamos certeza de que você não o enfeitiçará também.

— Alfa?

Conal soltou um profundo suspiro.

— É como os lobisomens chamam seu líder,

Charlotte. Este é Ralph Torres, Beta do papai. Ele é o segundo em comando em nosso bando.

— Senhor Torres. Posso apertar *sua* mão?

Ele me estudou atentamente, seu olhar calculista, antes de estender a mão. Peguei sua mão e ele apertou a minha com firmeza, quase com força suficiente para doer. Eu me perguntei se ele estava fazendo isso deliberadamente.

— É um prazer conhecê-lo, Sr. Torres.

Ele acenou com a cabeça, ainda me olhando com desconfiança e eu decidi resolver o problema com minhas próprias mãos. Agora que fiz contato físico com ele, examinei minha mente e localizei a nova voz, uma que nunca tinha ouvido antes. Escutei por alguns segundos, fechando os olhos para estudar o novo espírito. Quando abri os olhos novamente, concentrei-me em Ralph Torres e sorri calorosamente.

— Como eu disse, não sou uma bruxa. Tenho uma habilidade psíquica que me permite falar com os que já morreram. Posso compartilhar algumas informações com você?

Ralph Torres olhou para Lyell Tremaine em busca de orientação e assentiu com a cabeça.

— Tenho seu pai, Rudi Torres comigo. Ele faleceu há cerca de doze meses, ele tinha câncer no estômago, que se espalhou para o fígado. Você e o bando fizeram tudo o que puderam para salvá-lo, mas no final, o câncer não pôde ser tratado, por tratamentos convencionais ou com seus remédios tradicionais. Você e seu pai passaram muito tempo pescando juntos, ele gostava particularmente de pescar bagres onde você mora em Natchez. — Eu escutei atentamente por um minuto e sorri. — Seu pai quer admitir um segredo culpado, você pensou que ele havia parado de fumar cachimbo depois que foi diagnosticado com câncer, mas ele quer confessar. Ele ainda deu algumas tragadas. Ele tinha um ponto onde o rio se bifurca, tem um grupo de três pedregulhos e ele ia lá à tarde e fumava tranquilamente quando você pensava que ele estava cochilando. Ele quer que você saiba que não sente mais dor agora e que está passando muito tempo com sua tia Ada.

A informação que eu transmiti era claramente precisa, havia uma lágrima escorrendo lentamente pela bochecha de Ralph Torres e ele balançou a cabeça lentamente, como se tivesse dificuldade em acreditar no que eu tinha feito.

— Como você... é *essa* a sua habilidade? — Ele se virou para Lyell Tremaine. — Conal está certo. Ela não é uma bruxa, ela tem a habilidade de falar com nossos mortos.

— Ela também os vê, — acrescentou Conal. — Eu os vi em sua mente, tão claramente como se ainda estivessem aqui entre nós.

Olhei de relance para Lucas e fiquei aliviada ao ver a aprovação em seus olhos. Ele assentiu imperceptivelmente e sua postura rígida diminuiu um pouco, como se pensasse que parte do perigo havia passado.

Voltei minha atenção para a próxima pessoa na fila.

— Como um gesto de boa vontade e para dar ao seu bando mais uma prova de que não sou uma bruxa, você me permite apertar sua mão? — Ele era facilmente o mais baixo dos seis homens, com uma constituição atarracada. Sua cabeça era calva, suas feições marcadas, sua pele cor de chocolate ao leite. Conal o apresentou como Kenyon Douglas, o Gama do bando, ou terceiro em comando. Peguei sua mão e ele me ofereceu um aperto de mão mais gentil do que o do Sr. Torres, seus olhos castanhos escuros me observando com curiosidade.

— Sua avó Lope está falando comigo. Ela morreu quando você tinha dezessete anos e gostaria de ter vivido o suficiente para ver você se formar no ensino médio. Ela ficou feliz por você ter decidido estudar direito e está muito orgulhosa do trabalho que você faz pelo seu povo. Sua avó lembra o quanto você amava a torta de nozes dela, você costumava dizer às pessoas a quilômetros de distância que a vovó Lope fazia a melhor torta de nozes do Mississippi. — Outra voz se juntou a Lope e eu escutei por mais alguns minutos. — Seu irmão gêmeo, Adolph se juntou a sua avó. Ele quer lembrá-lo da diversão que vocês dois tiveram jogando juntos na liga infantil e como vocês confundiam o Sr. Trimble na segunda série trocando de lugar e fingindo ser um ao outro. Adolph lamenta ter que deixá-lo tão cedo, ele... ele sabe como foi tolice beber e dirigir. Ele diz que o acidente não foi culpa de ninguém além dele. Ele sabe que você teve muita dificuldade em acreditar nisso na época, mas assume total responsabilidade pela quantidade que bebeu antes de entrar no carro. Ele está grato por ter sido apenas ele quem foi morto e Gracie sobreviveu.

— Notável, — Kenyon suspirou. — Incrivelmente preciso. Você pode dizer tudo isso só de apertar minha mão? Você pode vê-los?

Eu balancei a cabeça e sorri, a tensão em meus ombros relaxando um pouco. Fechando os olhos, chamei Lope mentalmente e dei a Kenyon uma descrição dela.

— A sua avó Lope tem a pele morena, desgastada de tantos anos colhendo algodão na roça da família. Ela tem olhos muito verdes e seu cabelo é branco, ele está trançado e cai nas costas. Ela está usando brincos de argola de ouro, uma camisa de cores vivas e seu xale favorito está sobre os ombros. É preto com franjas e tem um padrão, flores eu acho. Acho que são rosas, em rosa e amarelo. E ela está usando um medalhão de ouro de São Cristóvão em um colar, diz que nunca o tira.

Kenyon estava balançando a cabeça quando abri os olhos.

— Absolutamente correto. A vó Lope usava todos os dias aquele medalhão de São Cristóvão, nunca o tirava. Ela foi enterrada com ele em volta do pescoço. Sempre que alguém da nossa família viajava, ela segurava o medalhão em nossas mãos e nos fazia esfregá-lo para dar sorte.

— Viu, pai? — Conal afirmou calmamente. — Eu disse a você que ela não era uma bruxa.

Lyell Tremaine trocou um longo olhar com Ralph Torres e Kenyon Douglas e vi os dois assentirem. Ele se virou para mim e pela primeira vez desde a chegada deles, ele parecia mais relaxado e até sorriu.

— Parece que a julguei mal, senhorita Duncan. Peço desculpas. Eu mesmo farei as apresentações. — Ele acenou para o homem ao lado de Kenyon Douglas. — Este é meu Delta e chefe de segurança, Phelan Walker.

Phelan Walker tinha aproximadamente um metro e oitenta de altura e era magro, seus olhos escuros quase beirando o preto. Ele segurou minha mão com firmeza, seus olhos fixos nos meus e eu tropecei para trás quando ouvi uma onda de vozes urgentes. Olhei para Lyell Tremaine e minha voz estava trêmula quando falei.

— Parece que o Sr. Walker não concorda com a sua opinião. Não consigo ler seus ancestrais, mas estou recebendo um aviso dos outros espíritos. O Sr. Walker tem uma faca escondida no fundo da bota.

CAPÍTULO 12
TEMPERAMENTOS

Fui puxada para trás com velocidade de vampiro quando Striker me agarrou, puxando-me de volta para o nosso grupo sem que meus pés tocassem o chão. Lucas passou os braços em volta de mim, com Striker e Nick adotando uma postura protetora na nossa frente, de costas para mim. Eu pude ver Phelan Walker através de um espaço estreito entre seus braços.

— Ela é uma mentirosa! — Phelan Walker gritou. Ele deu um passo ameaçador em nossa direção, mas Conal e Ralph Torres o agarraram firmemente pelos braços enquanto ele continuava a descarregar sua raiva. — Ela é uma prostituta, uma prostituta bruxa que vai destruir nosso bando! Ela vive com sugadores de sangue! Ela se relaciona com metamorfos! Ela não é confiável!

— Fique *quieto, Phelan!* — O Tremaine mais velho comandou em um rosnado estrondoso de voz, que não toleraria nenhum argumento. Phelan Walker parou de gritar instantaneamente, inclinando a cabeça para o chão no que parecia ser um gesto submisso.

— Minhas desculpas, Lyell. Estou apenas tentando avisá-lo e garantir que nenhum de nós seja enganado pela bruxa prostituta. — Sua voz era mais baixa, mais suave.

— Vamos ver. — Lyell virou-se para Lucas. — Meu povo recebeu ordens de não trazer armas para esta reunião. Com sua permissão, farei com que Conal verifique para confirmar quem está dizendo a verdade.

Lucas assentiu em concordância, sua raiva aparecendo no turbilhão de prata em seus olhos. Seu corpo estava tenso, toda a tensão que havia começado a se dissipar estava de volta e eu podia senti-la nos músculos de seu corpo enquanto me inclinava contra ele.

Exibindo condenação aberta, Conal empurrou Phelan Walker com firmeza no peito, empurrando-o de volta para o sofá. Conal se ajoelhou, tirando as botas dos pés do Walker mais contido e examinou cuidadosamente a sola de cada uma. Ele balançou a cabeça e olhou para o pai.

— Seu Delta não obedeceu às suas ordens. Ele está armado.

Conal se levantou, segurando uma pequena lâmina fina em sua mão esquerda, que ele exibiu para todos na sala. Ele o segurou entre as mãos e o quebrou em dois pedaços, dando um passo à frente para oferecê-lo a Lucas.

Lucas pegou os pedaços de Conal e os dois homens se entreolharam com cautela antes de Lucas falar.

— Obrigado.

Lyell Tremaine olhou para seu oficial de segurança, seus olhos cinzentos frígidos.

— Você falhou comigo, Phelan. Você permitiu que seus preconceitos atrapalhassem a verdade que testemunhamos aqui esta noite. Você vai deixar esta sala imediatamente. Sua punição será decidida pelos anciãos do bando amanhã à noite.

Phelan Walker empalideceu, a cabeça afundando contra o peito.

— Eu estava fazendo o que achava melhor para nossa segurança.

— Muitas vezes você tira conclusões precipitadas, Phelan. Você prejulgou essas pessoas, como todos nós fizemos, mas não está disposto a respeitar a verdade do que Conal nos disse, quando recebemos evidências claras. Você ofendeu muito a Srta. Duncan e seus amigos com seu flagrante desrespeito. Saia. Agora. Você vai esperar lá embaixo por nós.

Conal caminhou até a porta e a segurou aberta, enquanto Phelan Walker acenou para o líder do bando, inclinando a cabeça. Ele caminhou lentamente em direção à porta, seus ombros caídos e carregando suas botas na mão. Quando ele saiu do quarto, Conal fechou a porta e a trancou atrás dele.

Percebi que estava tremendo, meus dentes começando a bater com o choque do que acabara de acontecer. Lucas me segurou perto, esfregando as mãos para cima e para baixo nas minhas costas. Ele beijou minha testa suavemente e olhou nos meus olhos, seus pensamentos não exigindo palavras. Ele tinha orgulho de mim e me amava. Eu soube naquele instante que ele faria qualquer coisa necessária para me manter protegida do perigo. Quando ele afrouxou o aperto, Striker e Nick relaxaram sua postura, dando um passo para o lado para que eu tivesse uma visão mais clara de Conal e seu bando.

— Senhorita Duncan — começou Lyell. — Meu Delta envergonhou nosso bando trazendo uma arma com ele para esta reunião. Peço perdão.

Eu balancei a cabeça, ainda não composta o suficiente para falar.

— Nós superamos vocês agora. Quer que eu

remova alguém do nosso grupo? — Lucas questionou.

Lyell balançou a cabeça com decisão.

— Não, isso não será necessário. — Ele olhou para mim, seus olhos cinzentos se suavizando. — A senhorita Duncan parece um tanto abalada. Posso sugerir que ela se sente? — Ele olhou de volta para seu grupo. — Talvez todos possamos nos sentar para terminar a reunião.

Pela primeira vez desde que chegaram, Lucas se permitiu um pequeno sorriso.

— Isso seria agradável. — Eu notei, porém, que todas as presas dos vampiros ainda estavam escondidas. Claramente, eles também não haviam relaxado completamente.

Encontrei coragem para falar.

— Eu prefiro que você me chame de Charlotte.

— Tudo bem. Charlotte, então. — Lyell Tremaine se acomodou no sofá enquanto Nick e Rafe se ocupavam em localizar cadeiras extras para todos. Eu não tinha certeza se apenas notei, mas estávamos todos mantendo exatamente as mesmas posições de antes, só que agora todos estavam sentados, em vez de em pé. Lucas me guiou até uma poltrona e me acomodou antes de se sentar no braço, sua mão segurando a minha possessivamente.

O último do bando Tremaine permaneceu de pé,

ele era um índio americano, de estatura mediana, mas de constituição sólida.

— Lyell, acredito que seria sensato permitir que Charlotte apertasse minha mão, para que ela pudesse confirmar por si mesma que pode confiar em mim.

Lyell concordou com a cabeça.

— Claro, e acho que é hora de você apertar minha mão também. — Ele atravessou a sala e me permitiu apertar sua mão, então apresentou o índio americano como Zeff Brooks. Em ambos os casos, entrei imediatamente em contato com seus ancestrais e não recebi nenhuma mensagem problemática.

Quando todos estavam acomodados novamente, Lyell Tremaine cruzou as pernas e me examinou com indisfarçável interesse, fazendo-me contorcer um pouco na poltrona.

— Pelo que entendi, você não fez contato com os ancestrais de Phelan?

— Esta noite percebi que não recebo mensagens de ninguém que represente uma ameaça para mim, — expliquei cuidadosamente. Olhei para Lucas, sabendo que ele estaria interessado nesta revelação. — Enquanto estava no banheiro, abri minha mente para os espíritos. Não tenho espíritos relacionados a Laurence Armstrong ou Gerard DuBonet em minha cabeça. Mas eu podia ouvir os ancestrais de Conal.

Conversei com eles e eles me ajudaram a entender o porquê. Eu estou... protegida, ou eu acho que avisada pode ser uma palavra melhor, sobre pessoas que pretendem me prejudicar. Se seus ancestrais não vierem até mim, eles representam um perigo.

— Fascinante, — Ben pareceu satisfeito com meu anúncio, virando-se para Lyell para explicar. — Charlotte só abraçou suas habilidades nos últimos meses. A capacidade sempre esteve presente, mas como costuma acontecer com os humanos, ela temia o dom. Desde que está morando conosco, tem incentivado ativamente as relações entre ela e seus contatos espirituais, a ponto de sua capacidade aumentar exponencialmente. Saber que ela pode identificar pessoas que pretendem colocá-la em perigo será um aspecto valioso de seu dom, uma forma de se proteger de danos.

— Conal me disse que você pode fazer os espíritos aparecerem corporalmente e cumprir suas ordens. Isso está certo? — Lyell questionou. Ele estava inclinado para a frente no sofá, as mãos cruzadas entre as pernas.

— Eu acho que sim. Só tentei uma vez e foi minha mãe quem me ajudou, não tentei de novo. — Troquei um olhar com Lucas, lembrando-me de como ele ficou irritado quando pedi a mamãe para fazer um garçom tropeçar no casamento. Funcionou, e o garçom derrubou sua bandeja de bebidas sobre a garota que estava flertando descaradamente com Lucas. Eu sabia que era infantil e bobo ter ciúmes, mas você não pode evitar como reage às vezes e eu honestamente fiquei surpresa ao descobrir que isso funcionaria.

Lucas sorriu suavemente para mim, aparentemente relembrando o mesmo evento.

— Vá em frente, Charlotte. Mostre a eles.

Fechei os olhos, decidindo pedir ajuda a um dos novos espíritos que se juntou a mim. Localizei o tio Felix de Conal, um dos espíritos com quem falei antes. Como Conal, ele tinha uma massa de cabelo preto rebelde e os mesmos olhos negros caninos. Ele ouviu enquanto explicava o que eu queria que ele fizesse e assentiu ansiosamente, sugerindo suas próprias melhorias para minha apresentação.

Encontrei Conal quando abri os olhos e sorri calorosamente.

— Eu tenho seu tio Felix, ele vai fazer algo inofensivo para cada um de vocês. — Eu ri alto, curtindo os sussurros de tio Felix em meu ouvido. — Ele tem um senso de humor perverso.

Tio Felix havia aparecido corporalmente e se moveu ao longo da fileira de lobisomens. Ele bateu em Conal em seu ombro direito e Conal instintivamente se virou, para ver quem tinha feito isso. Tio Felix já havia se movido ao longo da fileira, puxando suavemente o lóbulo da orelha de Lyle e

Lyle deu um tapa em sua orelha, virando-se como Conal, para tentar ver o encrenqueiro invisível. Antes que ele pudesse se virar, tio Felix deu um beliscão no nariz de Ralph Torres, fazendo-o soltar um grito assustado. Passando para Kenyon, o espírito brincalhão bateu nos joelhos de Kenyon e todos puderam ver o tecido de suas calças se movendo, embora eu fosse a única que pudesse ver o tio Felix. Por fim, ele pegou a mão de Zeff e apertou-a vigorosamente. Tio Felix me deu uma pequena saudação e um sorriso, e então se dissipou em uma névoa branca que desapareceu em segundos.

— Maldição, — disse Conal, — esse era exatamente o tipo de travessura que tio Felix sempre amou. Eu vi essa habilidade quando sondei sua mente, mas experimentá-la na vida real é inacreditável.

— E nos deixa com uma situação difícil, — disse Lyell pesadamente.

— Eu sei que Charlotte nunca usará isso para nos prejudicar. Ela foi além do que se poderia esperar dela para impedir que Armstrong descobrisse seu segredo, — Conal lembrou a seu pai.

— Posso ver a evidência clara de que ela negou a Laurence Armstrong o que ele queria, — respondeu Lyell, seus olhos passando pela massa de hematomas e cortes no meu rosto. — Você lidou com sua prisão forçada com honra, Charlotte.

Muitos homens, fisicamente mais fortes do que você, teriam cedido sob tal pressão e revelado os segredos que guardavam. — Ele suspirou pesadamente, esfregando a mão no queixo. — No entanto, há outros que cobiçariam o que Laurence Armstrong não conseguiu. Tenho que me perguntar, embora não me dê nenhum prazer fazer isso, o que acontecerá se seus amigos vampiros decidirem que o poder que você detém é muito tentador? Seria uma arma poderosa de fato, não apenas contra nosso bando, mas também contra muitos outros. O que acontece se os vampiros decidirem transformá-la para sua espécie?

— Isso não vai acontecer, — afirmei com firmeza, deixando-o ouvir minha determinação.

— Você tem a inocência e a confiança dos jovens, criança, — respondeu Ralph Torres. — Os vampiros atacaram e mataram, criaram novos vampiros por milhares de anos. Eles são perigosos e não hesitam em usar algo se isso lhes der uma vantagem.

— Os lobisomens também mataram e mutilaram por um milênio. Vocês não são mais inocentes do que os vampiros — afirmou Striker friamente.

— Como você pode confiar nela, quando seu sangue bombeia tão perfeitamente em suas veias? O cheiro dela deve ser suficiente para deixá-lo louco, — Conal disse, seus olhos frios e firmemente fixos em Lucas. — Você poderia transformá-la e chamar isso de acidente.

— Como você poderia ser confiável, lobo? Sabendo que na lua cheia, você poderia atacá-la e transformá-la em sua espécie? — Lucas retrucou com um grunhido.

Apertei os dedos de Lucas, sem saber como parar isso e preocupada que tanto Lucas quanto Conal estivessem caminhando para uma luta que se tornaria muito mais pessoal – menos sobre os medos dos lobisomens e mais sobre dois homens brigando por uma mulher.

— Vocês, sanguessugas, não podem confiar na segurança dela, — Kenyon argumentou, sua voz relativamente calma. — Vocês convivem com metamorfos, o que só pode aumentar o perigo que ela corre.

O poder na sala aumentava a cada nova réplica e acusação. Eu podia sentir isso de ambos os lados, o calor e a estática quase elétrica dos lobisomens e algo semelhante dos metamorfos, mas ao lado disso havia uma forma de energia mais fria e menos mordaz. Eu nunca senti isso antes, mas sabia instintivamente que vinha dos vampiros e era uma força lenta, mas poderosa, viajando pelo meu corpo como um líquido espesso se espalhando pela minha pele. A sensação era tão intensa que quase baixei os olhos para ver se meu braço estava úmido. Em todos os lugares a energia tocada começou a parecer mais fria, formigando de uma maneira diferente do poder dos lobisomens e metamorfos e a combinação dos dois era no mínimo desconcertante.

— Protegeremos Charlotte com mais honra do que vocês cachorros jamais o fariam — rosnou Nick, enquanto ele e Rafe se levantavam, seus corpos rígidos de raiva. Houve um aumento da energia quente e formigante em minha pele, rolou sobre mim como uma pequena onda na praia, aparentemente inócua, mas com uma força escondida sob a superfície.

— Que tipo de vida ela terá com você? Vocês estão todos mortos, sanguessugas. Cada minuto com ela deve ser uma tentação para todos vocês. Seu sangue deve ter um cheiro doce para aqueles que o desejam constantemente, — Conal rosnou. Estava ficando claro que eu estava certa e Conal estava prestes a tornar isso muito, muito pessoal.

— Eu amo ela. Eu nunca iria machucá-la, — Lucas afirmou friamente. Suas presas estavam totalmente a mostra, seus olhos um redemoinho de fúria, tanta prata que o azul escuro de seus olhos estava quase abafado.

— Você? Um sugador de sangue com um coração frio como pedra? Você nunca será capaz de amá-la, pois ela merece ser amada. Você não pode nem dar filhos a ela. *Eu* posso e gostaria de amá-la e apreciá-la, pois ela merece ser amada. Por alguém com batimentos cardíacos.

— Não que seja da sua conta, lobo, mas Charlotte entende por que não podemos ter um filho. Ela aceita porque me ama incondicionalmente. Ela só te beijou porque estava assustada e sozinha. Ela não sente nada por você! — Lucas também se levantou, sua postura rígida e seus olhos brilhando. Ele soltou minha mão e eu esfreguei meus braços, tentando me livrar do frio que escorria e do poder de faísca quente que ainda estava tomando conta de mim.

— Eu aposto que você não dormiu com ela. Você não pode transar com ela sem matá-la! Ela oferece uma tentação muito grande para você! Seria impossível para você evitar drená-la! — As veias no pescoço de Conal eram claramente visíveis, bombeando com tensão enquanto seus músculos do pescoço se contraíam.

— Parem! Parem! PAREM! — Eu gritei alto, pulando de pé, meu coração martelando descontroladamente no meu peito. — Vocês estão me deixando louca com toda essa energia! Está rastejando por toda a minha pele!

Isso chamou a atenção deles e Lucas olhou para mim, os olhos arregalados.

— O que você disse?

O quarto caiu em um silêncio mortal com ambos

os lados mostrando os sinais de aumento da tensão. Os vampiros estavam agachados em posição de batalha óbvia, junto com os metamorfos. Do outro lado, o bando de lobisomens estava pronto para uma luta.

— Eu disse, sua energia está vazando por todo lugar, por mim. Não gosto da sensação e não consigo me livrar dela.

— Você sentiu nosso poder? — Ben questionou e ele parecia chocado.

— Sim, sim. Eu sinto seu poder, frio e líquido correndo pela minha pele, parece que está queimando, mas não está, não realmente. — Era difícil explicar exatamente como me senti, mas Ben pareceu satisfeito com minha resposta.

— E o nosso? — Lyell perguntou.

— Sim. Você e os metamorfos estão quentes, como um leve choque elétrico formigando em meus braços.

Conal olhou para seu pai, quase no mesmo momento em que Ben e Lucas estavam trocando um olhar perplexo. Lyell foi o primeiro a falar.

— Ela não pode ser humana, não completamente. Há algo diferente nela.

Eu olhei de rosto em rosto, lágrimas escorrendo pelo meu rosto.

— Eu não me importo com nada disso agora. O que me importa é que todos vocês estão lutando e todos dizendo que estão do meu lado, mas sua energia está me sobrecarregando. — Respirei fundo, desejando me acalmar. — Existe um velho provérbio. "O inimigo do meu inimigo é meu amigo". Parece que esse ditado é feito sob medida para esta situação. — Virei-me para Lyell Tremaine. — Senhor Tremaine, parece que temos que chegar a algum acordo nesta situação, mas não estou disposta a fazer isso com todas essas pessoas aqui. Não *serei* tratada como uma posse para ser disputada. — Olhei com raiva primeiro para Lucas, depois para Conal, enviando-lhes um aviso claro sobre seus comportamentos. — Você concordaria em reduzir os números, agora que sabe que não sou uma ameaça para você?

Lyell Tremaine me encarou por um minuto inteiro, seus olhos cinzentos refletindo.

— O que você propõe?

Eu me virei para Nick e Rafe.

— Vocês podem voltar para o seu quarto? E se você sair, Zeff e Kenyon devem sair também.

— Concordo. — Lyell e Lucas disseram simultaneamente.

Observei os quatro homens saírem, fechando a porta silenciosamente atrás deles.

— Isso atende aos seus requisitos? — Ben murmurou.

— Não. — Sorri para Marianne, que me

observava com uma expressão de preocupação aparente.

— Marianne, sei que você não teve nada a ver com essa briga, mas também preciso de menos gente aqui. Por que você e Striker não voltam para o seu quarto e vejo vocês depois que isso acabar.

Marianne sorriu.

— Tem certeza que você não quer minha estupenda habilidade de adivinhação?

— Sim, tenho certeza.

Marianne riu e agarrou a mão de Striker, passando delicadamente pelos lobisomens e saindo pela porta. Eu me virei para Lyell.

— Ralph pode sair agora, por favor.

Lyell acenou com a cabeça para Ralph Torres e Ralph olhou para mim com um sorriso agradável.

— Charlotte, foi um prazer conhecê-la. Obrigado pelo que você compartilhou comigo sobre meu pai. — Ele saiu do quarto.

Esfreguei as têmporas, fechando os olhos enquanto contemplava a situação em que me encontrava. Minha cabeça latejava, meu corpo doía e eu estava farta de pessoas me puxando como se eu fosse uma espécie de piñata humana. Eu olhei para Conal e ele devolveu o olhar, seus olhos negros aquecidos com alguma emoção forte, que não era raiva, mas eu não queria dar a ele nenhuma falsa esperança de qualquer outra coisa.

— Conal, você e eu compartilhamos alguns momentos intensos na semana passada e gostaria de pensar que sempre seremos bons amigos. Mas eu não te amo do jeito que você quer e o que você acabou de dizer foi completamente injusto e desnecessário. Eu gostaria que você fosse embora.

— Eu não vou deixar meu pai sozinho aqui com dois vampiros, — Conal respondeu solenemente.

— Seu pai estará perfeitamente seguro. — Eu me virei para Lucas e ele me olhou sério. — Lucas, preciso de um pouco de espaço. Eu te amo, mas você não pode me proteger de cada pequena coisa. Eu preciso lutar minhas próprias batalhas às vezes. O que você estava dizendo há alguns minutos me fez sentir mais como uma posse do que a mulher que você ama. Por favor, saia.

— Eu não vou embora, Charlotte. Eu sou o líder do meu beijo e negociarei com a Bando Tremaine.

— Não enquanto você está agindo como um tolo possessivo, você não é. Ben pode lidar com isso, ele não está tão envolvido emocionalmente quanto você e eu sei que você confia nele. — Suspirei, passando os dedos pelo meu cabelo. — Eu beijei Conal. Eu sei que foi errado e sinto muito por ter te machucado. Mas não posso mudar o que aconteceu e você não pode encarar essa situação logicamente porque está com ciúmes dele. Seria melhor para mim se você e Conal fossem embora.

Por um longo momento, pensei que ele iria recusar, então ele deu um passo em minha direção e apertou meu ombro.

— Peço desculpas, meu amor. Deixei meu temperamento e minhas emoções levarem o melhor sobre mim. — Ele deixou cair a mão e caminhou em direção à porta e um segundo depois, Conal o seguiu.

Esperei até que a porta se fechasse silenciosamente e então me virei para Lyell e Ben, meu ombro caído de cansaço.

— Agora estou satisfeita. Posso, por favor, tomar um café e talvez possamos nos sentar e conversar sobre isso racionalmente, sem toda a raiva, ressentimento e desconfiança?

CAPÍTULO 13
PACTOS

Ben pediu café ao serviço de quarto e chegou quente, fumegante e forte. Tomei um gole da minha xícara, me sentindo melhor imediatamente. Lyell juntou-se a mim para tomar café e sentou-se à minha frente em uma das poltronas, segurando a xícara entre as mãos.

Ben sentou-se na outra poltrona e ele e Lyell ficaram de frente para mim. As presas de Ben finalmente se retraíram, o que me fez sentir melhor. Eu estava enrolada no sofá, precisando descansar. Eu ainda estava me recuperando dos acontecimentos da última hora – os xingamentos, os gritos, o estresse – era mais do que eu estava pronta para lidar depois de uma semana de cativeiro. Ben tinha me dado Tylenol para neutralizar a dor de cabeça e junto com a cafeína, eu estava começando a me sentir mais humana.

Os dois homens conversavam baixinho, se conhecendo. Eles trocaram perguntas e respostas, dando-me tempo para me acalmar depois da minha explosão de raiva. Lyell parecia estar ganhando confiança na integridade de Ben, Ben havia falado longamente sobre o estilo de vida dos membros do beijo Tine e seu emprego como assistente social, o que impressionou Lyell. Ben explicou seu desejo de se abster de beber sangue humano e Lyell o questionou extensivamente sobre sua decisão. Por sua vez, Lyell explicou as complexidades de seu bando, como eles estavam gradualmente diminuindo em número devido à falta de lobisomens de sangue puro acasalando uns com os outros. Isso explicava a necessidade de Conal se casar com outra lobisomem de raça pura, em vez de escolher uma humana ou uma lobisomem mestiça.

Mais terreno foi conquistado nos quinze minutos em que eles conversaram juntos, do que na hora em que todos estiveram aqui.

Respirei fundo quando houve uma pausa na conversa e falei.

— Parece que precisamos de algum tipo de acordo entre os vampiros e os lobisomens.

— Sim — concordou Lyell. — Eu sei que este mundo é estranho e novo para você, mas imagino que você possa ver por que é difícil para nós confiar um no outro. Temos sido inimigos...

— Por um milênio. — Suspirei pesadamente. — Sim, eu entendi isso.

Ben sorriu com indulgência.

— Charlotte vê as coisas em preto e branco, Lyell. Ela sente que deve haver uma solução simples para isso.

— Não podemos confiar nos vampiros, Charlotte, — Lyell disse lentamente. — Se eles a transformarem em vampira, o poder que você tem agora pode multiplicar dez vezes. Você poderia ser usada para criar um exército espiritual, para cumprir suas ordens.

— Eu não vou ser transformada, — eu repeti teimosamente.

— Você pode não ter escolha, — argumentou Lyell, embora sua voz permanecesse calma. — E se você for transformada contra sua vontade?

Eu me virei para Ben.

— O que acontece? Eu faria automaticamente o seu lance? — Por mais que eu odiasse a ideia, nunca havia feito essas perguntas.

Ben balançou a cabeça.

— Em última análise, sua existência como vampira é ditada por como você viveu sua vida humana. A transformação leva três dias, após os quais você se levanta. Nos primeiros doze a vinte e quatro meses, você é classificada como recém-nascida. Durante esse tempo, você é movida por sua sede de sangue e pouco mais. Em nenhum momento você poderia ser forçada a cumprir as ordens de outro vampiro. Seu processo de tomada de decisão ainda é seu. — Ele sorriu calorosamente. — Ripley criou Acenith, como você bem sabe, para salvar a vida dela. Você notou que Acenith está fazendo exatamente o que Ripley manda?

Eu sorri de volta, pensando sobre sua declaração. Era verdade, Acenith era gentil e quieta, mas ela certamente tinha uma mente própria e eu a tinha visto com Ripley muitas vezes – ela tinha suas próprias opiniões e não deixava Ripley, ou qualquer outra pessoa, influenciá-la quando ela se decidia.

— E as habilidades mentais? — Lyell argumentou. — E se um vampiro a controlar com sua mente?

— Charlotte não é suscetível às nossas habilidades. Algo a ver com o dom dela, acredito.

Fiquei surpresa com essa admissão e olhei para Ben acusadoramente.

— Você tentou usar seus truques mentais em mim?

Ele teve a boa graça de parecer tímido.

— Tentei, mas não consegui. A única coisa que podemos fazer é esconder de você a cor natural dos olhos. Mesmo isso, Lucas não pôde fazer.

— Por que você faria isso?

— Uma experiência, Charlotte. Todos nós achamos sua habilidade verdadeiramente notável. Ripley sugeriu alguns pequenos experimentos para ver se poderíamos usar o poder da sugestão com você, plantar ideias em sua mente.

— E? — Eu exigi.

— Um fracasso total. Você é imune a nós.

Deixando de lado a ideia de assassinar Ripley, virei-me para Lyell.

— Você acredita nele?

Lyell deu de ombros, inclinando-se para colocar a xícara na mesinha de centro antes de falar.

— Gostaria de acreditar nele, mas tenho gerações de história afetando meu julgamento. Preciso de provas de que você não usará sua habilidade contra meu bando.

Minha atenção foi atraída por uma voz na minha cabeça, gritando por atenção. Era o bisavô de Lyell e ouvi o que ele tinha a dizer.

— Lyell, seu bisavô está sugerindo um pacto de sangue entre você e eu. É uma cerimônia especial que você não usa há décadas, mas vai nos unir e me tornar uma Irmã do Bando. Mesmo se eu fosse transformada, o que posso garantir que nunca acontecerá, eu teria o dever de proteger os membros do bando Tremaine.

— Não, Charlotte, — Ben protestou. — Você

derramou sangue suficiente, mais do que suficiente nos últimos meses.

Olhei para as cicatrizes em meu peito, toquei os hematomas em minha bochecha.

— Você honestamente acha que um pouco mais de sangue e outra cicatriz fará muita diferença?

Lyell pensou na minha sugestão, com a testa franzida.

— Acho que funcionaria. Normalmente isso seria feito entre os líderes dos respectivos bandos. — Ele se virou para Ben. — Nesse caso, isso é possível?

— Eu não acredito que seria considerado um verdadeiro compartilhamento de sangue. O sangue em nossos corpos não é nosso, vem de nossa alimentação e se dissipa rapidamente, — Ben respondeu calmamente. — Esse pacto continua de pai para filho? Se algo acontecesse com você como líder do bando, o bando seria obrigado a honrar o acordo feito aqui esta noite, se nós concordássemos?

Lyell assentiu.

— O pacto de sangue é um compromisso permanente entre meu bando e seu beijo. Não importa quem nos lidere, ele e Charlotte são considerados parentes de sangue e é totalmente obrigatório, a menos que as partes envolvidas concordem mutuamente em desfazer o pacto. Só então, com o acordo de ambos, o pacto pode ser dissolvido. Posso descer e falar com meu pessoal?

Eles precisam testemunhar isso. Você vai precisar de testemunhas também. Ao menos duas.

— Sangue, como você pode imaginar, é um problema para nós. Preciso falar com Lucas antes que nossas testemunhas possam ser nomeadas.

— Concordo.

Eu balancei a cabeça bruscamente.

— Ok, vamos fazer isso.

Lyell se levantou e saiu do quarto, fechando a porta silenciosamente atrás de si e Ben me olhou com ar sério.

— Charlotte, deve haver outra solução. Não gosto de ver você se machucar mais do que já se machucou.

— Ben, eu quero ir para casa. Estou cansada e com medo. Eu tenho que consertar isso, então não terei que me preocupar constantemente com os lobisomens Tremaine vindo atrás de mim. Dessa forma, eles não podem me machucar. — Fiz uma pausa, escolhendo minhas palavras com cuidado. — Phelan Walker pode ser um inimigo, ele queria que eu fosse morta para manter o bando deles seguro. Se ele aceitar que eu seja uma Irmã do Bando, bem, é uma pessoa a menos com quem preciso me proteger.

Ben assentiu, para meu alívio.

— Se você insiste, Charlotte. Mas Lucas não vai gostar.

— Esta é a melhor solução para todos nós, —

respondi, minha voz mais calma do que meus nervos. — Lucas tem que aceitar, goste ou não.

— Eu irei falar com ele e os outros. Fique no quarto, não abra a porta.

Depois que ele saiu, fiquei por um momento em silêncio, saboreando a paz. Saí para a varanda para ver as luzes. Agora parecia um momento tão bom quanto qualquer outro para contemplar o que eu tinha acabado de me oferecer para fazer.

Apoiada no parapeito da varanda, aproveitei a brisa amena, que levantou meus cabelos enquanto observava o tráfego na rua lá embaixo. Eu não gostava da ideia de ser uma irmã de sangue, mas que escolha havia? Mesmo se eu começasse a correr agora, estaria muito envolvida neste mundo bizarro. Eu não poderia me esconder deles e nunca estaria segura sem a ajuda deles. Minha habilidade psíquica era conhecida agora e não podia mais ser escondida. Lucas estava certo, as únicas pessoas que sabiam da minha capacidade estavam reunidas neste hotel e em Montana. Todos os outros que o descobriram estavam mortos. Com o pacto feito, eu estaria segura. Segura para continuar minha vida com Lucas e é onde eu queria estar. Apesar dos perigos que a convivência com ele e os outros poderia acarretar, eu não conseguia imaginar a vida sem eles.

— Charlotte, você vai mesmo fazer isso? —

Lucas estava parado na porta, seus olhos cheios de fúria. — Eu não posso permitir isso.

— A decisão não é sua. É minha, — eu declarei, levantando meu queixo desafiadoramente. — Vou cumprir o pacto de sangue com Lyell Tremaine. Isso nos manterá seguros.

Ele piscou, seus olhos se arregalando. Seus lábios se contraíram.

— Agora é você que nos manterá seguros?

— Alguém tem que fazer isso, — eu disse pesadamente. — E como eu sou a única do nosso lado que pode fornecer seu próprio sangue...

Lucas cruzou os braços sobre o peito.

— Você não está fazendo isso porque está com raiva de mim, está?

— Eu não estou com raiva de você.

— Você parecia zangada. Quando você me expulsou, parecia muito zangada.

Eu sorri.

— Eu não expulsei você, eu pedi para você sair. Isso é diferente. Havia muita testosterona bombeando no quarto, entre você e Conal.

— Ele está apaixonado por você, — Lucas declarou calmamente. — Os sentimentos dele por você são quase tão fortes quanto os meus.

Eu atravessei e toquei sua bochecha.

— Ele pode estar apaixonado por mim, mas eu estou *completamente* apaixonada por você.

Lucas me puxou para seus braços.

— Eu sei disso, mas ainda sinto um ciúme insano toda vez que ele olha em sua direção. — Ele abaixou a cabeça, capturando meus lábios contra os dele em um beijo de tirar o fôlego. Quando ele se afastou, ele falou novamente, sua voz baixa. — Ele pode te dar o que eu não posso.

— Eu não quero o que ele pode me dar. Eu quero você, — eu disse teimosamente. — Tudo o que eu quero é você.

— Tem certeza? — Lucas procurou meus olhos, os seus próprios preocupados. — Parece que você está constantemente em apuros desde que está comigo.

— Você ouviu o que eu disse sobre minha vida antes de te conhecer? — Eu perguntei incrédula. — Eu matei meu padrasto, vi minha mãe e meus irmãos assassinados. Isso dificilmente é considerado como manter-se longe de problemas.

Lucas suspirou.

— Não, suponho que não. Mas não gosto da ideia de seu sangue ser derramado. O suficiente foi derramado para durar uma vida inteira.

— É um pequeno corte, não é nada, — afirmei confiante.

— Mesmo assim, — Lucas disse duvidosamente. Seus olhos passaram pelas cicatrizes visíveis no meu peito. — Eu não quero que você se machuque mais.

— Eu vou ficar bem. — Os outros começaram a aparecer no quatro atrás dele. — É melhor você ir.

— Vou ficar com você.

Mordi o lábio ansiosamente.

— Eu gostaria que você estivesse aqui comigo. Mas sangue... meu sangue... não acho que devemos abusar da nossa sorte.

— Eu posso ouvir seu coração acelerado, você está com medo, — ele declarou calmamente. — Se eu fosse um namorado adequado, ficaria para lhe oferecer força e apoio.

Peguei sua mão na minha e comecei a puxá-lo para perto.

— Você é um namorado adequado. Acontece que você é um vampiro. Vampiros e sangue não são uma boa combinação. Saia. Vai acabar logo e espero que você me ofereça simpatia e muitos beijos e carinhos para me fazer sentir melhor.

Lucas parou e seus olhos endureceram. Eu segui seu olhar para onde Conal estava perto de seu pai. Os dois homens se entreolharam, o antagonismo claro em seus olhos.

— Se ele vai ficar, eu vou ficar, — Lucas disse decidido.

— Lucas, isso é ridículo, — murmurei, puxando seu braço. Era o equivalente a tentar mover um bloco de granito sólido, completamente impossível, mas eu tinha que tentar. A ideia de ele estar aqui quando meu sangue estava sendo derramado era desesperadora, o suficiente para fazer minha ansiedade piorar. — Vá e espere com os rapazes de Nick.

— Não. — Ele ficou imóvel, seus olhos focados em Conal.

Ben ouviu nossa discussão silenciosa e veio se juntar a nós.

— Qual é o problema?

— Lucas está insistindo em ficar. — Suspirei pesadamente, imaginando o que poderia dizer para convencê-lo de que ficaria bem sem ele. O olhar em seu rosto era determinado, seus olhos escurecidos com raiva.

— Você não deveria estar aqui, — disse Ben.

— Eu sou o líder do Beijo Tine. Meu lugar é aqui.

— Lucas... — Ben começou baixinho.

Lucas se voltou contra ele.

— Eu escolho ficar. — Seu tom deixou claro que ele não mudaria de ideia.

— Haverá sangue, Lucas. Não é sábio, não quando você já está lutando com sua reação a Charlotte.

— Vou ficar.

Ben colocou uma mão em advertência no ombro de Lucas.

— Você pode manter o controle?

Lucas olhou para mim e colocou o braço em volta da minha cintura protetoramente.

— Eu vou. Eu posso controlar isso.

Marianne aproximou-se de nós.

— Lucas...

— Marianne, eu te amo como uma irmã. Mas não me diga o que fazer, — Lucas retrucou.

Com um suspiro, Marianne virou-se para mim, sua ansiedade escrita em seus olhos.

— Você está bem com isso?

Eu podia ver a tensão nas feições de Lucas, a teimosia em sua mandíbula. Eu sabia que ele estava determinado a fazer isso, para provar a si mesmo para mim.

— Estou bem.

Lucas me puxou para perto de seu corpo, pressionando um breve beijo contra minha boca.

— Eu prometo a você, minha Charlotte. Não farei nada para machucá-la.

— Estamos prontos, — anunciou Lyell.

Ele estava de pé ao lado da mesa de café, sua mochila espalhada em torno dele em um semicírculo. Todos os homens voltaram, incluindo Phelan Walker. Ele me cumprimentou solenemente, mantendo os olhos baixos.

— Eu vou realizar a cerimônia. Foi executado pela última vez por meu ancestral e vou realizá-lo agora com a honra condizente com meu bando.

Muito apavorada para falar, eu balancei a cabeça em concordância. Uma enorme faca Bowie, com o cabo intrincadamente esculpido com símbolos, estava sobre a mesa de centro. Uma pequena tigela estava ao lado dela, que presumi ser para coletar o sangue. Olhando para ele uma segunda vez, engoli nervosamente, apesar do tamanho, imaginei que poderia conter muito sangue. Olhei para Jerome, que se juntou a nós e ele acenou com a cabeça encorajadoramente, embora seu rosto desmentisse sua apreensão. Sua maleta médica estava ao lado da mesa de centro em preparação, o que não fez nada para acalmar meus nervos.

Ben, Marianne, Lucas e Nick, junto com o bando Tremaine, se reuniram em volta da mesa e eu tomei meu lugar ao lado de Lyell. Phelan Walker pegou a enorme faca e começou a cantar, suas palavras eram estranhas para mim. Ele apontou a faca para Lyell Tremaine, descansando a lâmina em sua testa e então se virou para mim, repetindo o processo. Meu coração batia nervosamente – apenas uma hora atrás, esse homem quis usar uma faca para me matar – e precisei de todas as minhas reservas de força de vontade para permanecer imóvel. Alívio me inundou quando Phelan puxou a faca e a segurou com ambas as mãos. Erguendo-o acima de sua cabeça, sua entonação continuou.

Agora ele falava em inglês e eu observava,

hipnotizada, enquanto ele realizava uma elaborada manobra com a lâmina, passando-a em direção aos quatro pontos cardeais. Ele agarrou a mão direita de Lyell e Lyell olhou fixamente em meus olhos enquanto a lâmina cortava profundamente a pele carnuda abaixo de seu polegar. O sangue fluiu livremente e Phelan segurou a mão de Lyell sobre a tigela até que estivesse meio cheia. Ele soltou a mão de Lyell e Jerome entregou a Lyell um pouco de gaze de algodão para estancar o fluxo de sangue. Arrisquei uma espiada em Lucas e Marianne, que observavam o sangue na tigela com determinação de aço. Marianne chamou minha atenção e conseguiu dar um leve sorriso. Nick e Ben se posicionaram um de cada lado de Lucas e estavam focados nele, não na cerimônia que estava sendo realizada.

Phelan se virou para mim e com o mesmo encantamento, agarrou minha mão com firmeza. Apertei meus olhos fechados, a dor aguda quando a faca cortou profundamente minha pele. Eu estava tremendo, meus joelhos fracos e minha pele úmida, mas consegui ficar de pé, pegando a gaze de algodão de Jerome com gratidão e pressionando-a na palma da minha mão.

Phelan misturou o sangue com a lâmina da faca e então ergueu a lâmina gotejante no ar.

— O Bando Tremaine reconhece Lyell Tremaine

como irmão de sangue do Beijo Tine. O sangue deles é combinado e o laço de sangue os deixará para sempre em dívida um com o outro. — Ele tocou a lâmina ensanguentada na testa de Lyell, tocando a direita, a esquerda e o centro de sua pele bronzeada e enrugada.

Ele se virou para mim.

— O Beijo Tine reconhece Charlotte Duncan como irmã de sangue do Bando Tremaine. Seu sangue é combinado e seu laço de sangue os deixará para sempre em dívida um com o outro. — Ele tocou a lâmina contra minha testa, realizando os mesmos movimentos precisos e senti o sangue pegajoso escorrer quente pela minha pele.

Phelan voltou sua atenção para o grupo reunido.

— Que todos aqui testemunhem a união de Lyell Tremaine e Charlotte Duncan como irmão e irmã de sangue. Eles servirão e protegerão um ao outro, e o pacto resultará em morte para qualquer um que quebrar a promessa dada aqui esta noite com sangue.

Ele colocou a faca em cima da tigela e Lyell falou.

— Eu te agradeço, Charlotte, por fazer o pacto de sangue comigo. Eu considero você agora minha irmã, membro do bando, amiga do bando. Vamos protegê-la, lutar com você e reconhecê-la como membro do bando Tremaine.

— Obrigada.

Lyell virou-se para Lucas.

— O pacto está completo. Somos amigos do Beijo Tine e iremos ajudá-lo se houver necessidade.

Lucas assentiu, visivelmente lutando para desviar o olhar do sangue na tigela.

— Agradeço sua oferta de ajuda e os reconheço como amigos do Beijo Tine. Você receberá ajuda e assistência sempre que precisar.

Lyell relaxou sua postura solene e se virou para mim.

— Eu sugeriria que você se sentasse e cuidasse dessa mão. Charlotte, foi um prazer conhecê-la e iremos ajudá-la se precisar de nossa ajuda. — Ele me puxou para um abraço e quando me soltou, Jerome pegou meu braço e me guiou até uma cadeira. Afundei-me com gratidão e Nick começou a enxugar minha testa com uma toalha úmida para remover o sangue.

Lucas estava ao meu lado em um instante, ajoelhando-se ao meu lado para me abraçar contra ele.

— Lucas, o sangue... — eu disse cansada. Apesar da gaze na palma da minha mão, o cheiro acobreado de sangue prevalecia no quarto e até eu podia sentir o cheiro.

— Está tudo bem, Charlotte, — Lucas prometeu suavemente, me liberando para deixar Nick continuar limpando minha testa. — Eu cuido disso.

— O esforço necessário era óbvio, no entanto, sua testa estava enrugada com o esforço e suas presas estendidas sobre o lábio inferior.

— Você vai precisar de pontos, Lyell? — Jerome perguntou rispidamente enquanto vasculhava sua bolsa.

— Não, eu vou ficar bem. Nós vamos nos despedir.

Um por um, o Bando Tremaine se despediu e Conal se inclinou para me abraçar em um abraço carinhoso.

— Eu entrarei em contato, — ele sussurrou em meu ouvido e Lucas enrijeceu com fúria indisfarçável. Conal me entregou uma pequena garrafa marrom. — Use isso em seus ferimentos, isso reduzirá as cicatrizes.

Olhei para ele com desconfiança.

— Você está me dando um pote de... *saliva*?

Conal sorriu perversamente.

— Lá vai você, pensando como humana novamente. Este é um remédio herbal secreto, dado aos membros do bando Tremaine para curar feridas. Esfregue-o duas vezes ao dia. Isso também ajudará nessas contusões. E este é o meu número, me ligue a qualquer hora. — Ele me entregou um cartão de visita.

— Obrigada. Por tudo.

— Sem problemas. — Ele estendeu a mão para

Lucas e, após um momento de hesitação, Lucas a pegou. — Cuide dela, sugador de sangue.

— Eu vou, — Lucas concordou solenemente.

Os lobisomens Tremaine saíram da sala e eu me recostei na cadeira, enquanto Jerome tratava do corte em minha mão. Quando ele levantou a gaze, o sangue jorrou do corte e Lucas recuou, afastando-se da vista.

— Vá, — eu insisti com ele.

— Eu posso controlar isso, — Lucas disse com determinação, sua boca em uma linha sombria.

— Lucas, não tenho forças para discutir com você. E depois de tudo que passei, acho que não consigo enfrentar uma mordida, — eu disse cansada.

Lucas deu um beijo na minha testa e saiu rapidamente da sala, com um olhar de desculpas para trás da porta. Marianne murmurou um pedido de desculpas e saiu, com Ben logo atrás.

— Nick, você poderia se livrar do sangue e da tigela? Eu tenho alguns espíritos de limpeza aqui. — Ele entregou uma garrafa para Nick e se virou para mim. — Agora, vamos olhar para esta mão. Não sei por que diabos eu tenho um emprego no hospital, parece que você me mantém ocupado o suficiente como seu médico em tempo integral hoje em dia...

CAPÍTULO 14
CASA

Voamos de volta para Montana no dia seguinte.
Embora Jerome reclamasse de querer que eu
descansasse por mais um ou dois dias, eu ansiava
por voltar para Puckhaber, queria deixar Nova
Orleans para trás. Não guardava lembranças felizes e
eu queria voltar para a segurança que conhecia em
Puckhaber Falls.

Ben reservou voos de volta para Billings e eu
escolhi o primeiro voo disponível com Lucas sentado
de um lado de mim, Ben do outro. Lucas manteve
seus braços em volta de mim e eu dormi em seu
peito durante todo o voo para casa.

Desembarcamos em Billings e fiquei atenta aos
olhares curiosos dos demais passageiros. Com o
rosto muito machucado, o curativo pesado em volta
da minha mão onde Jerome havia costurado o

ferimento de faca, e os hematomas e ferimentos em cura em meus braços e peito, eu parecia como se tivesse sofrido um acidente de carro.

William e Gwynn nos encontraram no terminal e Gwynn me segurou em seus braços para um longo abraço.

— Estou contente que você esteja segura, — Gwynn disse suavemente. Ela olhou nos meus olhos, os seus cheios de calor e afeição. — Estávamos tão preocupados.

O carro de Ben e Jerome foi deixado no parque de longa permanência no aeroporto quando eles voaram para Nova Orleans e William e Gwynn foram para Billings em seus carros, dando-nos muito espaço para a viagem de volta para Puckhaber Falls. Ben, Marianne, Striker, Nick e Rafe se amontoaram no carro de Ben, enquanto William e Gwynn estariam voltando para casa com o resto do bando de Nick. Jerome partiu sozinho, preferindo sua própria companhia na longa viagem. Lucas e eu estaríamos voltando para casa no lindo carro esporte branco de Gwynn e Lucas destrancou as portas, ajudando-me a me acomodar no luxuoso assento de couro do passageiro antes que ele deslizasse para o outro lado.

— Nós poderíamos ter trazido algumas pessoas junto, — eu sugeri cansadamente.

Lucas deu ré suavemente no estacionamento e conduziu o carro para a rua.

— Eu acho que eles acreditam em você e eu gostaria de um tempo sozinhos.

— Oh.

Lucas estendeu a mão e colocou a mão na minha coxa, apertando suavemente.

— Já disse hoje o quanto te amo?

— Não, eu acho que não.

— Eu te amo, — disse ele com ternura, parecendo sorrir. Ele esfregou as costas de seus dedos em minha bochecha machucada, suas ações primorosamente gentis.

— Eu também te amo.

Lucas parou para pagar a taxa de estacionamento e eu assisti com diversão quando a atendente quase caiu de seu banquinho quando ela o avistou. Ela se atrapalhou com o dinheiro que Lucas lhe entregou, tropeçando na língua enquanto contava o troco e o devolvia.

Eu me inclinei contra o encosto de cabeça, um pequeno sorriso brincando em meus lábios.

— Você realmente não é justo.

Lucas me olhou confuso.

— O quê?

— Você é tão lindo, as mulheres não podem deixar de ficar com a língua presa perto de você.

Lucas balançou a cabeça em descrença.

— Eu não percebi que você estava com a língua presa, amor.

— Eu estava, quando te conheci, — eu admiti, meus olhos pesados novamente enquanto Lucas entrava no trânsito da rodovia. — Você me sobrecarregou.

— Como você fez comigo, meu amor, — Lucas respondeu suavemente. — Você me dominou com sua magia. Talvez Lyell Tremaine estivesse certo, talvez você seja uma bruxa e me tenha sob seu feitiço.

— Oh, haha. — Coloquei minha mão na coxa de Lucas e ele pareceu levemente surpreso. — Tudo bem? — Perguntei.

— Mais do que bem, — ele concordou com a voz rouca. Ele colocou a mão sobre a minha e eu dormi.

Acordei novamente quando Lucas desacelerou para entrar em uma pequena cidade, o céu estava começando a escurecer e ele acendeu os faróis. Eu me endireitei, olhando em volta com interesse.

— Estamos chegando perto de casa? — Eu questionei, esfregando os olhos.

— Faltam cerca de quarenta minutos. Na verdade, agora que você está acordada, provavelmente mais perto de uma hora e meia. Obviamente terei que desacelerar, — Lucas admitiu ironicamente.

— Isso é porque você dirige muito rápido, — eu resmunguei.

— Eu sou um motorista muito seguro, — Lucas me assegurou, seu tom de reprovação.

— A menos que você bata. E caso você não tenha notado, eu sou quebrável.

— Notavelmente quebrável, — ele concordou. — E eu nunca bato.

Revirei os olhos para ele.

— Excesso de confiança não é uma coisa boa.

— Eu vivi por mais de cento e sessenta anos. Ganhei minha confiança.

Eu ri.

— Esse é o problema com vocês, vampiros, vocês acham que têm tudo sob controle, mas e todos os outros lunáticos na estrada? Você me atropelou, lembra?

— Reflexos de vampiro. Eu posso permitir qualquer coisa. Exceto uma bela jovem saindo para a estrada sem olhar para ver se é seguro. Apesar do fato de que eu atropelei você, você ainda está por aí.

— Claro, — eu disse com confiança. — Você não pode se livrar de mim tão facilmente.

— Devo admitir, — disse Lucas, olhando para o espelho retrovisor. — Estou impressionado. Você tem um poder de permanência incrível. Além de atropelar você com meu carro, você foi atacada por um vampiro, sequestrada por metamorfos, fez um pacto de sangue com lobisomens. A maioria das pessoas normais já teria corrido por quilômetros.

— Eu não sou como a maioria das pessoas normais.

— Aparentemente não, — Lucas murmurou com um pequeno sorriso.

Deixamos a cidade para trás e Lucas acelerou suavemente na estrada tranquila. Espiei o velocímetro e fiquei razoavelmente satisfeito por ele não estar acelerando em um ritmo ridículo.

— Eu me preocupo com você, sabe, — Lucas anunciou abruptamente.

— Comigo? Por quê?

Ele suspirou.

— O que eu disse em Nova Orleans era verdade – não sou um namorado adequado.

— Você é tudo que eu quero, — respondi simplesmente. Eu me perguntei de onde isso estava vindo, ele obviamente estava preocupado com alguma coisa e eu não tinha ideia do que era.

— Mas não sou como os outros namorados que você poderia ter escolhido. Nosso relacionamento não é o que seria classificado como normal para uma jovem de vinte anos.

Eu me virei para olhar para ele, vi a pequena carranca em sua testa.

— Lucas, o que você está tentando dizer?

— Acho que deveria estar cortejando você.

Eu sabia que meus olhos se arregalaram e um sorriso se estendeu em meus lábios.

— Cortejando-me?

— Sim. Como namorados de verdade fazem. Devíamos ir ao cinema, ou eu deveria levá-la para dançar. Devíamos marcar encontros para jantar.

Essa última sugestão me fez rir.

— Encontros para jantar? Isso seria completamente divertido. Você não come.

— Tudo bem, talvez o exemplo errado, — ele admitiu com um sorriso. — Eu acredito que deveria estar dando a você todas as experiências que uma jovem da sua idade deveria ter.

— Lucas, eu realmente não preciso ser... cortejada. Você já me tem para sempre, — eu respondi suavemente.

Ele se virou para mim, apertando meus dedos.

— Eu não quero que você perca nada, só porque você escolheu me amar. Agrade-me, meu amor.

Dei de ombros.

— Ok. Concordarei em ser cortejada.

CAPÍTULO 15
DISCUSSÕES

Eu manquei lentamente escada abaixo, a gravura de Gwynn enfiada debaixo de um braço, a pomada de Conal na minha outra mão. Eu estava descobrindo rapidamente que quanto mais eu ficava parada, mais dolorida meu corpo se tornava, com dores se desenvolvendo em todos os lugares por causa das surras que eu havia levado.

Lucas apareceu ao meu lado em um borrão, Rowena seguindo logo atrás. Rowena estendeu a mão para pegar a pintura e o unguento.

— Aqui, deixe-me levar isso, — ela ofereceu.

— Deixe-me carregá-la, meu amor. Parece que você está com dor.

Eu balancei minha cabeça.

— Estou melhor andando. O movimento ajuda a soltar tudo.

— Eu juro, — Lucas disse sombriamente, segurando gentilmente meu braço para me ajudar a descer as escadas, — se Conal não tivesse matado Armstrong, eu o teria despedaçado com minhas próprias mãos.

Quando chegamos ao pé da escada, Rowena me entregou a pintura e manquei lentamente até a sala. Passei as últimas horas no andar de cima, tomando um banho quente e tentando entender as montanhas de roupas que Marianne e Acenith compravam para mim. Depois de dormir a maior parte do dia, eu estava bem acordada, embora fosse tarde da noite. Outra razão para gostar de viver com vampiros, pensei, enquanto me preparava para descer, não havia problema em encontrar companhia no meio da noite.

— Sinto muito que seja tarde, Gwynn, — eu disse, entregando a ela o pacote embrulhado, — eu queria dar a você no seu aniversário, para expressar minha gratidão por você me aceitar ficar aqui.

Gwynn rasgou o papel do presente e por um longo tempo, olhou para o retrato a carvão de sua mãe. Tanto tempo, na verdade, que comecei a ficar nervosa, imaginando se ela gostou. Quando ela olhou para cima, a expressão em seu rosto falou muito.

— Charlotte... eu honestamente não sei o que

dizer. Obrigada não é suficiente para expressar como isso é maravilhoso.

— Quando você desenhou, Lott? — Striker questionou, pegando a gravura de carvão de Gwynn para estudá-la ele mesmo. — Eu não vi você trabalhando nisso.

— Eu queria manter isso em segredo, — admiti. — Fiz alguns minutos aqui e ali enquanto todos se preparavam para o casamento. Mandei emoldurar quando fiz o retrato de Marianne. — Eu sorri ironicamente para Marianne e ela sorriu feliz de volta para mim. — É claro que Marianne escolheu aquele momento específico para que sua habilidade psíquica funcionasse, então ela sabia disso, mas manteve em segredo.

— Eu amei isso, — Gwynn anunciou, levantando-se graciosamente para me envolver em um abraço.

— Fico feliz, — respondi alegremente.

— Você precisava de ajuda para esfregar o unguento? — Rowena questionou quando todos terminaram de admirar o esboço.

Eu fiz uma careta.

— Não consigo alcançar minhas costas. Você se importaria?

— Claro que não. Vamos para a cozinha para ter um pouco de privacidade.

Segui Rowena até a cozinha e puxei minha

camiseta sobre minha cabeça para que Rowena pudesse esfregar a pomada em minha pele.

Houve um silêncio pesado por alguns momentos.

— Oh, Charlotte, que terrível, — Rowena disse calmamente.

— O quê? — Confusa por um momento, de repente me lembrei dos hematomas escuros que notei quando saí do chuveiro. Dois dias depois do meu resgate, os hematomas estavam realmente sumindo, a maior parte da pele das minhas costas estava descolorida. — Ah, o hematoma.

— O que está errado? — Ben apareceu na porta, seguido de perto por Lucas.

— Você viu? — Rowena exigiu, seus olhos castanhos brilhando com raiva. — Você viu exatamente o que aquela criatura fez com ela?

Corei quando Ben e Lucas examinaram minhas costas. Este foi o mais próximo de nua que Lucas já tinha me visto e eu estava envergonhada. Para seu crédito, Lucas aceitou com bastante calma, embora eu pudesse ver a fúria em seus olhos enquanto ele examinava a pele descolorida.

— Eles com certeza estão muito pronunciados, — Ben concordou suavemente. — Parece haver mais hematomas no seu lado esquerdo do que no direito, Charlotte.

Eu pensei sobre isso por um segundo antes de perceber o porquê.

— Na noite em que você me resgatou, Armstrong perdeu a paciência quando eu não disse a ele o que ele queria saber. Ele me deu um soco no estômago e quando eu caí, ele me chutou. Eles estarão piores do lado esquerdo, porque era desse lado que eu estava deitada.

Lucas rosnou ferozmente. O som definitivamente não era humano. Ben tocou minha pele delicadamente, sondando os hematomas escuros.

— Estou surpreso que nada esteja quebrado, mas Jerome me garante que não está.

— Não se pode fazer nada para curá-los?

—Receio que não, Rowena. A profissão médica não tem cura para contusões. Tenho certeza que a pomada que Conal deu a Charlotte fará muito mais bem do que qualquer outra coisa, — Ben murmurou.

— Vou aplicá-la na Charlotte, — Lucas ofereceu calmamente.

— Vamos deixar você fazer isso, — Ben concordou. Eu o vi colocar a mão no ombro de Lucas de forma tranquilizadora. — Ela vai ficar bem, Lucas. Charlotte vai se recuperar disso. — Ele pegou a mão de Rowena e a conduziu até a sala de estar.

— Venha aqui na luz, — Lucas ordenou. Ele

colocou a pomada no balcão e eu virei de costas para ele. Eu estava ansiosa por ele me ver tão nua e havia uma tensão carregada no ar, como se nós dois estivéssemos prendendo a respiração.

Ele passou a mão fria sobre o hematoma nas minhas costas, seguindo as marcas com a ponta dos dedos antes de pegar meu sutiã.

— Posso desfazer isso? — ele perguntou suavemente.

Eu balancei a cabeça, certo de que a necessidade de pomada nos levou a um território novo e muito mais perigoso. Lucas agarrou o pedaço de tecido nas minhas costas e habilmente desfez os fechos.

Ele pegou a pomada, esfregando-a levemente na minha pele, seguindo os contornos das minhas costas para garantir que estivesse uniformemente coberta. Seu toque era delicado, seus dedos esfregando a pomada em minha pele com ternura.

— Diga-me se eu estou machucando você.

— Está tudo bem, você está fazendo um ótimo trabalho, — eu o assegurei. A sensação de suas mãos contra a minha pele era reconfortante... e extremamente erótica. Os tentáculos familiares do desejo começaram a girar pelo meu corpo e eu podia ouvir minha própria respiração ficar mais rápida.

Ele terminou com a pomada e fechou o sutiã, antes de puxar a camiseta de volta sobre a minha pele. Eu me virei para encará-lo e vi o olhar em seus olhos quando ele devolveu meu olhar. Estava claro que ele estava sentindo os mesmos desejos inebriantes que eu.

— Isso foi... interessante, — disse ele com um meio sorriso. E então ele me puxou para seus braços e me beijou profundamente, suas mãos frias descansando em meus quadris enquanto eu serpenteava meus braços ao redor de seu pescoço.

Muito cedo, ele me afastou um pouco e sorriu para mim.

— Faz tempo que não tenho a oportunidade de abrir um sutiã, — admitiu.

— Aparentemente, você não perdeu o jeito, — respondi, reprimindo a onda de ciúme que surgiu com o pensamento.

— Você não tem ideia... o quanto mais eu gostaria de fazer com você, — ele sussurrou com a voz rouca e seu aroma doce me assaltou, tão perto do meu rosto. Ele fechou os olhos, respirando profundamente contra o meu cabelo.

— Eu acho que tenho uma boa ideia, — eu sussurrei de volta e beijei sua bochecha, segurando-o firmemente contra mim. — São provavelmente as mesmas ideias que passam pela minha cabeça constantemente.

Com um rosnado baixo, ele me puxou para um abraço apertado e eu apreciei o cheiro de sua pele contra mim.

— Eu juro, amor. Eu nunca vou te machucar, como você foi ferida na semana passada. Não importa o que for preciso, vou mantê-la segura.

Ele me soltou, pegando minha mão na dele e me levando de volta para a sala de estar. Sentamos juntos no sofá, Lucas mantendo minha mão firmemente presa na sua.

— Não acredito na rapidez com que essas marcas de garras estão cicatrizando, — anunciou Acenith, olhando para a pele sob minha clavícula.

— A pomada de Conal está fazendo uma grande diferença, — concordei.

— Jerome gostaria muito de descobrir o que há nessa pomada, — admitiu Ben. — Seja o que for, tem propriedades curativas quase milagrosas.

— Acho que ele poderia analisá-la, — sugeri.

Lucas balançou a cabeça.

— Você pode ser uma irmã do bando Tremaine, mas duvido que eles ficariam felizes se descobríssemos o que há nessa pomada. Imagino que eles mantenham isso em segredo bem guardado.

— Concordo — anunciou Thut. — Os lobisomens não gostariam que soubéssemos de seus negócios. — Ele estava sentado em um dos sofás com Amunet e as outras duas mulheres que compunham seu pequeno Beijo. Nephthys era fisicamente a mais jovem de todos os vampiros, transformada aos dezesseis anos, ela mal atingiu um metro e meio de altura. Seus olhos eram profundos e da cor turquesa, seu cabelo castanho caía direto sobre os ombros. Com a pele cor de chocolate ao leite, ela era uma beleza deslumbrante. Preferindo ser chamada de Nellie, ela era vivaz e engraçada, mantendo uma inocência infantil apesar de ter sido transformada a mais de oitocentos anos atrás.

Tadinanefer estava sentada ao lado de Amunet, com as pernas cruzadas elegantemente e exibindo uma pele cor de café deslumbrante sob a saia curta de couro que ela usava. Seus ricos olhos castanhos estavam fortemente definidos com delineador preto e ela usava o cabelo em uma infinidade de tranças de contas, que estalavam quando ela virava a cabeça de um lado para o outro. Ela preferia ser conhecida como Jennifer na era moderna e era amigável e extrovertida e, de acordo com Acenith, um flerte impenitente com qualquer homem que a notasse. Imaginei que seriam muitos homens, pois ela era realmente deslumbrante.

— Armstrong bateu em você desde o começo? — Jennifer perguntou baixinho. Ela estava avaliando os hematomas amarelados em meu braço. Ficou claro que ela estava curiosa, mas preocupada em trazer à tona um assunto que eu poderia não me sentir confortável em discutir.

— Não, isso começou depois. Quando ele

percebeu que eu não ia contar o que ele queria saber, ficou com raiva. Inicialmente, ele estava fingindo ser legal, ele disse que se eu contasse a ele sobre minha habilidade, poderia ir para casa. Mas ele ficava progressivamente mais irritado quando eu me fazia de boba.

— Você sabia o que ele queria desde o começo? — questionou Ripley. Ele estava descansando no outro sofá, um livro aberto em seu colo.

— Eu não sabia. Não tinha nem uma pista, — eu admiti. — Eu apenas imaginei que ele estava atrás da minha habilidade psíquica. Eu tinha certeza de que ele não teria se dado ao trabalho de me sequestrar por qualquer outra coisa, mas não consegui entender por que ele iria querer isso, ou o que ele faria com isso.

— Conal disse que você foi mantida naquele quarto em que a encontramos, a maior parte do tempo, — Lucas acrescentou, apertando meus dedos.

Um arrepio percorreu minha espinha quando me lembrei daquele quarto.

— Estava congelando lá dentro. Armstrong me levou para cima quando quis falar comigo. Na primeira vez, ele me deixou com aquele cara, Sebastian, aquele que me tirou daqui. Acho que foi no dia seguinte ao casamento. — A imagem do que ele fez passou pela minha mente e balancei a cabeça, tentando bloquear a imagem. Não era algo que eu queria lembrar.

— O que aconteceu com aquele bastardo? — Striker perguntou, sua voz dura. — Eu queria matá-lo pelo que ele fez, mas ele não estava no complexo.

— Armstrong o matou. Ele estava me garantindo que eu não seria ferida e eu disse a ele o que Sebastian fez. Armstrong o chamou para a sala e rasgou sua garganta, — expliquei. — Não entendi na hora, mas foi pelo que ele queria de mim. Ele não me queria – tocada dessa forma, por causa do que ele estava planejando.

Houve silêncio por alguns segundos e Lucas soltou minha mão, puxando-me em seus braços para um abraço reconfortante.

— Você foi muito corajosa, Charlotte. Surpreendentemente resistente. Conal nos disse que você se recusou a dar a Armstrong o que ele queria, não importa o que ele fizesse com você.

— Eu não entendi inicialmente o que ele planejava fazer. Foi só quando Conal foi jogado comigo, ele descobriu o que Armstrong estava procurando. Que ele queria usar minha composição genética para tentar criar um exército de metamorfos. Metamorfos que podem convocar espíritos para cumprir suas ordens. — Eu balancei minha cabeça em descrença. — Eu sabia que ele não poderia receber as informações que queria, era muito perigoso.

— Quanto Armstrong sabia? — perguntou Thut.

— Eu não acho que ele sabia muito. — Eu pensei sobre minhas conversas com o metamorfo. — Ele disse que descobriu sobre mim por meio de um daqueles vampiros que vieram aqui procurando por Ambrose, eles me ouviram conversando com minha mãe, mas não conseguiram descobrir onde ela estava, por que ela não estava em casa quando eu saí para a cidade. Armstrong somou dois e dois, percebeu que eu tinha algum tipo de habilidade, mas ele enviou Gerard DuBonet aqui para descobrir o que era. Acho que ele leu algo de mim através do contato físico, porque apertou minha mão na manhã do casamento. Mas... ele não conseguia ver exatamente o que era, Armstrong me disse que era porque eu o tinha protegido.

Lucas e Ben trocaram um olhar.

— Achamos que quando você coloca os espíritos em sua caixa mental, é na verdade uma habilidade de proteção que você possui, — explicou Lucas. — Você parece ter o poder de manter outras pessoas fora das áreas de sua mente que deseja manter privadas.

— Ele ficou cada vez mais frustrado porque eu não estava contando nada a ele sobre como isso funciona. Eu não iria admitir para ele que tinha a habilidade, porque imaginei que ele não sabia o que estava procurando. E eu tinha certeza de que ele não queria acessá-la por nenhum motivo positivo.

— E ele disse que estávamos todos mortos? — perguntou Acenith.

Lembrar do choque e dormência que senti quando Armstrong me disse que todos de quem eu gostava estavam mortos ainda era intensamente doloroso.

— Ele disse. Ele me disse que seus homens voltaram depois de me pegar e matar todos vocês, todos os convidados do casamento.

— Mas você não acreditou nele? — Striker questionou. Ele estava ao lado de Marianne, seu braço entrelaçado no dela.

— Inicialmente, fiquei arrasada. Mas depois que tive um pouco de tempo para pensar sobre isso, decidi que o que ele me disse era impossível.

— Por que isso, Lottie? — William estava sentado no chão na frente de Gwynn, suas longas pernas cruzadas casualmente nos tornozelos.

Pensei na pergunta dele antes de responder.

— Eu pensei isso porque eu sei que você é tão forte. Eu contei em minha cabeça, calculando números aproximados de quantos homens Sebastian tinha com ele. A lógica ditava que seus quinze homens, mesmo que fossem metamorfos, não poderiam enfrentar quinze vampiros, sete metamorfos e duzentos estranhos convidados de casamento. Alguém tinha que ter sobrevivido.

— Boa ideia, minha Charlotte, — Lucas beijou minha bochecha. — Estou muito orgulhoso de você.

— Então Conal foi trazido porque você não quis dar a informação? — Ben questionou gentilmente.

— Conal tem uma habilidade única, — eu disse, tremendo um pouco com a memória. — Ele sondou minha mente, não entendo como funciona, mas ele podia colocar a mão nas minhas têmporas e eu senti seus dedos, como se realmente estivessem dentro da minha cabeça.

— Conal se sentiu péssimo com o que teve que fazer, ele me disse que é um procedimento extremamente doloroso e se preocupou com o que isso faria com você, — Ben respondeu calmamente.

Eu balancei a cabeça.

— Foi terrível. Literalmente senti como se seus dedos estivessem *sondando* dentro do meu cérebro. Ele entrou na minha caixa imediatamente, na primeira vez que fez isso. Mas ele não deixou transparecer a Armstrong que havia rompido minhas defesas. Custou-lhe caro, Armstrong o espancou e depois o jogou comigo.

— Ele disse que sondou você uma segunda vez, — Lucas acrescentou calmamente.

— Ele não teve escolha. Armstrong estava determinado a conseguir o que queria e Conal disse a ele que havia quebrado uma defesa, mas eu tinha outra no lugar e ele não conseguia ver qual era a minha habilidade. Era uma mentira, claro, Conal disse isso para ganhar tempo, mas isso significava que ele tinha que sondar minha mente novamente.

— Você considerou usar os espíritos, para ver se eles ajudariam você a sair de lá? — Gwynn perguntou.

— O pensamento passou pela minha cabeça, mas eu não podia deixar Armstrong saber sobre eles. Assim que ele confirmasse o que achava que eu poderia fazer, ele teria prosseguido com seu plano de produzir seus metamorfos psíquicos. Se eu tivesse aberto minha mente para os espíritos, tentado escapar e falhado, ele saberia exatamente o que tinha. Parecia mais inteligente manter os espíritos afastados, tentar encontrar outra maneira de escapar. Eu me vi tremendo, reviver as memórias da semana passada estava cobrando seu preço.

— Muito corajosa, Lott, para uma garota humana, — observou Striker presunçosamente. — Estou orgulhoso de você, garota. — Ele piscou para mim, seus olhos brilhando de orgulho.

— E estou impressionado, — disse Thut em seu inglês com forte sotaque. — Fiquei muito surpreso com o que Lucas revelou após seu sequestro. Você realmente foi dotada de uma poderosa habilidade psíquica.

Eu me encolhi por dentro.

— Não é provável que eu seja sequestrada por vocês em um futuro próximo, não é?

Thut jogou a cabeça para trás e riu ruidosamente.

— Você é realmente uma humana incrível, Charlotte. — Seu humor desapareceu e ele olhou para mim solenemente, seus olhos quase pretos sérios. — Vamos proteger o seu segredo. Somos... como se diz... aliados do Beijo Tine. No entanto, gostaria de ter a oportunidade de experimentar suas habilidades, se você concordar.

Eu balancei a cabeça pensativamente. A segurança agora estava no topo da minha lista de preocupações, mas Lucas me garantiu a lealdade de Thut e eu acreditei nele.

— Acho que devo ter pensado em algumas maneiras de me manter segura, maneiras de usar meu... dom.

— Que tipo de maneiras? — Lucas questionou.

Olhei para as janelas, onde a escuridão era impenetrável.

— Vamos esperar até amanhã que te mostro, — sugeri com um sorriso tenso.

CAPÍTULO 16
COMPLICAÇÕES DO AMOR

Quando acordei na manhã seguinte, estava com muita dor para fazer qualquer coisa, meus planos de mostrar a todos minha estratégia foram adiados até que eu me recuperasse. Cada centímetro quadrado de pele doía e eu passava mais tempo na cama do que fora dela, sob ordens expressas de Jerome, que tinha sido chamado para uma visita e me confinando na cama até novo aviso com uma ordem expressa e ameaças sobre o que ele faria comigo se eu não seguisse essas ordens.

Lucas passava horas comigo, contente de ficar ao meu lado enquanto eu dormia, ou conversando baixinho comigo durante minhas horas de vigília. Para uma garota que lutou contra a insônia por tanto tempo, o sono agora era um companheiro constante enquanto eu me recuperava dos traumas dos últimos tempos. Jerome estava preocupado com minha exaustão constante e pensou que eu poderia estar sofrendo de uma leve anemia depois de perder tanto sangue. Rowena recebeu instruções sobre os alimentos ricos em ferro que eu deveria consumir nas refeições e Jerome forneceu suplementos de ferro junto com proteínas e shakes ricos em cálcio, que eram fornecidos regularmente.

Normalmente, quando eu acordava, Lucas estava ao meu lado, seus dedos torcendo suavemente pelo meu cabelo, por isso foi uma surpresa quando abri os olhos e descobri que ele tinha ido embora e Acenith estava em seu lugar uma tarde. Ela estava encostada na cabeceira da cama e sorriu calorosamente.

— Lucas foi se alimentar.

— Já era hora, — eu anunciei, esfregando meus olhos. — Estou tentando convencê-lo a ir desde ontem.

— Ele pode ser muito teimoso. Os homens são todos iguais. — Havia uma ponta de aborrecimento em sua voz, incomum para a geralmente pacífica Acenith.

Subi lentamente na cama, dando bastante atenção aos músculos machucados antes de me acomodar suavemente nos travesseiros que Acenith havia afofado.

— Quer falar sobre isso?

Ela suspirou pesadamente, seu olhar piscando para a janela.

— Ripley é um idiota.

Eu levantei minhas sobrancelhas, surpresa com sua admissão abrupta. Desde que me mudei para a casa de Lucas, senti a dinâmica entre Ripley e Acenith, muito antes de falar com a mãe de Ripley. Ripley tratava Acenith como se fosse sua irmã mais nova. Enquanto sua atenção era carinhosa e amorosa, era estritamente platônico entre eles, pelo menos, do ponto de vista dele. Observando Acenith silenciosamente do lado de fora, aqueles deslumbrantes olhos verdes contavam uma história completamente diferente.

— Você está apaixonada por ele? — eu questionei.

Ela se virou para mim, os olhos arregalados.

— Isso é tão óbvio?

— Não para todo mundo, — eu corri para tranquilizá-la. — Mas eu vi como você olha para ele, quando pensa que ninguém está olhando.

Acenith se curvou, algo incomum para um vampiro, eles simplesmente não eram do tipo de se curvar e normalmente se sentavam com uma postura excelente, mas não havia outra palavra para isso. Ela parecia totalmente derrotada, a tristeza visível em seus olhos verdes enquanto ela juntava as mãos no colo.

— Você acha que ele notou?

— Não, eu não penso assim. Eu nunca vi nenhum sinal disso, — eu a tranquilizei. Então eu tive um pensamento. — Mas ele não pode ler sua mente?

Acenith xingou, de repente e cruelmente, em seu francês nativo. Eu não conseguia entender as palavras, mas elas estavam definitivamente em uma língua estrangeira e soavam como palavrões. Era tão diferente de Acenith que acabei olhando para ela, perdida.

Ela respirou fundo e afundou ainda mais nos travesseiros.

— É verdade, amo aquele homem há trezentos e cinquenta anos, mas não mais. Não vou me permitir continuar querendo ele, quando ele obviamente não me quer.

— Você não pode deixar de amar alguém, mesmo que queira. Não podemos evitar o que sentimos, Acenith, — eu disse cuidadosamente.

Ela baixou o olhar, apertando as mãos em punhos apertados.

— Para alguém tão jovem, você é muito inteligente, — ela admitiu com um suspiro.

Eu passei meus dedos sobre a mão dela e ela soltou o aperto feroz que tinha em seus dedos entrelaçados, para envolver uma de suas mãos na minha.

— O que aconteceu, para deixá-la com tanta raiva hoje? — Eu questionei suavemente. Eu não tinha certeza do que fazer com essa Acenith zangada e frágil, mas queria tentar ajudá-la. Ela era minha amiga e eu a amava.

— Ripley levou Jennifer para os estábulos, para seu pequeno esconderijo. Eu os vi juntos, hoje cedo. Ele a estava beijando, e quando a levou para o estábulo, eu sabia que ele pretendia fazer amor com ela. Enquanto Jennifer é minha amiga, nossa amiga... — Sua voz geralmente americana tinha um distinto sotaque francês, como se ela não pudesse moderar sua voz quando estava tão perturbada emocionalmente. — ... ela é uma amante dos homens, vivaz e atraente. Não é culpa dela que queira Ripley, é apenas o que ela faz. Não significa nada para ela, nem para ele.

— Você quer dizer... é só diversão? — Eu estava fora do meu alcance aqui e me perguntando quanta ajuda eu poderia ser.

— Oui. O termo americano é "amigos com benefícios". Eles se veem ocasionalmente; eles fazem amor. Nada mais nada menos.

— Você já disse a Ripley o que sente por ele?

Por um longo tempo ela ficou em silêncio, e eu tinha certeza que ela não iria responder, mas então ela falou.

— Sim, eu disse a Ripley, — ela confirmou com

um suspiro pesado. — Mas ele me considera fora dos limites.

— Por quê?

Ela riu, mas foi um som oco, sem nenhuma emoção feliz por trás.

— Você sabia que Ripley me transformou?

Eu balancei a cabeça, esfregando meu polegar no dorso de sua mão.

Ela suspirou, voltando seu foco para a janela antes de começar a falar novamente.

— Quando eu era humana, morando em Montségur, eu era uma curandeira entre os aldeões. Eu tinha prática no uso de ervas para fins medicinais e, claro, naquela época, esse era todo o remédio que tínhamos. Enquanto muitos usavam a prática bárbara da sangria para tratar pacientes, eu usava minhas ervas para tratar pessoas com febre ou outras doenças, como feridas infectadas, com algum sucesso. Eu também era a parteira da aldeia e minhas poções ajudavam as mulheres com dificuldades de dar à luz. — Ela franziu a testa, suas feições bonitas mostrando angústia que ela manteve por séculos. — Embora eu tenha tido a sorte de ajudar a curar algumas pessoas, outras sucumbiram aos ferimentos. Alguns bebês morriam durante o parto, era uma época em que as coisas podiam dar errado, rapidamente, e não sabíamos nada sobre a mecânica de ajudar no parto, a não ser recebê-lo quando a mère o empurrava para fora. Os aldeões suspeitaram do que eu fiz e alguns deles acreditaram que eu estava praticando bruxaria. Quando as pessoas que tentei ajudar morreram, os rumores começaram a se espalhar e nosso padre local, o padre Jaquille, foi um dos mais expressivos.

— Imagino que no século XVII isso fosse uma coisa ruim. — Eu sabia que era uma época em que os julgamentos de bruxas estavam no auge, nossa própria perseguição a supostas bruxas em Salem, Massachusetts, não tinha sido nada comparada ao que aconteceu em alguns países da Europa.

Ela assentiu, apertando meus dedos gentilmente.

— Minha irmã Marguerite era muito piedosa, devota a Deus e à Igreja. Quando o padre Jaquille revelou suas suspeitas a Marguerite, ela orou por mim, todos os dias. — Sua voz foi ficando mais suave enquanto seus olhos se distanciavam e eu tinha certeza de que ela estava vendo as imagens de um tempo tão distante. — Marguerite foi facilmente influenciada pelo padre e suas acusações, ela era muito jovem e uma verdadeira crente. Quando o padre Jaquille jurou a ela que tinha me visto praticando bruxaria e que meus olhos estavam vermelhos, Marguerite pensou que sua única escolha era me entregar às autoridades, para ajudar a salvar minha alma da condenação eterna.

Fiquei chocada com este pronunciamento.

— Ele não poderia ter visto o que disse, isso é simplesmente ridículo.

Acenith virou-se para mim, seu rosto era uma máscara de angústia.

— É verdade, é o que ele disse, em uma época em que as pessoas tinham medo do desconhecido e suspeitavam profundamente do que consideravam bruxaria. O que Marguerite não podia saber era que padre Jaquille havia tentado me estuprar algumas semanas antes. Ele era membro da Igreja Católica, a autoridade máxima em nosso pequeno vilarejo, e havia feito voto de celibato. Depois do que ele fez, ele precisava se livrar de mim, com medo do que eu diria ao seu rebanho. — Ela baixou os olhos, como se tivesse vergonha do que havia admitido e eu passei meu braço em volta de seus ombros magros, tentando oferecer o único conforto que eu poderia dar.

— Acenith... eu sinto muito. Nada disso foi sua culpa, nada disso.

— Padre Jaquille me disse que o que aconteceu entre nós foi minha culpa, eu era bonita e o tentei com os pecados da carne e ele não pôde deixar de sucumbir às minhas tentações. Mesmo enquanto tentava me estuprar, ele resmungava sobre ser minha natureza pecaminosa, minha bruxaria, que o tornava incapaz de resistir à tentação de fornicar.

— Desgraçado.

Os lábios de Acenith formaram um sorriso fraco.

— Oui. Ele era, de fato, um petit bâtard. — Ela ficou solene novamente. — Mas ele era o líder da comunidade em nossa pequena aldeia e sua palavra era o evangelho. Quando as autoridades vieram me prender, foi o padre Jaquille quem me condenou como bruxa praticante e foi ele quem julgou esses julgamentos e proferiu o veredito.

— Você não poderia contar para sua família e amigos o que ele fez?

— Eu contei, — ela respondeu simplesmente. — Eles não acreditaram em mim.

Eu estava muito estupefata para falar, não sabia como responder a sua resposta. Como todos puderam acreditar no padre e abandonar a jovem? Ela só tinha sido carinhosa e bem-humorada, tentando ajudar as pessoas ao seu redor.

Como se estivesse lendo meus pensamentos, Acenith falou novamente.

— Mesmo naquela época eu tinha a capacidade de ajudar a acalmar através do toque, o que posso fazer agora é mais forte, mas é uma extensão da minha própria capacidade humana. As pessoas eram tão desconfiadas naqueles anos, e a histeria crescia diariamente por qualquer coisa incomum ou diferente. A igreja havia proclamado que as bruxas eram obra do diabo e eles tinham muitas maneiras de distorcer a verdade a seu favor. Ninguém que fosse acusado poderia se proteger verdadeiramente depois que as autoridades tivessem divulgado as acusações. Eu não era a única inocente que foi julgada culpada, apenas para salvar a perda da face de alguém que era respeitado em sua comunidade.

— Mas isso é tão errado.

Ela encolheu os ombros, o movimento de improviso, como se dissesse que não havia nada que alguém pudesse fazer para mudar o erro do evento.

— Os tempos mudaram, minha amiga. As pessoas estão com a mente mais aberta, muito menos supersticiosas do que há três séculos.

Pensei nessa resposta por um ou dois minutos antes de falar novamente, sem saber se deveria perguntar mais alguma coisa ou não. Eu não tinha certeza de como Acenith receberia minhas perguntas, ou se ela gostaria que isso fosse trazido à tona novamente. Parecíamos ter saído do rastro dela e de Ripley, mas essa era a primeira vez que ela falava sobre si mesma comigo e me perguntei se ela queria falar sobre isso, e se isso acabaria levando de volta a Ripley. Ela geralmente era muito educada, muito contida e percebi que sabia muito pouco sobre ela que ela compartilhava de bom grado. A maior parte do que eu sabia vinha de conversas com Lucas e Marianne e, mesmo assim, eram de formas gerais.

— Eu li um pouco sobre o que foi feito com as bruxas em Salem, — eu finalmente disse.

Acenith estremeceu e seus olhos assumiram aquele olhar distante novamente, mesmo quando ela apertou meus dedos um pouco mais forte. A outra mão brincava com a trança comprida do cabelo, que caía sobre o peito, num gesto nervoso.

— Me desculpe, eu não deveria ter dito nada.

Ela sorriu para mim, seus olhos incrivelmente verdes enquanto ela estudava meu rosto.

— Aconteceu há muito tempo, Charlotte. No mundo moderno, tenho certeza de que me diriam que é terapêutico falar sobre o que aconteceu, mas nunca achei fácil fazer isso. Com você, porém, — e ela apertou meus dedos novamente, — eu me pego querendo falar e desabafar. Pretendia apenas explicar a relutância de Ripley em se envolver comigo, mas de alguma forma acho reconfortante contar a você sobre meu passado.

Fiquei em silêncio, sem saber como responder e Acenith sorriu gentilmente, passando o braço em volta do meu ombro.

— Você não precisa dizer nada, Charlotte. Apenas ouvir é o suficiente.

— Estou honrada que você se sinta assim.

— Depois que fui presa, fui levada para ser interrogada pelas autoridades, que era um pseudônimo do que realmente iriam fazer. Eles queriam que eu admitisse a bruxaria, o que obviamente eu não faria. Eu não tinha feito nada de errado, tudo o que tentei fazer foi ajudar as pessoas ao meu redor. Eu não admitiria e não poderia admitir bruxaria quando era mentira. — Ela suspirou, passando os dedos pela trança em um gesto que parecia representar sua ansiedade. — Eles me mantiveram em uma cela e a primeira coisa que fizeram foi pedir ao bispo que me verificasse a marca da bruxa. Fui despida e ele verificou todo o meu corpo em busca de um terceiro mamilo, o que indicaria que eu era uma bruxa. Era humilhante e horrível para uma jovem que nunca tinha ficado nua com um homem. Claro, eles usariam qualquer marca no corpo como prova e eu tinha uma verruga embaixo do meu seio direito. Assim que o encontraram, convenceram-se de que eu era uma bruxa e recorreram à tortura para me fazer confessar.

Passei o braço em volta de sua cintura fina, querendo oferecer-lhe conforto e estremeci com o esforço, mas precisava que Acenith soubesse que eu estava lá para apoiá-la, para ouvi-la. Se ela pudesse ser corajosa o suficiente para sobreviver a isso, eu poderia ser corajosa o suficiente para ouvir.

— Eles começaram o que era conhecido como julgamento por provação por picada, usando uma faca longa e afiada para penetrar na pele. Se você tivesse uma área que foi picada e não sangrou, você era uma bruxa. Mesmo que você sangrasse por todos os lugares do corpo, as acusações não desapareceram. O próximo passo foi queimar minha pele com atiçadores em brasa. Se os ferimentos cicatrizassem em três dias, você era uma bruxa. Se não cicatrizasse, você era inocente. Claro, na minha situação, não me curei, mas o padre Jaquille precisava que eu morresse, então cada vez que eu passava em um dos chamados testes deles, ele encontrava outros motivos para manter as acusações. — Ela estremeceu delicadamente, como se a memória fosse demais para recordar e eu a abracei mais forte.

— Você não precisa explicar mais nada, Acenith. Não se você não quiser.

Ela respirou fundo e pareceu se acalmar.

— Vou ser breve, para o bem de nós duas. Os testes continuaram por quase duas semanas, fase em que eu estava tão perto da morte que recebi seu abraço e orei por ela dia e noite. Quando eu ainda não confessava meus supostos crimes, eles decidiram passar para o julgamento por água.

— Já ouvi falar disso. Você foi jogada na água, se você flutuasse, você era culpada. Se você afundasse, você era inocente. E, infelizmente, você estava morta de qualquer maneira, na maioria dos casos.

Acenith esfregou a mão no meu ombro.

— Você sabe um pouco da história e está certa. Eu não sabia nadar, a maioria das pessoas não sabia. Eu estava perto da morte, afundando no fundo do lago quando Ripley me resgatou.

— Como ele sabia sobre você?

— Eu o havia encontrado uma ou duas vezes na aldeia onde morava, em dias de feira, quando visitava as barracas para comprar nossos mantimentos. Claro, eu não sabia que ele era um vampiro.

— Por que ele estava na sua aldeia?

Acenith sorriu calorosamente.

— Ele nunca me contou.

Minha curiosidade foi aguçada.

— Talvez ele estivesse observando uma certa garota bonita com lindos olhos verdes?

Ela riu alto com essa resposta, me assustando.

— Acho que não, minha amiga. Acho que ele apenas achou interessante viajar para países diferentes, conhecer novas pessoas. Ele nunca demonstrou interesse aberto por mim, mas soube de minhas habilidades com ervas e discutimos meus esforços de cura. Além disso, havia garotas muito mais bonitas na aldeia. Ele poderia ter feito sua escolha.

Não concordei com ela, mas fiquei calada sobre o assunto, esperando descobrir por que Ripley se mantinha distante de Acenith.

— Então acho que Ripley sabia nadar?

— Oui. Ele sabia que eu estava sendo julgada por bruxaria e parecia ter a intenção de me resgatar. Ele não conseguiu alcançar minha cela, mas esperou até que eu fosse levada para o teste com água. Quando fui jogada, ele nadou e me resgatou. Claro, quando ele me trouxe de volta à terra, ele percebeu o quão perto de morrer eu estava.

— Então ele transformou você?

— Oui. Três dias depois, ele ajudou a me tirar do túmulo e me ensinou tudo o que eu precisava saber nesta nova e estranha vida em que me encontrei.

— Você não estava com raiva com o que ele fez?

— Não. Eu queria viver. Claro, tive que deixar minha família para trás, meus amigos e me mudar de Montségur, mas nunca me arrependi de sua escolha.

— Você ficou com Ripley?

— Por cinco anos, oui. — O semblante mais relaxado desapareceu e ela franziu a testa novamente. — Percebi quase imediatamente que amava Ripley, mas ele me mantinha à distância, preferindo me tratar como uma irmã. Depois de cinco anos desse tratamento, cansei de fingir e o deixei para forjar minha própria vida. — Ela suspirou, torcendo a trança em seus dedos. — Passei os trezentos e cinquenta anos seguintes fugindo dele, apenas para me convencer de que poderíamos ter algo mais se eu tentasse novamente e voltasse para o lado dele.

— Por que você acha que ele não vai dar esse passo?

Ela olhou para mim.

— Ele não me ama, Charlotte. — Ela balançou a cabeça, como se estivesse discordando de si mesma. — Não, isso não é verdade. Ele me ama, mas é o amor de um irmão por uma irmã. Nada mais.

— É isso que ele diz?

Ela sorriu tristemente.

— Oui... sim. Ele me disse que não poderíamos ter mais nada, porque ele é meu criador.

Eu fiz uma careta pensativa.

— Talvez ele queira algo mais, mas não acha que seja possível. O que há sobre ele ser seu criador que o torna diferente?

Foi a vez de Acenith franzir a testa.

— A relação entre um vampiro e seu senhor é única. Sou uma criação de Ripley, mas ele se sente culpado por isso. Ele me criou quando eu tinha vinte e três anos humanos. Eu sou a primeira e única vampira que ele criou. Ele já era vampiro há cinquenta anos e tinha trinta e um quando foi criado, então ele sente que roubou muito de mim. Não apenas minha humanidade, mas eu ainda era virgem, nunca havia me deitado com um homem.

Ao me criar, ele tirou minhas chances de amor humano e filhos.

— Mas você ficou feliz com a escolha, com ele?

— Oui.

— Então não há... regra sobre um vampiro namorando sua... criação?

Acenith sorriu com meu esforço abismal para expressar uma pergunta sobre o protocolo dos vampiros.

— Não. Não há regra.

Considerei o problema um pouco mais, pensando na reação de Acenith a Ripley e, por sua vez, em suas reações a ela. Ele sempre foi protetor com ela, mas ela estava certa, era inocente, nada romântico em suas maneiras ou ações.

— Você já namorou mais alguém?

Acenith riu.

— Charlotte, estou nesta terra há muito tempo. Já namorei outros, sim.

— Como Ripley reagiu?

Houve silêncio por alguns momentos, antes que Acenith olhasse para mim e eu pudesse ver a surpresa em sua expressão.

— Eu nunca namorei quando moramos sob o mesmo teto. Isso não me deixa confortável.

Uma ideia se formava em minha mente e a deixei se criar lentamente, enquanto Acenith foi buscar um lanche na cozinha. Quando ela voltou, com um prato de frutas frescas e, mais importante, café, eu já tinha um plano.

— Acenith, — anunciei, mordendo um morango vermelho maduro. — Você precisa namorar.

— Não foi isso que eu te disse? Que preciso esquecer Ripley e seguir com minha vida?

— Não, — eu anunciei presunçosamente. — Você precisa namorar para que Ripley esteja ciente disso. Deixe-o ver o que está perdendo. Acho que vai provar se ele realmente não está interessado.

Acenith considerou a ideia por alguns minutos, sua mente trabalhando enquanto eu continuava a pegar a fruta no prato.

— Você acredita que isso vai deixá-lo com ciúmes?

— Não sei. Mas você precisa decidir o que quer. Ou você fica esperando por Ripley, ou prova a ele que está disposta a seguir em frente sem ele. Então cabe a ele tomar uma decisão. Não posso prometer o que ele decidirá, mas acho que isso permitirá que você saiba, de uma vez por todas, se tiver uma chance.

CAPÍTULO 17
RECUPERAÇÃO

Me sentindo melhor no sábado seguinte, fiquei feliz por estar de pé pela primeira vez em três dias. Agora que a primavera havia chegado, o tempo estava glorioso com um sol brilhante e o indício de crescimento no jardim era evidente quando desci as escadas.

Lucas esperou com expectativa ao pé da escada e olhou para o meu peito, visível em uma camiseta turquesa decotada.

— Se eu não tivesse visto por mim mesmo, não teria acreditado que aquelas cicatrizes cicatrizariam tão completamente, — ele comentou enquanto me puxava para seus braços para um longo beijo. Ele soltou seu aperto e passou os dedos sobre as cicatrizes que cicatrizavam rapidamente, que estavam desbotando para um rosa suave dos vergões vermelho-escuros que eram alguns dias atrás. Seu toque me fez tremer um pouco de expectativa, seus dedos roçando o topo do meu peito.

Lucas estava aprendendo a cozinhar sozinho e esta manhã preparou bacon, ovos mexidos e torradas enquanto eu observava da mesa. Para um homem que não comia, ele estava se tornando perito na cozinha e estava orgulhoso de suas habilidades. Como ele explicou, embora não pudesse comer, podia apreciar os aromas que a comida criava enquanto cozinhava. Ele colocou o prato na minha frente, junto com uma xícara fumegante de café e sentou-se para me ver comer.

Coloquei alguns dos ovos quentes na boca e saboreei o sabor, enquanto ele esperava ansiosamente por uma reação.

— Sim. Acho que você cozinha melhor do que eu.

Lucas sorriu e apoiou os cotovelos na mesa, juntando as mãos.

— Considerando que você me disse que comeu enlatados nos últimos dois anos, imagino que isso não seja um elogio tão grande quanto eu poderia esperar.

— Não, sério, — assegurei a ele, — acho que você é melhor do que eu. Cozinhar não é uma das minhas melhores habilidades.

— Depois de terminar o café da manhã, você gostaria de sair para uma caminhada? — Ele olhou para a janela da cozinha, examinando o tempo. — Está um dia lindo. Acho que se subirmos a montanha rapidamente estaremos acima da cobertura de nuvens.

Eu balancei a cabeça, engolindo uma boca cheia de bacon.

— É longe?

Lucas balançou a cabeça.

— Alguns quilômetros. Não vou cansar você. Se quiser, posso carregá-la.

Eu sorri.

— Parece bom. — Lembrei-me da última vez que Lucas me carregou, correndo mais rápido do que eu poderia imaginar pela floresta.

Ele se levantou, seus olhos quentes.

— Ainda está frio. Vou subir e pegar uma jaqueta para você. Podemos partir assim que estiver pronta.

Terminei, bebendo o resto do café rapidamente, pois estava ansiosa para sair e passar algum tempo ao ar livre. Tendo ficado confinada por dias a fio, o pensamento de ar fresco e sol me encheu de prazer e vesti minha jaqueta antes de nos dirigirmos para a porta da frente.

— Onde está todo mundo?

— Eles estão por aí. Ben está no trabalho, ele estará em casa por volta das três horas. Vamos vê-los mais tarde. — Ele parou no caminho de cascalho e se virou para mim. — Você gostaria de caminhar um pouco ou eu carrego você? — A diversão era evidente em seus olhos azuis.

— Hmmm. Acho que posso andar um pouco — concordei, embora estivesse ansiosa por carona.

Lucas pegou minha mão e saímos da garagem, caminhando de mãos dadas pela grama curta em direção ao rio. Lucas manteve seu ritmo constante, combinando o ritmo de seus passos com os meus. Fiquei um pouco apreensiva ao nos aproximarmos do rio, imaginando se teríamos que atravessá-lo, mas Lucas nos conduziu pelo caminho acidentado, virando à esquerda para seguir a margem do rio.

Depois de alguns minutos, ele fez uma pausa e levou o dedo aos lábios, avisando-me para ficar quieta. Lucas apontou para um ponto distante e seguindo sua linha de visão, descobri o que ele estava me mostrando. Uma mãe veado e dois filhotes estavam parados no alto da saliência à nossa esquerda. Ele sorriu para mim, deliciando-se com o prazer em meus olhos ao descobrir a fauna local.

— Você não está com sede, está? — Eu questionei ansiosamente.

Lucas inclinou a cabeça para trás, rindo alto. A mãe cerva e seus filhotes desapareceram em um piscar de olhos quando o som da voz de Lucas ecoou colina acima.

— Não, meu amor. E eu nunca caçaria uma nova mãe e seus bebês. Tentamos manter nossa caça ecologicamente sustentável, estamos cientes das espécies ameaçadas e caçamos apenas criaturas que não estão em perigo de extinção.

— Um vampiro ambientalista, — comentei com um sorriso.

— Sim, acho que é assim que você nos chamaria, — Lucas concordou.

— O que você caça? — Eu perguntei curiosamente, enquanto continuávamos nossa caminhada suave pela floresta. — Você tem uma... refeição favorita? Sangues diferentes têm gosto diferente para você, como comidas diferentes para mim?

Lucas continuou a me guiar pelo chão da floresta, considerando minha pergunta antes de responder.

— Existem diferenças sutis de gostos. Por exemplo, prefiro caçar ursos do que veados, por exemplo.

Estremeci com a ideia de Lucas sendo atacado por um urso e então afastei o pensamento errante da minha mente – às vezes eu esquecia que o urso estava em perigo muito maior do que Lucas jamais estaria.

— Eu assustei você, não é? — Lucas parou de andar e olhou para mim, uma pequena carranca vincando sua testa perfeita enquanto ele olhava nos meus olhos.

Eu balancei minha cabeça rapidamente.

— Estou bem. Acho que estou aceitando o fato de que caçar é tão natural para você quanto comer um donut é para mim. Mas ainda penso como uma humana, estou mais preocupada com a sua segurança, até lembrar que você é muito mais perigoso para os animais que caça do que eles para você.

— Isso é verdade, — Lucas comentou suavemente. Caminhamos de novo, minha mão apertada na mão fria de Lucas e eu aproveitei o clima mais ameno do início da primavera enquanto caminhávamos pela floresta.

— É realmente lindo aqui, — comentei enquanto fazíamos uma subida constante pela floresta densa.

— E é. Sentirei falta de morar em Puckhaber Falls quando nos mudarmos novamente.

— Isso será em breve? — Eu questionei curiosamente. Houve menção de realocação, embora não tivesse sido discutido em grande profundidade.

— Vamos começar a fazer os preparativos em breve. Vou precisar me matricular na faculdade em nossa nova área.

— Você vai voltar para a faculdade?

Lucas assentiu.

— Vou me formar em genética.

— Pensei que você já tivesse estudado genética?

— Sou formado em genética. Com o passar do tempo, no entanto, o conhecimento melhora, novas coisas são descobertas. E acho que com a nossa situação, uma atualização pode ser útil. — Ele sorriu para mim, seus olhos cobertos de desejo. — Não esqueci que temos uma inconsistência física a superar.

A inclinação começou a aumentar consideravelmente e eu parei, recuperando o fôlego por um momento. Eu estava começando a me cansar e precisava de alguns minutos para controlar meus pensamentos. Lucas pretendia que eu viajasse com eles? Ou eu ficaria para trás em Puckhaber quando eles partissem?

— Já chega de caminhada para você, minha Charlotte. — Ele me virou de costas em um movimento rápido como um raio. Quando ele estava confiante de que eu estava segura e confortável, ele saiu correndo e novamente eu estava alegre enquanto ele corria rapidamente montanha acima. Seus movimentos eram fluidos, as árvores passando por nós em um borrão. Levara quase meia hora para caminhar ao longo da margem do rio, percorrendo não mais que um quilômetro e meio. Lucas levou menos de cinco minutos para chegar ao topo da montanha e eu ri alto enquanto passávamos pela cobertura de nuvens. Ele parou na sombra das árvores.

Lucas me deixou cair levemente sobre meus pés e eu me maravilhei novamente com a habilidade que ele tinha de correr a uma velocidade tão imensa, mas sem mesmo suar. Não havia nenhum sinal de esforço dele enquanto me segurava até que eu estivesse firme no terreno acidentado.

— Isso é... incrível, — eu anunciei, sorrindo para ele com um olhar alegre. Eu me senti como uma criança que acabou de passar por uma montanha-russa.

— Estou feliz que você gostou. — Ele olhou para mim e eu vi um olhar preocupado aparecer em seus olhos enquanto ele olhava para mim. — O que está errado?

Eu balancei minha cabeça, olhando para longe.

— Nada.

Ele passou os braços em volta da minha cintura e me puxou para perto o suficiente para que ficássemos corpo a corpo.

— Charlotte, diga-me.

— Quando você for embora... o que acontece comigo? — Eu deixei escapar.

Lucas franziu a testa profundamente, seus olhos azuis brilhando com prata.

— Você vem conosco, é claro. — Sua carranca se

aprofundou. — Você acha que eu deixaria você para trás?

— Eu não tinha certeza, — eu admiti calmamente. — Nossa situação é... difícil.

— Sua bobinha. Eu não me importo o quão difícil é. Sim, quero fazer amor com você, mas não vou perdê-la por incapacidade de fazê-lo. — Lucas deu um suspiro profundo e trêmulo enquanto me beijava. Ele me pegou pela cintura e caímos de joelhos no chão musgoso, entrelaçados nos braços um do outro. Lucas me puxou para baixo com ele até que deitamos na clareira, nos beijando repetidamente.

— Isso é perigoso, — Lucas murmurou contra a minha boca, mesmo enquanto puxava a bainha da minha camisa, puxando-a para fora da minha calça jeans para que ele pudesse tocar a pele nua por baixo.

— Devemos parar, — eu concordei sem entusiasmo, desabotoando sua camisa. Uma vez que os botões foram desbotoados, tracei uma linha da clavícula de Lucas com meus dedos, seguindo a pele lisa até seu peito e esfreguei a ponta de um dedo preguiçosamente em torno de seu mamilo pálido, encantada quando ele se arqueou contra meus dedos e gemeu. Admirei o desenvolvimento muscular de seu peito, o punhado de pelos escuros que cresciam abaixo do umbigo e desapareciam abaixo do cós da calça jeans.

— Eu não quero parar, Charlotte, — Lucas sussurrou com voz rouca em meu ouvido. — Eu vou controlar, juro por Deus, eu vou controlar isso... — Ele capturou minha boca contra a dele, roçando sua mão em minha cintura e tentando estender a mão para cima até que ele alcançou meu peito e o segurou em sua mão.

A saudade apertava as coisas no fundo do meu corpo e eu gemia baixinho.

Lucas levantou a mão imediatamente, preocupação gravada em suas feições.

— Estou machucando você?

Eu peguei seus dedos, recolocando-os gentilmente contra meu peito.

— Não, você não está me machucando.

— Diga-me, se alguma coisa que eu fizer lhe causar dor, — ele exigiu calmamente.

— Acho que vai causar mais dor se você parar, — eu sussurrei, tentando encorajá-lo. Eu levantei minha cabeça para capturar sua boca contra a minha e ele devolveu o beijo, seus dedos acariciando meu peito através do meu sutiã de algodão macio.

Continuei minha exploração, empurrando a camisa pelos braços de Lucas implacavelmente até que ele a puxou e jogou para o lado. Esfreguei seu bíceps musculoso, passando por seu cotovelo e pelos macios e escuros em seu antebraço. Então eu voltei para o peito dele, explorando a beleza absoluta de seu físico enquanto eu traçava seu peito, sobre seu estômago liso, traçando um caminho em direção ao botão de sua calça jeans.

Eu ouvi o ruído silencioso de suas presas antes que ele gemesse e soltasse meu peito para capturar minhas mãos nas dele. Quando olhei para cima, seus olhos estavam selvagens, prata girando descontroladamente em suas írises.

— Pare, meu amor. Por favor.

Colocando-me em uma posição sentada, esperei em silêncio. Lucas recostou-se na grama, seus olhos se fecharam e ergueu os braços sobre o rosto enquanto tentava se recompor. Ele respirou fundo, então um segundo, antes de abrir os olhos para olhar para mim. Ele amaldiçoou suavemente.

— Minhas desculpas, meu amor. Por mais que eu deseje isso, ainda luto para me controlar quando estou tão perto de você.

Eu sorri, esperando oferecer-lhe algum encorajamento.

— Você está melhorando.

Lucas suspirou.

— Não o suficiente para arriscar ir mais longe com você.

— Isso vai acontecer, com o tempo. Você só tem que ser paciente.

Ele riu asperamente, o som ecoando pela clareira.

— Você percebe que eu sou celibatário há décadas? Minha paciência está no limite, para dizer o mínimo.

Uma mudança de assunto era necessária.

— Conte-me mais sobre sua vida. — Conversamos frequentemente sobre a vida de Lucas, antes e depois de sua transformação. Achei infinitamente fascinante ouvir sobre uma vida que se estendeu por um século e meio. Coisas que eu só pude aprender nos livros de história, pelas quais ele viveu – a Guerra Civil, o naufrágio do Titanic, a Primeira e a Segunda Guerras Mundiais, o movimento dos Direitos Civis – literalmente dezenas de períodos históricos foram lembrados com perfeição por Lucas.

— O que você gostaria de saber? — ele perguntou. Ele ainda estava deitado no chão, com as mãos cruzadas atrás da cabeça e pela expressão em seu rosto, ele ainda estava lutando com suas frustrações e suas presas.

— O que você fez nos anos vinte? — Eu estava propensa a perguntar sobre décadas sobre as quais eu só tinha lido, e Lucas tinha uma lembrança perfeita de seu passado – ao contrário da memória humana que desaparecia com o tempo, ele conseguia se lembrar de cada dia, cada minuto de sua vida desde sua transformação. Suas memórias eram fascinantes para mim, cheias de informações interessantes sobre uma época que eu só podia imaginar.

— Passei a maior parte dos anos vinte em Chicago, minha cidade natal, — ele começou, fechando os olhos, — passei parte da década anterior morando no exterior, aprendendo mais sobre a história da Europa e conhecendo outros vampiros no continente. Nos anos 20, eu sabia que todos que eu conhecia estariam mortos e enterrados, então me senti seguro voltando para Chicago, sabendo que ninguém me reconheceria.

Eu estava cheia de simpatia.

— Isso é tão triste, Lucas.

— É meramente um fato desta existência, — Lucas respondeu calmamente. — Depois de algumas décadas, todos que você conhece morrem. Você aceita isso.

Tirar sua mente das coisas não estava funcionando tão bem quanto eu esperava.

— O que você fez? Você estava trabalhando ou estudando? — Lucas seguiu um padrão de trabalho por vários anos, seguido de estudos durante a maior parte de sua vida de vampiro.

— Eu trabalhei durante os anos de Chicago. Foi uma década incrível, após o fim da Primeira Guerra Mundial, as pessoas queriam comemorar e viver a vida ao máximo. Trabalhei na construção naquela época, ajudando a construir alguns dos primeiros arranha-céus dos Estados Unidos. Também tive meu primeiro carro na década de 20 – um Ford Modelo T. — Ele sorriu. — Na verdade, provavelmente é um carro que você gostaria – era extremamente lento.

Sentada de pernas cruzadas na grama, escutei com muita atenção enquanto Lucas descrevia o início da proibição e os bares clandestinos que surgiram por toda Chicago para as pessoas beberem em segredo. Ele me contou sobre a indústria do contrabando e como gângsteres como Al Capone fizeram fortuna obtendo álcool do outro lado da fronteira no Canadá, levando-o ilegalmente para os Estados Unidos. O sol subiu mais alto no céu acima de nós enquanto Lucas descrevia a música da época, o jazz com Louis Armstrong, os primeiros filmes mudos que você podia ver em uma noite de sábado por um níquel. Ele descreveu salões de dança onde o Charleston e o Lindy Hop eram populares, e como as mulheres se livraram da repressão da década anterior, aceitando empregos, levantando as saias, cortando os cabelos curtos e começando a fumar – uma situação escandalosa na época.

Eu não sabia quanto tempo havia se passado enquanto Lucas falava, deitado na grama com as mãos sob a cabeça. As histórias que ele contava eram tão interessantes que quase esqueci que ele estava sem camisa – quase. Eu ainda me via hipnotizada encarando seu peito de vez em quando, antes de conseguir arrastar meus olhos de volta para seu rosto. Ele me pegou uma ou duas vezes e sorriu.

Um vento frio começou a soprar e Lucas sentou-se, olhando para o relógio.

— Devemos voltar. — Ele se levantou em um movimento ágil, estendendo a mão para pegar a camisa que havia deixado cair tão descuidadamente. Ele vestiu a camisa, deixando-a desabotoada enquanto pegava minha mão e me levantava do chão. Ele se inclinou para me beijar, seus lábios demorando contra os meus. — Obrigado, Charlotte.

— Pelo quê?

— Por tirar minha mente das coisas. E sendo incrivelmente paciente comigo. — Ele segurou meu braço e me virou em um movimento rápido de costas novamente, dando-me um minuto para me acomodar e envolver meus braços em volta de seu pescoço. — Pronta?

Eu balancei a cabeça alegremente e ele partiu no mesmo ritmo inacreditável, disparando pela floresta sem perder uma fração de segundo para ganhar velocidade. Ele correu sem problemas, seus passos seguros e firmes, sua habilidade de navegar por entre as árvores em uma velocidade tão alucinante. O olhar em seu rosto era puro prazer não adulterado – o vento soprando em seu cabelo, o brilho de prazer em seus olhos e eu percebi o quanto ele amava esse elemento de ser um vampiro. A liberdade total de escolher a velocidade, divertindo-se, era incrível ver as emoções em seu rosto enquanto corria colina abaixo, ao longo do rio e de volta pelo jardim para sua casa.

Eu estava mais ofegante do que Lucas quando ele me deixou cair cuidadosamente no caminho de cascalho, me firmando enquanto eu engolia uma lufada de ar.

— Você gostou disso, posso ouvir seu coração batendo forte, — comentou ele.

Eu peguei a mão dele.

— Você gostaria de sentir isso?

Ele acenou com a cabeça timidamente e eu levantei sua mão na minha. Puxando a borda da minha camiseta para longe da minha pele, deslizei sua mão sob o topo do material e o guiei para onde meu coração batia sob meu seio esquerdo. Lucas fechou os olhos e respirou fundo, um pequeno sorriso brincando em seus lábios.

— O calor de sua pele, continuamente me surpreendendo, Charlotte, — ele murmurou suavemente. Ele tirou a mão da minha camiseta e capturou minha nuca, seus dedos ainda quentes onde foram pressionados contra a minha pele. — Eu te amo.

— E eu te amo, — eu concordei com um

pequeno sorriso. Fiquei na ponta dos pés para capturar seus lábios contra os meus. Fomos interrompidos pelo roncar do meu estômago, reclamando do atraso do almoço. Lucas casualmente me soltou e revirou os olhos.

— Vamos, meu amor, vamos pegar um pouco de comida para você.

CAPÍTULO 18
DEFESA

Depois de saciar meu apetite, nos juntamos a todos no pátio, com vista para os jardins. Ben havia chegado em casa cerca de quinze minutos antes, mas Acenith estava ausente, visitando amigos. Thut e seu grupo partiram no dia anterior, voltando para Connecticut, onde estavam morando.

— Então, Lottie? Qual é o plano secreto? — Striker questionou. Como sempre, ele era um feixe de energia, pulando de um pé para o outro enquanto esperava que eu revelasse minha ideia.

— Vou precisar de um voluntário, — afirmei calmamente. De alguma forma, isso não parecia uma boa ideia na luz fria do dia. Eu estava inquieta, imaginando se realmente conseguiria fazer com que os espíritos fizessem o que eu pedia e sem saber como fazer isso. Embora eu tivesse conversado longamente com mamãe e os outros sobre o que eu precisava fazer, eles tinham a maneira mais irritante de me fazer andar em círculos, sem dar respostas específicas e me deixando com a impressão de que usar a presença deles em minha mente era algo que eu teria que dominar sozinha.

— Claro, farei isso — Striker concordou facilmente, seus belos traços realçados por um sorriso largo. — O que eu tenho que fazer?

— Não tenho muita certeza, — murmurei duvidosamente. — Eu não quero te machucar.

O olhar de Striker era desdenhoso.

— Lott, olhe para mim. Parece que vou me machucar?

Olhei para ele, olhando para o torso fortemente musculoso, os braços pesados, cheios de músculos.

— Striker, não tenho certeza de como isso vai funcionar, — admiti. — E eu tenho certeza que se algo poderoso o bastante te atacasse, algo mais poderoso que um vampiro, você poderia se machucar.

Striker desceu as escadas correndo, pulando de vitalidade.

— Dê o seu melhor, Lott. Estou me sentindo bastante seguro.

Lucas apertou meu ombro.

— Ele vai ficar bem, Charlotte. Ele é o mais forte de todos nós.

— Ei, pessoal. — Nick e Marco andaram pela lateral da casa e Nick me cumprimentou com um aceno. — Parece muito melhor, Charlotte. Acho que o lobisomem sabia do que estava falando com aquela pomada. — Ele voltou sua atenção para Lucas. — Pensei que poderíamos vir e ver qual é a arma secreta. — Ele me lançou uma piscadela casual e meus nervos aumentaram exponencialmente. Eu não tinha interesse em causar tanto interesse entre os vampiros e metamorfos.

Momentos depois, Acenith entrou na casa, de mãos dadas com Rafe Munoz, o segundo em comando de Nick. Eles estavam sorrindo e rindo juntos e Rafe bateu seu ombro gentilmente contra o de Acenith, enquanto ela sorria de algo que ele havia dito. Procurei Ripley instintivamente e o encontrei olhando para eles, mas seu rosto era uma suavidade vazia, qualquer emoção cuidadosamente escondida.

— Tudo bem, Lott. O que você quer que eu faça? — Striker chamou do meio da área gramada.

— Apenas fique aí, — eu gritei de volta. Fechei os olhos, convocando os espíritos e automaticamente selecionei mamãe. Ela era a escolha óbvia, aquela que eu já havia estabelecido que faria o que eu pedisse. O problema é, o que exatamente eu preciso que ela faça? O combate físico era uma área da qual eu não sabia nada. Quando abri os olhos, mamãe estava parada na grama ao lado de Striker, me observando com interesse. Fazer Striker tropeçar não teria o efeito desejado e lutei com uma decisão. Era importante provar que eu poderia me defender, mas a ideia de machucar alguém estava me deixando nervosa.

O grupo reunido ficou em silêncio, esperando com curiosidade aberta. Enviei um pedido para mamãe e ela concordou com a cabeça. Para meu absoluto espanto, ela imediatamente atendeu minhas ordens. Ela se virou para Striker e o socou bem no abdômen.

Striker pareceu chocado por um segundo, mas não se mexeu de onde estava, não deu nenhuma indicação de que poderia estar ferido.

— Bem, isso foi bizarro, Lott. Eu senti algo, mas a menos que você esteja tentando me fazer cócegas até a morte, não vai ser realmente eficaz, — ele anunciou com um sorriso alegre.

Os homens de Lingard gargalharam e eu corei, ainda mais convencida de que isso não funcionaria. Talvez eu não pudesse me proteger, se eu não tivesse nenhuma experiência de combate, como eu poderia ensinar os espíritos a usar técnicas de luta?

— Deixe-me tentar outra coisa, — eu gritei de volta, afobada. Eu puxei outro espírito para frente, um dos irmãos de Lucas e ele apareceu ao lado de Striker enquanto mamãe desaparecia. Eu dei a ele comandos e ele se virou e deu um soco no estômago de Striker.

— Nah. Dá para sentir, mas não é poderoso — anunciou Striker alegremente. — Parece que vou te proteger pelo resto da eternidade, Lott.

Belisquei a ponta do nariz, zangada com a alegria casual de Striker e a diversão sarcástica de Nick. Eu tinha que ser capaz de fazer isso, eu não suportaria a ideia de olhar constantemente por cima do ombro pelo resto da minha vida.

Lucas falou rispidamente com Nick e colocou uma mão firme em meu ombro.

— Você pode fazer isso, Charlotte, eu tenho fé em você.

Striker estava quicando, socando o ar como um boxeador enlouquecido.

— Vamos, Lott. Me dê algo para trabalhar aqui.

Eu inalei profundamente, procurando entre os espíritos para localizar o avô de Conal. Um lobisomem corpulento com cabelos grisalhos e olhos cinza ardósia, ele apareceu na grama e eu lhe dei instruções. Ele acenou com a compreensão e arregaçou as mangas da camisa. Raiva e frustração estavam me levando às lágrimas e eu esperava que desta vez pudesse funcionar.

O que aconteceu a seguir surpreendeu a mim e a todos os outros. O avô de Conal virou-se para Striker, puxou o braço para trás e deu um soco rápido para a frente. Assisti horrorizada quando o golpe atingiu Striker no esterno, levantando-o do chão e jogando-o a cinco metros de distância, onde ele caiu pesadamente.

Marianne gritou, descendo rapidamente as escadas e atravessando a grama, Ben e Ripley seguindo atrás. Houve um silêncio atordoado no pátio e eu desatei a chorar, cobrindo o rosto com as mãos. Lucas me pegou em seus braços enquanto eu chorava contra seu peito, convencida de que matei Striker.

— Shhh, meu amor, ele está bem. Shhh. Não chore, Charlotte. Olha! Ele está subindo para o pátio agora. — Eu me contorci em seus braços para encontrar Striker correndo em minha direção com um enorme sorriso no rosto. Lucas me soltou para que Striker pudesse me envolver em um abraço de urso.

— Agora sim, Lott. Vamos fazer de novo.

— Não, não posso. — Eu balancei minha cabeça com veemência, me afastando dele. Foi horrível ver Striker ser arremessado para o ar e embora ele parecesse estar perfeitamente bem, não era algo que eu queria repetir.

— Striker está bem de saúde, Charlotte, — Ben disse, seus olhos castanhos sinceros. — Acabei de perder o fôlego. Seria pertinente continuar esse experimento, ver o quanto você aguenta.

— Não! E se eu machucar alguém? — Eu protestei.

Marianne juntou-se a Striker e sorriu de forma tranquilizadora.

— Eu acho que você deveria continuar, Charlotte. Queremos que você seja capaz de se defender. Striker está bem e sabemos que você não nos machucaria intencionalmente. Mas você deve continuar tentando, é importante para nós e para você, saber que você pode se defender.

Gwynn falou.

— Você faz parte da nossa família, agora. Queremos ter certeza de que você pode se proteger em caso de necessidade.

— Eles estão certos, minha amiga. Você deve continuar e aprender a usar sua habilidade como proteção, — acrescentou Acenith. Ela estava de pé com Rafe ao seu lado, a mão dele ainda ligada à dela.

— Somos todos muito durões, Lottie, — Rafe concordou. — É preciso muito para nos ferir.

— Alguns mais do que outros, — acrescentou Ripley sarcasticamente. Olhei para ele e o vi olhando severamente para Rafe. Talvez ele sentisse mais por Acenith do que deixava transparecer?

— O que isso deveria significar? — Rafe perguntou.

Lucas olhou de Rafe para Ripley, sua expressão

questionadora. Ripley deu de ombros e alisou o rosto em uma expressão neutra.

— Nada. Minhas desculpas, Rafe.

Rowena quebrou o silêncio constrangedor que se seguiu.

— Eu acho que você deve tentar novamente, Charlotte. Somos vampiros, vamos nos curar de qualquer ferimento rapidamente.

— Ok. — Assim que concordei, Striker saltou escada abaixo, certamente não parecendo pior depois de seu encontro com o avô de Conal.

— Por que não tentamos algo diferente? — Ben sugeriu. — Veja se você pode pedir aos espíritos para conter Striker.

Eu apreciei ele me dando algo menos violento para tentar e puxei o avô de Conal de volta à tona.

Na primeira tentativa, ele capturou os braços de Striker, prendendo-os nas costas do poderoso homem. Striker fez de tudo para lutar contra o avô de Conal, mas sem sucesso, ele não conseguia soltar os braços do aperto forte com que estavam presos.

— Notável, — Lucas suspirou. — E bastante bizarro.

Pedi ao avô de Conal para liberar Striker e ele o fez, desaparecendo antes que eu me virasse para Lucas.

— O que é bizarro?

— Você pode ver os espíritos, Charlotte. Não

podemos. Aos nossos olhos, Striker está lutando contra alguma força invisível.

Striker correu em nossa direção, com os olhos brilhantes de aprovação, ainda esfregando os pulsos onde o avô de Conal os havia agarrado.

— Isso foi incrível, Lott. — Ele se virou para Lucas. — Foi imensamente poderoso. Não importava o quanto eu lutasse, não conseguia me libertar.

Lucas sorriu calorosamente, sua expressão cheia de orgulho.

— Parece que Charlotte encontrou uma maneira de se proteger.

— Realmente não foi ideia minha, — eu admiti. — Armstrong colocou o pensamento na minha cabeça. Se ele pode usar os espíritos para atacar as pessoas, por que eu não poderia usá-los para me proteger?

— Que tal tentarmos outra coisa? — Ripley sugeriu suavemente, aparentemente por cima de seu rancor sobre Acenith e Rafe. — Você acha que pode tentar dois de nós ao mesmo tempo?

— Eu acho que sim. — A confiança em minha própria habilidade aumentou depois de duas tentativas bem-sucedidas.

William deu um passo à frente ao lado de Gwynn.

— Eu serei voluntário.

— Talvez Rafe deva ser o voluntário? — Ripley anunciou e desta vez não havia como questionar a emoção em sua voz, era claramente animosidade.

Rafe não parecia incomodado e o ignorou, enquanto Acenith olhava para Ripley como se ele tivesse feito algo surpreendente. Eu me perguntei se ela estava protegendo seus pensamentos, impedindo-o de lê-la e se ela estava genuinamente interessada em Rafe. Ou ela estava provocando Ripley? Se fosse o último, eu esperava que ela pudesse proteger o suficiente para que Ripley não visse o estratagema.

Lucas olhou de Ripley para Acenith e um lampejo de alguma emoção apareceu em sua expressão, mas não consegui decidir o que era. Tinha desaparecido antes que ele falasse.

— William ofereceu primeiro. Deixe ele ir.

— Ótimo, — Ben concordou. — William tem muita experiência em combate corpo a corpo, será interessante ver como ele se sairá contra seus espíritos.

Striker e William correram para o jardim e eu decidi fazer uma experiência, usando um dos espíritos de vampiro e um espírito de lobisomem. Levou um pouco de foco extra para lidar com os dois simultaneamente e eu fiz uma careta, trabalhando para trazê-los para a área gramada do jardim. Mais uma vez, eu os instruí, o lobisomem atacando

Striker, o vampiro enfrentando William. Striker foi derrubado no meio do jardim e William ficou exatamente onde estava.

— O que aconteceu, Charlotte? — Ben perguntou curioso.

— Foi uma experiência. — Observei quando Striker se levantou e olhou para mim com um sorriso encorajador. — Preciso tentar mais uma vez antes de poder lhe dar uma resposta firme. Posso tentar de novo? — Eu chamei os dois homens.

— Claro, essa foi fácil, — respondeu William.

Desta vez, selecionei dois espíritos lobisomens. Para minha grande satisfação, foi mais bem-sucedido e tanto Striker quanto William se viram no ar e voando para trás pela grama, caindo em montes bagunçados no chão.

— Isso é divertido, — Marianne anunciou com um sorriso. — Não é sempre que Striker e William encontram algo que seja um desafio para eles.

Os dois homens correram de volta pela grama, chegando antes que meu olho nu pudesse distinguir seus movimentos.

— Qual foi a diferença entre a primeira tentativa e a segunda? — Perguntou Striker. Ele passou os dedos pelos cabelos compridos, arrumando-os depois dos voos selvagens pelo jardim.

— Pedi a um lobisomem para atacar você e a um

vampiro para atacar William pela primeira vez. Na segunda vez, usei dois espíritos de lobisomem.

Ben assentiu pensativamente.

— Então os espíritos dos vampiros não atacam outros vampiros? Essa é a conclusão?

— Eu penso que sim. Pelo menos é assim que me parece.

Nick deu um passo à frente.

— Bem, vamos testar essa teoria. Vou tentar.

— Você quer enfrentar três de nós? — Perguntou Striker. Ele era um feixe de entusiasmo, obviamente preparado para outra rodada.

— Ok. — Mais uma vez, chamei os espíritos e, como suspeitava, minha teoria se provou correta. O truque era escolher a... espécie certa. Vampiros atacariam metamorfos e presumivelmente lobisomens. Lobisomens atacariam vampiros e metamorfos. E os metamorfos atacariam vampiros e, com toda probabilidade, lobisomens, embora não houvesse como provar isso, já que estávamos sem lobisomens. Parecia que uma criatura não atacaria um de sua própria espécie e depois de várias tentativas, esclareci isso para Lucas e Ben.

Continuamos o teste durante a tarde, Lucas e Ben fazendo várias sugestões de configurações que eles queriam que eu tentasse. A sessão foi muito bem-sucedida, mas tive dificuldade crescente com mais de três pessoas. Mais tornou-se problemático enquanto eu lutava para desviar minha atenção e os espíritos para diferentes combatentes. Quando Rafe se juntou ao grupo no gramado, minha cabeça doía muito com o esforço de tentar criar quatro espíritos e Lucas insistiu que eu me concentrasse em três. Lucas, Ben e até mesmo um Ripley aparentemente mal-humorado pareciam muito impressionados com o progresso que eu fiz e Lucas interrompeu o processo após outra meia dúzia de ataques. Striker, William e Nick correram de volta para o pátio, cobertos de sujeira e manchas de grama, mas ilesos.

— Gostaria de ficar para o jantar? — Rowena ofereceu a Nick e seus amigos quando o céu começou a escurecer. — Posso pedir pizza.

— Não para mim, obrigado. Vou levar Acenith ao cinema — anunciou Rafe.

Espiei Ripley e ele aparentemente perdeu a batalha para esconder suas emoções por trás da calma vampírica. Ele estava fervendo de raiva enquanto olhava para Rafe e Acenith, como se fosse abrir um buraco neles se se concentrasse o suficiente.

— Claro, obrigado, Rowena, — Nick concordou depois de conversar com Marco.

Eu tinha afundado em uma cadeira com Lucas, minha cabeça ainda doía levemente após os esforços mentais da tarde.

— Você está bem? — Lucas perguntou baixinho, brincando com os cachos nos meus ombros.

— Tudo bem, — eu concordei.

— Você gostaria de sair? — ele questionou casualmente.

— Ok. — O desejo de Lucas de me "cortejar" estava fresco em minha mente e não parecia uma boa ideia recusar seu primeiro convite. A curiosidade levou a melhor sobre mim.

— Onde estamos indo?

Ele sorriu provocante.

— É uma surpresa. — Levantando-se, ele me puxou para os meus pés. — Você vai querer tomar banho e se trocar.

Lucas se voltou para Rowena.

— Vamos nos desculpar, Rowena. Vou levar Charlotte para um encontro.

CAPÍTULO 19
PRIMEIRO ENCONTRO

Lucas estacionou em uma vaga na Main Street, contornando o carro para abrir minha porta. Foi uma ação cavalheira, que achei encantadora. Tínhamos dirigido para Puckhaber em seu jipe, em vez do luxuoso carro azul, e percebi o porquê quando entramos na cidade. Puckhaber Falls estava comemorando o início da primavera com seu festival anual e a cidade estava literalmente explodindo com os visitantes que compareceram ao evento.

Lucas pegou minha mão e caminhamos em direção à Main Street, seguindo outros visitantes em direção ao Puckhaber Park, uma grande área de lazer, que ficava perto do centro da cidade em uma grande praça. Daquela distância, eu podia captar os sons, visões e cheiros da atmosfera de feira e apertei os dedos de Lucas ansiosamente.

— Esta foi uma ótima ideia, — eu anunciei alegremente.

— Eu pensei que você poderia gostar. — Lucas soltou minha mão e passou o braço em volta da minha cintura enquanto um grupo de pessoas passava pela calçada estreita. — O que você gostaria de fazer primeiro?

— Comer.

Lucas revirou os olhos para o céu e sorriu ironicamente.

— E mais uma vez, você não consegue me surpreender.

Atravessamos a Main Street e entramos no parque, onde cheiros deliciosos invadiram meus sentidos enquanto caminhávamos entre as barracas de cores vivas. Vendedores vendiam coxas de peru assadas, cachorros-quentes, hambúrgueres e tigelas fumegantes de chili. Decidi por uma coxa de peru e Lucas comprou, entregando-a em dúvida.

— Isso parece horrível.

Dei uma grande mordida e engoli alegremente.

— Muito saborosa.

Ele balançou a cabeça e pegou minha mão na sua, conduzindo-me através da multidão enquanto caminhávamos entre as barracas e exposições. Fiquei maravilhada com o quão confortável Lucas estava, em meio a uma verdadeira miscelânea de aromas, ele estava relaxado e feliz, sem demonstrar o menor sinal de desconforto.

— Você sabe o que aconteceu com Ripley e Acenith esta tarde?

Engoli o bocado de peru que estava comendo e olhei para Lucas.

— Acenith está apaixonada por Ripley e ele não a quer. Ela decidiu namorar e parece que está namorando Rafe.

— E como você sabe de todos esses detalhes, meu amor? — Lucas questionou com um pequeno sorriso de diversão brincando em seus lábios.

— Quando você saiu alguns dias atrás e Acenith estava sentada comigo, ela meio que deixou escapar toda a história de sua vida. Ela estava com raiva porque Ripley levou Jennifer para os estábulos e ela me disse que o amava há muito tempo.

— Ela te contou sobre o passado dela? — Lucas perguntou, seu olhar segurando o meu.

— Sim. Algumas coisas ela meio que encobriu, mas a maior parte ela explicou.

Lucas parou de andar e olhou para mim.

— Acenith nunca conta a ninguém sobre seu passado, nunca fala sobre isso.

Dei de ombros, pegando um pedaço da coxa de peru e mastigando pensativamente.

— Ela disse algo assim, mas deve ter se sentido à

vontade porque conversamos muito. Ela estava tentando decidir o que fazer sobre a situação de Ripley.

Lucas levantou uma sobrancelha.

— A situação Ripley?

— Sim. Ele não a quer, e isso a estava deixando louca. Então ela decidiu começar a namorar outras pessoas.

— Ela já namorou antes.

— Ela me disse isso, mas ela diz que nunca namorou quando estava morando com Ripley na mesma casa. Agora ela está.

— Você teve algo a ver com essa mudança de estratégia?

Mordi o lábio, olhando para Lucas com cautela.

— Seria ruim se eu tivesse?

Lucas riu.

— De jeito nenhum. Venho tentando convencer Ripley a agir de acordo com seus sentimentos há anos.

Era a minha vez de levantar uma sobrancelha surpresa.

— Como?

Lucas balançou a cabeça.

— Ripley amou Acenith desde o momento em que a viu. Ele nega isso para si mesmo por anos, convencido de que seria errado para ele começar um relacionamento com ela, quando ela era tão jovem e

255

ele era... responsável por sua condição, — ele terminou cautelosamente, lançando um olhar atento para a multidão que se aglomerava em volta de nós.

— Considerando há quanto tempo ela tem essa... condição, eu teria pensado que ele poderia ter feito algo bem antes de agora, — eu retorqui suavemente. — Então, se isso o obriga a fazer um movimento, certamente isso seria uma coisa boa.

Lucas sorriu.

— Sim, seria uma coisa boa. Mas não se envolva mais, meu amor. Ripley e Acenith dançaram juntos por muito tempo. Acredito que eles devem resolver isso sozinhos, sem qualquer ajuda sua, minha pequena cupida.

— Mas eu quero ajudar Acenith, — protestei.

— Você já fez o suficiente, Charlotte. Você deixou Acenith ver que talvez fazer isso de outra maneira poderia ser benéfico. Agora eles devem resolver isso por si mesmos...

— Mas...

Lucas se inclinou, pressionando um beijo entorpecente contra meus lábios.

— Não mais, meu amor. Por favor, deixe Ripley e Acenith resolverem seus problemas por conta própria. Não os pressione a tomar uma decisão precipitada.

— Isso é possível depois de tanto tempo?

Lucas roçou outro beijo na minha orelha, sussurrando para mim.

— Eu sou o líder do Beijo, Charlotte. Embora eu possa dar conselhos e incentivos, não posso pressioná-los a fazer algo que não tenho como saber se será benéfico para ambos. O amor é algo que não podemos garantir e eu peço que você os deixe por conta própria, para decidir por si mesmos como isso vai acontecer. Seria uma coisa ruim se eles fossem empurrados para algo e não desse certo. Perturbador tanto para si mesmos quanto para os outros membros do nosso grupo.

Suspirei pesadamente, sabendo que ele estava certo.

— Ok. Eu prometo que vou deixá-los fazer isso.

Ele me recompensou com um sorriso lindo e outro beijo carinhoso e voltamos a passear pelas exposições.

Terminando a coxa de peru, limpei o rosto com um guardanapo e joguei o lixo em uma lixeira próxima.

— O que fazemos agora?

— Que tal alguns brinquedos? — Lucas sugeriu.

Eu concordei e Lucas nos conduziu até as atrações, que ficavam em semicírculo nos fundos do parque. Ele comprou vários ingressos e, durante a hora seguinte, nos deliciamos com brinquedo após brinquedo. Lucas me levou na roda-gigante e giramos lentamente com uma vista gloriosa de Puckhaber Falls abaixo de nós na escuridão. Ele conversou baixinho com o operador antes de embarcarmos e eu o vi entregando alguma coisa, embora não conseguisse ver o que era. Percebi quando chegamos ao topo do passeio e paramos suavemente, a gôndola balançando suavemente na brisa.

— O que você fez? — Eu questionei acusadoramente, avistando o pequeno sorriso brincando nos lábios de Lucas.

— Eu queria algum tempo com você em privacidade aqui. Eu dei a ele cinquenta dólares e ele concordou em nos dar cinco minutos no topo, — Lucas admitiu.

— Uau. Dez dólares por minuto. É melhor aproveitarmos ao máximo, — eu respondi com um sorriso.

Lucas deslizou os braços em volta da minha cintura e quando ele me beijou, senti o familiar frio na barriga quando seu aroma me envolveu. Seus beijos eram insistentes, seus lábios frios e firmes contra os meus e eu corri meus dedos por seu cabelo escuro, querendo manter esse momento para sempre. Cinco minutos depois, o brinquedo lentamente começou a virar de novo e Lucas me soltou com relutância, pressionando um último e demorado beijo na minha bochecha.

— Deveria ter dado a ele cem, — ele resmungou baixinho.

Eu ainda estava rindo quando saímos do brinquedo e Lucas passou o braço em volta da minha cintura, me segurando perto enquanto saíamos em busca de uma bebida. Encontramos um estande perto da pista de dança e Lucas me conduziu a um assento antes de ir comprar um refrigerante.

Foi divertido sentar e assistir os casais dançando curtindo a música. A música ao vivo estava sendo tocada pelo que eu presumi ser uma banda local e eles eram muito bons, tocando músicas que faziam você bater os pés. Estava lotado, com dezenas de pessoas circulando na noite amena de primavera. Sorri com indulgência enquanto observava casais, jovens e velhos, na pista de dança, com crianças misturadas entre eles, deslizando pela pista de dança de meias. Captei o sussurro de uma voz em minha cabeça e escutei a mensagem.

Lucas deslizou para o banco de madeira ao meu lado alguns minutos depois, me entregando uma garrafa de refrigerante.

— Gostaria de dançar depois de beber?

— Eu adoraria. — Eu torci a tampa do refrigerante e bebi um pouco antes de recolocar a tampa. — Acho que precisamos preencher mais algum tempo antes de irmos para casa, isso dará a

Ben e aos outros mais tempo para terminar a discussão.

Lucas pareceu surpreso por um momento, uma sobrancelha erguendo-se sarcasticamente enquanto olhava para mim.

— Agora, o que faz você pensar que eles estão discutindo alguma coisa? E do que você acha que eles estão falando?

Abri a tampa do refrigerante e tomei outro gole.

— Galen me disse. — Olhei ao redor com cautela, mas as pessoas ao nosso redor estavam ocupadas com suas próprias conversas. Além de algumas jovens olhando para Lucas com aquele brilho predatório em seus olhos, eu tinha certeza de que nossa conversa era privada. — Desde que voltamos de Nova Orleans, fiz o que você sugeriu e mantive minhas linhas de comunicação abertas. Os espíritos aparecem e me dizem tudo o que acham importante. Galen falou comigo enquanto você pegava o refrigerante, me disse que os outros estão preocupados com o que aconteceu esta tarde. Ele diz que estão discutindo questões de segurança relacionadas à minha presença. — Eu levantei meu olhar para Lucas e o encontrei olhando para mim sem palavras. — Mas acho que você já sabia disso.

Lucas se inclinou para a frente, apoiando os cotovelos nos joelhos. Juntando as mãos, ele pensou por um minuto antes de falar.

— Eu posso ver que vai ser quase impossível esconder as coisas de você, Charlotte.

— Então é verdade, — eu disse calmamente. Eu não sabia como me sentia. Magoada? Nervosa? Eu não podia culpá-los por se perguntarem se era seguro me ter por perto, mas pensei que todos me aceitariam. Pelo que Galen me disse, eu me perguntei agora se isso era verdade.

Lucas suspirou, baixando o olhar para o chão abaixo de seus pés.

— Sim, estou ciente de que eles estão discutindo sobre você enquanto estamos fora. Falei com Ripley e Ben enquanto você estava no chuveiro. Não é o que você acredita, no entanto. Eles estão cem por cento com você e querem que você viva conosco. Isso não mudou. — Ele olhou ao redor da multidão e baixou a voz, inclinando-se para mim, então ele estava a poucos centímetros do meu rosto. — O que eles – e eu mesmo – estamos preocupados é se é seguro você continuar morando conosco. Não é com a nossa segurança que estamos preocupados. É com a sua.

— Eu não entendo.

Lucas pegou minha mão, segurando-a entre as palmas.

— Você sabe mais sobre nós agora do que qualquer um. Lembra daquelas... outras pessoas? Aqueles sobre os quais conversamos?

Eu balancei a cabeça.

— Os que vivem na Europa.

— Sim. Uma das razões pelas quais não pude dizer o que sou foi por causa das regras pelas quais somos governados. Essas pessoas, — ele olhou ao redor, garantindo que nossa conversa permanecesse privada, — vivem na Romênia e são, para todos os efeitos, como um governo para pessoas como eu.

— Vocês têm... um *governo*? — Este não era o tipo de conversa que deveríamos ter em um local público, mas eu estava impaciente para entender a informação que Galen havia fornecido e seu contexto para o que Lucas estava explicando.

— De certa forma, — Lucas respondeu cautelosamente. — Eles são chamados de Consiliului Suprem de Drâghici Vampiri. Você se lembra que eu disse a você o quão poderosas essas pessoas são?

— Sim.

— Uma de nossas regras é não contar a pessoas... como você... sobre pessoas... como nós.

— E você me contou.

— Tecnicamente, eu não contei. Ambrose lhe contou. Mas ele está morto e se o Consiliului descobrir sobre você, eles vão presumir que a informação foi repassada por mim e pelos outros.

— E isso seria... ruim? — Estava difícil seguir essa conversa cautelosa e seria melhor conduzi-la em privacidade. Mas eu precisava saber, queria saber o que isso significava para mim, para nós. E se eu teria que tomar a decisão de deixar Lucas e seu Beijo.

— Não é tão ruim quanto se eles descobrissem sobre seu dom particular. Eles gostam muito de colecionar... itens interessantes. — Ele olhou para mim, seus olhos azuis transmitindo o significado do que ele estava dizendo.

— E... eles me achariam interessante.

— Muito, muito interessante.

— Lottie! Lucas! — Eu me virei e vi Hank parado por perto, vestido com uma camisa xadrez azul e jeans. Ele estava de mãos dadas com uma mulher mais ou menos da idade dele e imaginei que fosse sua esposa.

Hank diminuiu a distância entre nós e beijou minha bochecha.

— É bom ver você, garota. Vejo que você tirou o gesso.

— Oi, Hank. — Eu o abracei brevemente antes que ele se virasse para apertar a mão de Lucas.

— Esta é minha esposa, Mary. Mary, esta é Charlotte Duncan e você conhece Lucas.

Ela era uma mulher pequena, com cabelos grisalhos e um rosto amigável dominado por penetrantes olhos azuis. Vestindo um par de jeans desbotados e uma camisa vermelha, ela parecia realista e totalmente atraente.

— Oi, Lottie, é um prazer conhecê-la. Hank me contou muito sobre você.

— Oi, Mary, — Lucas disse com um sorriso encantador.

— Lucas, não o vemos há séculos. Como você tem estado?

— Bem, Mary. Bem.

Hank estendeu a mão.

— Agora, Srta. Charlotte, que tal você e eu irmos e passearmos pela maravilhosa pista. Você vai honrar um homem velho e me deixar tirá-la para dançar?

Olhei para Lucas e ele concordou com a cabeça.

— Vá em frente, Charlotte. — Eu entreguei a ele o refrigerante e Hank me puxou para a pista de dança, colocando uma mão na minha cintura e pegando minha mão na dele. A música era mais antiga e Hank me girou pela pista de dança, conduzindo-me habilmente depois que eu admiti que não era uma boa dançarina.

— Você e Lucas parecem muito felizes juntos.

Meu olhar automaticamente procurou Lucas onde ele estava conversando com Mary e acenou com a cabeça.

— Sim, estamos muito felizes.

— Ainda está planejando se mudar?

— Sim, deve ser nos próximos meses.

— Puxa, vou sentir falta de você aparecer

quando estiver fora. Você parece muito melhor agora, como se tivesse descoberto a vida novamente. Você está parecendo realmente feliz.

Desviei minha atenção de Lucas e sorri para Hank.

— Sim, eu estou feliz. — E, no entanto, a preocupação me atormentava. E se os amigos de Lucas decidissem que era muito perigoso para mim morar com eles? Para onde eu iria? O que eu faria? Lucas disse que poderia ser muito perigoso para mim viver com vampiros. Isso o incluía?

A música mudou e Lucas atravessou a pista de dança.

— Posso interromper?

— Claro. — Hank beijou minha bochecha. — Te vejo mais tarde, Lottie. Melhor ver se Mary quer outra dança antes de irmos para casa.

Lucas me puxou para seus braços, seu braço em volta da minha cintura e capturando minha mão na dele. Ele me puxou até que eu estivesse perto dele e habilmente me guiou pelos degraus.

— Preciso te dar aulas de dança, meu amor, — ele murmurou quando tropecei.

— Não é justo, você viveu todas as boas décadas de dança, — eu resmunguei baixinho.

— A dança de salão ressurgiu nos últimos anos, podemos ir às aulas, se você quiser.

Ergui a cabeça, esquecendo momentaneamente

de observar meus pés. Eu tropecei e Lucas me segurou com firmeza enquanto eu recuperava o equilíbrio.

— Você não quer dizer que podemos ir às aulas se você e os outros não saírem sem mim?

Lucas parou de dançar, sua expressão séria.

— Charlotte, precisamos conversar sobre isso mais detalhadamente e não aqui. Mas posso garantir que não tenho nenhuma intenção de deixá-la para trás. Podemos nos separar dos outros, mas eu permanecerei com você.

Eu o olhei com desconfiança.

— Mesmo que seja mais seguro para mim não estar com... *seu* povo? — Era enlouquecedor continuar falando em código assim, mas com a pista de dança lotada, havia pouca escolha.

Lucas sem esforço pegou o ritmo novamente e murmurou em meu ouvido.

— Não importa o que os outros decidam, eu permanecerei com você. Se acontecer alguma coisa desagradável, e duvido muito que precisemos nos preocupar com isso no futuro próximo, você e eu ainda estaremos juntos. Eu prometo a você, minha Charlotte. Eu nunca te deixarei.

Alívio inundou minha mente, a intensidade em sua voz confirmou que ele estava dizendo a verdade.

Outra interrupção veio na forma do toque do meu celular e eu o tirei do bolso da minha calça jeans. Eu sabia que seria Marianne sem verificar o identificador de chamadas e atendi, colocando minha mão no outro ouvido para que eu pudesse ouvi-la.

— Oi, Marianne.

— Pelo amor de Deus, por favor, pare de se estressar, — Marianne repreendeu com firmeza. — Sim, conversamos sobre você ficar conosco e o consenso geral é que estamos todos muito felizes com o status quo. As chances de o Consiliului descobrir sobre você são pequenas e não vejo nada no futuro que nos preocupe.

Eu ri.

— Marianne, talvez você não seja totalmente confiável.

— Eu posso confiar em você regularmente com o seu futuro, — Marianne respondeu com um toque de ironia em sua voz. — Posso não ver tudo, mas parece que vejo mais do seu futuro do que o de qualquer outra pessoa. Por enquanto, estamos seguros. O problema com você, Charlotte, é que você pensa em termos humanos no que diz respeito ao imediatismo. Nós, vampiros, que vivemos por muito mais tempo do que você, sabemos que as coisas podem levar décadas para acontecer. Ou um milênio. Além disso, — ela continuou, — todos nós concordamos que você está mais segura conosco cuidando de você e continuaremos a fazê-lo.

O resto do estresse se dissipou de meus ombros e eu sorri para Lucas, que estava me observando calmamente.

— Ok.

— E Charlotte?

— Sim?

— Nunca pediremos que você nos deixe. Está claro? Então pare de se preocupar e divirta-se.

— Ok. — Desliguei a ligação e olhei para Lucas. — Eu acho que você entendeu a essência disso?

Ele me puxou de volta para seus braços.

— Sim. Eu ouvi a conversa. Agora, podemos relaxar e aproveitar nosso primeiro encontro oficial? — Ele beijou minha testa e eu relaxei contra ele, sabendo que o que quer que acontecesse no meu futuro, Lucas e seu beijo estariam ao meu lado.

CAPÍTULO 20
FORTALECIMENTO

— Caramba! — Striker havia me vencido mais uma vez, jogando Mario Kart no Nintendo Wii.

— Eu disse a você, é impossível me vencer. Eu tenho reflexos de vampiro, Lott. Superior ao seu em todos os aspectos, — gabou-se Striker com um sorriso triunfante.

— Crianças, — Rowena comentou suavemente. Ela estava sentada à mesa do computador, vasculhando o eBay.

— Você quer uma revanche? — Striker ofereceu. — Vou até te dar uma vantagem de cinco segundos.

— Ok, mas sem vantagem. Se não posso vencer por meus próprios méritos, não quero vencer de jeito nenhum — anunciei, assumindo uma postura moral elevada.

— Seu funeral, — Striker deu de ombros com indiferença.

As últimas semanas foram tranquilas, desfrutar da companhia de pessoas que eu estava começando a amar me deu um novo sopro de vida. Meus dias eram continuamente preenchidos com felicidade e isso se refletia em meu bem-estar geral. Olhando no espelho agora, a garota que olhou para mim estava feliz e saudável, com olhos brilhantes, pele que brilhava com boa saúde, cabelos brilhantes. As cicatrizes do meu sequestro haviam desaparecido para quase nada, embora, se eu olhasse de perto, pudesse ver as marcas fracas no meu peito.

Com uma dieta constante de alimentos nutritivos, meu peso se estabilizou e ganhei os quilos que perdi. Lucas achava minha figura curvilínea ainda mais desejável e o calor ardente em seus olhos mostrava o quanto ele gostava de observar aquelas curvas quando eu passava por ele ou quando estávamos sozinhos.

Depois de muita contemplação, comecei a tentar estabelecer um relacionamento com meu pai. Nosso contato consistia em e-mails, envio de mensagens regulares e nos conhecendo aos poucos. Era algo que eu não queria apressar e Ben e Rowena em particular estavam me apoiando nos primeiros passos incertos para estabelecer uma conexão. Foi bom saber mais sobre meu pai e sua família. Eu duvidava que pudéssemos estabelecer um relacionamento normal, mas era um começo positivo.

Meus relacionamentos dentro do Beijo de Lucas foram de força em força. Quanto mais tempo eu passava com eles, mais eu gostava deles. Achei as conversas com Ripley estimulantes, quando ele não estava escrevendo, ficava feliz em sentar e conversar comigo. A sua história estendeu-se por quatrocentos anos e nada me agradou mais do que visitá-lo nos estábulos e examinar as muitas fotografias e pinturas penduradas nas paredes. Seguindo o pedido de Lucas, eu evitei o relacionamento complicado de Acenith e Ripley e Ripley nunca tocou no assunto.

Rowena tornou-se mais como uma mãe para mim com o passar do tempo, embora ela não pudesse substituir mamãe, ela era uma substituta brilhante. Calma e segura, ela fornecia um ombro sensível e carinhoso para me apoiar quando surgia a necessidade. Ela ofereceu orientação quando precisei e um ombro para chorar quando tive um dia ruim.

E eu ainda estava tendo dias difíceis. Apesar da minha felicidade e dos antidepressivos que Jerome prescreveu, durante alguns dias sofri por acordar deprimida e lutei para me recuperar. A perda da minha família pesou muito e Jerome afirmou que a depressão poderia continuar por algum tempo. Todos insistiam que eu estava indo bem, considerando tudo o que eu tinha vivido nos últimos anos. Quando contemplei minha existência antes de conhecer Lucas, tive que admitir que minha recuperação estava acima e além do que eu considerava possível.

— Ok, você está pronta, Lott? — A voz de Striker interrompeu minhas reflexões e peguei o controle, pronta para tentar vencer novamente. Esse era um padrão entre mim e Striker há alguns dias, um jogo de Mario Kart no final da tarde havia se tornado uma competição de proporções gigantescas. É claro que a disputa era ridiculamente unilateral, Striker naturalmente se destacava em tudo e, embora eu já tivesse jogado Wii e Mario Kart no passado, ele me derrotou em todas as corridas. Incomodava-me que ele sempre ganhasse, mas eu estava determinada a encontrar uma maneira de vencê-lo, de um jeito ou de outro.

— Vocês dois nunca vão desistir disso? — Lucas questionou tranquilamente, caindo no sofá ao meu lado.

— Não. — Eu estava concentrada na corrida e pelo canto do olho, percebi o movimento sutil da cabeça de Lucas. Embora ele fosse um homem completamente moderno em muitos aspectos, ele não havia abraçado os videogames e não entendia por que Striker e eu fizemos uma competição tão grande com isso. Para Lucas, era algo irreal, um mundo de mentira que ele não entendia e não conseguia ver graça.

Tanto quanto eu estava preocupada, era escapismo no seu melhor. Quando estava jogando, não precisava pensar nas coisas mais mundanas da vida. *Huh*, pensei comigo mesma, *coisas mundanas. Isso é uma piada. Eu vivo com vampiros, a vida certamente não poderia ser considerada mundana.*

O veículo de Striker estava se afastando do meu, seus reflexos superiores ao fazer as curvas. Desta vez eu tinha um plano, e esperei meu tempo, acompanhando-o tanto quanto possível, mas não fazendo nada estúpido, como cair de um penhasco que me deixaria muito atrás dele.

No final da segunda volta, coloquei meu plano em ação, mudando um pouco do meu foco para os espíritos. Eu estava ciente de Lucas me olhando com curiosidade e eu sorri.

Striker já gritava sobre a vitória quando o controle foi arrancado de suas mãos. Eu ri alto, dirigindo meu carro com cuidado ao redor da pista enquanto pelo canto do meu olho eu podia ver mamãe correndo pela sala com o controle do Striker agarrado em sua mão triunfantemente.

Striker rugiu de surpresa e pulou do sofá. Eu estava curvada, tremendo com o riso descontrolado enquanto guiava meu carro pela linha de chegada.

— Não é justo, Lott — Striker resmungou enquanto perseguia o controle flutuando pela sala. Eu podia imaginar o que os outros estavam vendo – um controle se movendo sozinho e Striker tentando em vão pegá-lo. Embora ele fosse muito mais rápido do que mamãe, ela tinha a vantagem de ser invisível para ele, consequentemente ela se contorcia e girava ao redor da sala, mantendo-se fora do alcance de Striker.

Continuando a berrar como um touro ferido, Striker persistiu em perseguir mamãe e logo todos na casa se juntaram a nós, curiosos para saber o que era a confusão. No momento em que puxei mamãe de volta para os recessos da minha mente, todos estavam rindo e Striker me deu um tapa na cabeça.

— Trapaceira.

— Eu não sou uma trapaceira, — eu protestei. — Você continuou me dizendo que usa seus reflexos de vampiro superiores, acho que, neste caso, usei minhas habilidades psíquicas superiores.

— Ela pegou você, Striker — concordou Ripley. — Essa foi a coisa mais engraçada que vi em muitos anos.

— Então, deixe-me ver se entendi, — disse William com um sorriso confuso, — agora você pode chamar os espíritos sem ter que se concentrar totalmente neles?

Estiquei minhas pernas, considerando sua observação.

— Sim, eu acho que sim. — Foi uma surpresa quando percebi que era verdade. Enquanto Ben e Lucas encorajavam ativamente minha prática de defesa com os homens, eu geralmente precisava me concentrar intensamente para conseguir que os espíritos fizessem o que eu queria. Eu não tinha notado que estava ficando mais fácil. Sempre presumi que precisava me concentrar profundamente e agi de acordo. Depois do incidente com o controle, parecia que talvez eu não precisasse trabalhar tanto para pedir ajuda agora.

— Surpreendente, — Ben comentou suavemente.

— Não há dúvida de que suas habilidades estão aumentando em um ritmo notável, — Lucas concordou. Ele pegou minha mão e se inclinou para me beijar. — Como foi sua manhã? Você passou o tempo todo jogando este jogo com o Striker? — Lucas e William foram para o Billings cedo esta manhã, para começar os preparativos para nossa partida de Puckhaber.

— Não! — retruquei indignada. — Passei a manhã inteira pintando, só estamos jogando há cerca de uma hora.

Lucas apertou meus dedos.

— Você sabe que só estou brincando com você.

Inclinei-me para beijar sua bochecha.

— Sim, eu sei.

Ele deu um tapinha na minha coxa.

— Agora, você precisa praticar um pouco.

— Sério? — Eu gemi.

Lucas sorriu.

— Sim, com certeza. Você está indo tão bem com suas aulas, precisamos mantê-la praticando. Dada a proeza que você acabou de mostrar, estou esperando grandes coisas esta tarde.

Striker, William, Ripley, Lucas e eu saímos para o jardim. Ben estava trabalhando e Marianne e Acenith estavam visitando a biblioteca em Puckhaber. Gwynn saiu para assistir e Rowena apareceu alguns minutos depois com um copo e uma jarra de suco em preparação para quando eu precisasse. Lucas insistia em trabalhar com minhas habilidades todos os dias, e não seria dissuadido – não importa o quanto eu reclamasse. Rowena começou a preparar bebidas e lanches para me manter motivada, o que foi uma tarefa árdua. Eu nunca seria uma lutadora, odiava usar os homens como cobaias. Foi uma ocasião em que Lucas e eu discordamos – ele insistiu que eu precisava fazer isso para me proteger – eu insisti que tinha aprendido o suficiente e não queria me tornar mais combativa. Eu tinha feito o que esperava fazer – eu poderia usar minha habilidade para ganhar algum tempo se fosse atacada. Eu não queria machucar ninguém e me preocupava com a segurança dos meus amigos.

Começamos como sempre fazíamos, com Lucas dirigindo a prática e aumentando gradativamente o que ele me pedia. Primeiro, trabalhei com Striker, acrescentando William, depois Ripley. Nós trabalhamos em uma combinação dos espíritos atacando e contendo os vampiros e Lucas se juntou ao grupo no gramado depois que eu consegui conter e atacar os três homens várias vezes. Essa foi a parte mais difícil, ainda lutei com mais de três, mas Lucas continuou me garantindo que lidar com mais era necessário. Como eles sempre me lembravam, Laurence Armstrong tinha enviado quinze metamorfos – não podíamos garantir que seria menos da próxima vez. A sugestão de uma próxima vez era o aspecto mais inquietante, uma possibilidade que me incomodava mais do que eu estava disposta a admitir.

— Você está indo bem, Charlotte, — Rowena gritou do pátio. Ela e Gwynn estavam sentadas juntas nas cadeiras do pátio, elegantes e calmas com óculos de sol protegendo seus olhos do brilho do sol.

Sorri levemente para ela, caminhando em

direção ao pátio para tomar um copo de suco antes de tentar novamente.

— Gostaria que não fosse necessário.

— Espero que não seja necessário, — Gwynn ofereceu. — Não podemos estar sempre com você, Charlotte, então, mesmo que não seja necessário, é reconfortante para nós saber que você pode se proteger.

Com um pequeno resmungo baixinho, voltei para a grama para continuar treinando. Lucas e Ripley estavam juntos e Lucas olhou para cima enquanto eu caminhava, sorrindo com ternura.

— Pronta, meu amor?

Eu bufei um suspiro.

— Sim.

— Acho que devemos tentar algo novo, Charlotte, — começou Ripley. — Temos trabalhado em manobras passivas até agora, mas acredito que também devemos prepará-la para inimigos menos complacentes.

Eu levantei uma sobrancelha em questão.

— O que Ripley está tentando dizer, de uma forma totalmente complicada, é que qualquer um que vier atrás de você não pode ficar parado esperando que você o contenha ou ataque, — explicou Striker, juntando-se ao nosso pequeno grupo. — Você precisa aprender a atacar um alvo em movimento, Lott.

— Eu não acho que posso fazer isso, — eu admiti. — Vocês se movem muito rápido.

— Sua mente pode se mover mais rápido, — Lucas me assegurou suavemente. Ele passou o braço em volta da minha cintura, pressionando um beijo na minha testa. — Eu não pediria isso a você, se não achasse necessário.

— Então o que devo fazer?

— Vamos começar com William tentando atacá-la. Ele vai correr em sua direção e eu quero que você tente fazer seus espíritos capturá-lo ou atacá-lo. O que você achar que funcionará melhor para a situação, — explicou Lucas.

William me ofereceu um pequeno sorriso.

— Você precisa se lembrar que não vou apenas correr para você, podemos pular em alta velocidade também.

Eu balancei a cabeça, já preocupada com essa nova ideia. Eu tinha visto o quão rápido eles podiam se mover e não pensei que poderia fazer qualquer coisa para detê-los. Eles estariam em cima de mim antes que eu tivesse a chance de pedir a ajuda dos espíritos.

Como eu suspeitava, foi desastroso, eu estava lutando para chamar um espírito antes que William estivesse em mim. Ele não atacou fisicamente, desviando no último minuto, mas mais de uma vez, eu gritei quando ele passou correndo em um borrão, fazendo meu cabelo balançar na brisa que ele criou.

Lucas ficou na beira do gramado, oferecendo encorajamento e orientação e, com o passar do tempo, fiz um progresso modesto, mas meus ataques eram muito pequenos e tarde demais.

Ouvi o telefone tocando e pelo canto do olho vi Rowena entrar para atender, então minha atenção foi capturada por um vampiro parado perto da casa. Ele era alto e loiro, suas roupas sujas e desgrenhadas. Ele largou uma mochila no chão e examinou o jardim, parando em mim, a única pequena humana. Fiquei apavorada, mas William correu em minha direção na mesma fração de segundo e não tive oportunidade de gritar um aviso.

CAPÍTULO 21
HOLDEN

Várias coisas aconteceram ao mesmo tempo. O misterioso vampiro saltou do pátio e ouvi Gwynn gritar. Lucas lançou-se em movimento do outro lado do jardim em uma explosão de movimento sobre-humano. Com o canto do olho, vi o estranho correndo em minha direção e caí para trás, caindo no chão. Striker agarrou o estranho, mas ele foi rápido demais, escapando das mãos de Striker enquanto corria como um guepardo em minha direção. Eu me arrastei para trás, vi Lucas se lançar em direção ao vampiro estranho enquanto Ripley saltava para frente. Parecia que todos os homens iriam atingir um ponto crucial – eu – no mesmo instante. Apesar de tudo isso acontecer em milissegundos, aos meus olhos, estava acontecendo em câmera lenta. Em pequenas frações de segundo de tempo, eu os observei vindo em minha direção, sabia que eles não poderiam ser parados. O estranho ia me atacar antes que os outros pudessem alcançá-lo.

Eu me encolhi, certa de que seria atacada. Minha mente ficou totalmente, pacificamente em branco, clareada naquela fração de segundo infinitesimal e eu instintivamente estendi minha mão para frente e para cima.

Um flash de luz branca e luminosa irrompeu da ponta dos meus dedos e se espalhou na direção dos homens. Lucas e o estranho foram pegos pelo corpo principal da luz, que os puxou para trás no ar como bonecos de pano. Seus corpos se dobraram sobre si mesmos como se tivessem sido atingidos por um punho gigante e invisível. O estranho invadiu a casa, arrebentando as portas do pátio. Lucas foi jogado contra a parede da casa, as pedras se quebrando e um fluxo de poeira e pequenas pedras em erupção quando seu corpo bateu e depois caiu no chão do pátio. William e Striker foram pegos nas bordas periféricas do brilho branco, com William jogado nas árvores além da grama, onde se chocou contra o tronco de uma grande árvore que margeava a margem do rio. Striker estava saltando em direção ao estranho e ele foi jogado de volta na grama, seu corpo cavando uma trincheira na grama para revelar a terra marrom úmida abaixo. Apenas Ripley escapou ileso, longe o suficiente do centro da explosão para escapar de ser pego por ela.

Gwynn gritou e saltou agilmente do pátio, correndo para William e levantando-o em seus braços. Ripley correu para Lucas, onde ele jazia cercado por madeira quebrada e pedra e coberto por uma camada branca e empoeirada de pó de cimento.

Ofegante, desviei meus olhos de Lucas e mudei meu foco de volta para os outros, cautelosa com outro ataque. Striker havia se levantado e, mancando muito, caminhava em direção à casa. Rowena saiu correndo e se ajoelhou ao lado de Lucas, ajudando Ripley a endireitar as pernas. Quando me virei para Gwynn e William, Gwynn estava boquiaberta para mim, apreensão gravada em suas belas feições. Ela parecia não ter me reconhecido e estava obviamente assustada com o que eu tinha feito.

Havia um zumbido incessante em meus ouvidos e minha pele estava fria, gelada. Ouvi o barulho de pneus e portas de carros batendo, então Acenith apareceu na minha visão periférica, aproximando-se lentamente, seus movimentos calmos e deliberados.

— Charlotte?

Com os olhos arregalados e horrorizada, tentei explicar.

— Acenith, eu não queria fazer isso...

— Claro que não, — Acenith disse suavemente,

estendendo a mão para mim. — Por que não te levo lá para cima? Vamos limpar e enfaixar sua mão.

Eu não entendi o que ela estava dizendo. Toquei minha mão e como se precisasse de um toque para criar sensação, ela começou a latejar. Olhando para baixo, vi que tinha arranhado a palma da mão quando caí, manchas de sangue brotando na superfície da pele. Minha atenção voltou para onde William estava deitado, Gwynn embalando sua cabeça em seu colo. Marianne correu pelo pátio, seguindo o caminho que Striker havia feito. Olhei nos olhos de Acenith, as lágrimas começando a cair dos meus.

— O estranho, ele ia me atacar.

— Ele não é um estranho, Charlotte. Ele é o irmão de Striker, Holden. Ele normalmente mora conosco, mas está viajando há meses. Não sabíamos que ele voltaria hoje.

— Ele ia me atacar, — eu repeti inexpressivamente.

— Venha para dentro comigo, Charlotte, — Acenith insistiu baixinho.

— Eu... eles...

— Tenho certeza de que eles vão ficar bem, — garantiu Acenith. — Agora, eu preciso tirar você daqui... o sangue...

Eu estava abruptamente consciente da minha

mão novamente, notando as pequenas gotas de sangue.

— Eu irei. O sangue... eu mesma posso limpá-lo.

— Acho que devo ir com você, — insistiu Acenith. — Eu me alimentei esta manhã, ficarei bem com o sangue. Você deve ter alguém com você, já que teve um choque terrível.

— Não! — Eu gritei, balançando a cabeça com veemência. Ela poderia insistir que estava bem com sangue, mas as pontas de seus incisivos pressionavam seu lábio inferior. Eles eram vampiros. Era perigoso sangrar perto de vampiros. Eu me levantei. Afastando-me nervosamente de Acenith, tentei não olhar para Lucas e William, tentei não ver a expressão horrorizada nos olhos de Gwynn. Eu tropecei ao redor da casa, soluços saindo da minha garganta enquanto eu subia correndo, subindo dois degraus de cada vez. Corri pelo corredor e entrei no meu quarto, caindo de joelhos e ofegando de horror com o que havia observado. O que eu fiz? Como isso aconteceu?

Ajoelhei-me no chão por um tempo, tentando entender exatamente o que havia acontecido. Como todos eles foram pegos assim? Eu não fiz nada, não houve tempo para chamar os espíritos, então o que causou os eventos que eu testemunhei? Eu sabia, sem dúvida eu tinha feito isso, mas o que *exatamente* eu tinha feito? O irmão de Striker ia me atacar. Ele não ia? Por que outro motivo ele de repente teria corrido em minha direção? Por que todos eles correram em minha direção? Eu cometi um erro? Um pensamento devastador me atingiu. Eu os *matei?*

Puxando lenços de papel da caixa na mesa de cabeceira, assoei o nariz e enxuguei as lágrimas. Minha respiração se acalmou enquanto eu analisava o que tinha acontecido, tentando entender.

Fiquei assustada com a aparição repentina de Holden, mas por que ele começou a correr em minha direção? Sua intenção era me atacar? Eu pensei que ele era como Lucas e os outros, o que significava que ele não se alimentava de humanos, mas agora eu não tinha certeza de nada. Foi um erro usar minha habilidade, eu me preocupei em machucar alguém e agora eu machuquei. Talvez eu até os tivesse matado.

Eu não entendia como, mas quando pensei que Holden estava me atacando – por algum meio desconhecido e com resultados devastadores – eu *ataquei* de volta. Eu não conseguia compreender como isso era viável. Se eu tivesse tempo de alcançar os espíritos, talvez, mas naqueles poucos segundos, o pensamento não passou pela minha cabeça. O que quer que tenha acontecido lá fora foi uma reação mecânica e calamitosa, completamente fora do meu controle. Mas não havia dúvida de que tinha vindo de mim. Aquela... luz branca foi produzida a partir do meu corpo, tinha saído de meus dedos. Eu tinha visto por mim mesma. Não havia o que discutir, era algo que eu havia criado.

— Charlotte? Posso entrar? — Rowena espiou pelo batente da porta, seu lindo rosto contraído de preocupação.

Eu me virei para ficar sentada no carpete com as costas contra a cama. Eu ainda estava segurando os lenços.

— Eles... eles vão ficar bem?

— Sim.

O alívio tomou conta de mim e comecei a chorar de novo. Rowena entrou no quarto e caiu graciosamente no tapete ao meu lado. Ela me puxou para seus braços e me deixou chorar em seu ombro, sussurrando palavras calmantes de conforto.

— Charlotte. — Ben entrou no quarto, sua expressão sombria quando ele se ajoelhou na minha frente. — Lucas, William e Holden vão ficar bem.

— Eu não queria fazer isso, Ben! Eu não sei o que aconteceu. Não fiz isso conscientemente, juro que não. — Minhas palavras saíram apressadas, o pânico me preenchendo novamente com a ideia de ferir Lucas e seus amigos.

— Ninguém está culpando você, Charlotte, — Ben disse suavemente. — Você pensou que Holden estava atacando você.

Eu olhei para ele, meus olhos arregalados.

— Ele estava me atacando! Ele estava correndo pelo jardim, todo mundo estava tentando detê-lo!

Rowena me abraçou mais perto.

— Foi uma combinação de mal-entendidos terríveis, Charlotte. Holden tinha acabado de chegar em casa e encontrou você cercada por vampiros. Ele está afastado há muito tempo e não entendeu a situação. Ele pensou que eles pretendiam atacá-la. Então William correu em sua direção, sem perceber que Holden havia chegado e parece ter convencido Holden de que você realmente estava em perigo.

Ben continuou a explicação.

— Acredito que Holden pensou que poderia detê-los. Infelizmente, com a velocidade do vampiro, há pouco tempo para resolver questões. Holden correu em sua direção, William correu em sua direção, Striker, Ripley e Lucas perceberam o que estava acontecendo e estavam tentando protegê-la. Tudo o que você fez foi se proteger. Sem dúvida, eles entenderão isso quando acordarem.

Eu tinha certeza de que o tinha ouvido mal.

— Quando eles acordarem? O que você quer dizer com quando eles acordarem? — Eu ouvi a histeria em minha voz. O que ele estava dizendo não fazia sentido, pois vampiros não dormiam. Por que eles precisam acordar?

Ben tocou meu ombro, seu contato reconfortante.

— Eles estão inconscientes. Jerome está com eles agora. Holden teve uma concussão grave e quebrou os dois braços. William teve uma concussão e seu joelho foi deslocado. Lucas está com o crânio fraturado, sua perna direita está quebrada e ele está com algumas costelas quebradas.

Não fazia sentido. Vampiros eram indestrutíveis. A única maneira de matá-los era decapitá-los. Como isso era possível? Como eles poderiam ter quebrado ossos e sofrido concussões?

— Eu não entendo, — eu finalmente admiti. — Vampiros não podem ter os ossos quebrados ou sofrer concussão.

— Eles podem, quando algo é poderoso o suficiente para fazê-lo, — Ben respondeu calmamente. — E parece que você tem esse poder.

Olhei do rosto calmo de Ben para as feições tensas de Rowena.

— Eu tenho que sair, — anunciei decisivamente. Levantei-me, abrindo o guarda-roupa para pegar minha velha mochila do chão.

— Charlotte, isso não é necessário, — Ben respondeu suavemente. — Você não queria machucá-los.

— Você tem razão. Eu não queria machucá-los e *machuquei!* — Eu abri as gavetas, puxando coisas para fora e empurrando-as ao acaso na mochila. —

Quem pode dizer que não vou machucar alguém de novo?

— Charlotte, você estava se protegendo, foi um mal-entendido, — Rowena protestou.

— Sim, um mal-entendido. Você tem razão. Isso aconteceu porque vocês são vampiros e eu não, e é uma loucura pensar que posso viver aqui com vocês. Fui uma idiota por pensar que poderia funcionar, ter uma pessoa como eu morando com vampiros. Não importa o quão maravilhosos vocês sejam, ainda estou pensando no pior. Eu vejo um vampiro estranho e automaticamente assumo que ele vai me machucar. É muito perigoso quando nem mesmo entendo essa habilidade e foi tolice pensar que poderia usá-la e não machucar ninguém. Lucas estava tentando me proteger e... — solucei. — Eu o machuquei e nem sei como fiz isso. — Virei-me para o guarda-roupa, arrancando jeans e camisas dos cabides e enfiando-os na mochila.

— Deixe-me chamar Jerome, ele pode lhe dar um sedativo para ajudá-la a se acalmar. Acho que você deveria pensar nisso e tomar essa decisão pela manhã — sugeriu Ben.

— Não! Não vou ficar, não posso ficar! Eu poderia fazer isso com qualquer um de vocês! Ou talvez eu seja capaz de fazer pior! Quem sabe? — A angústia era clara em cada sílaba que eu falava. — Pode ser você depois, ou Rowena! Inferno, eu poderia até machucar Katie, mesmo sem querer! Não *posso* correr esse risco. Não *vou* correr esse risco. — Arranquei minha jaqueta do encosto da cadeira e a vesti. — A melhor coisa para a proteção de vocês é que eu vá embora. Agora.

— Eu não acredito que você nos machucaria intencionalmente, — Rowena protestou.

— Não, talvez não. Mas, aparentemente, sou igualmente capaz de fazer isso sem querer. Não posso correr o risco de isso acontecer, — respondi calmamente.

Coloquei a mochila no ombro e peguei minha bolsa da cama. Voltando-me para a porta, olhei para Rowena e Ben por um longo momento, com lágrimas escorrendo pelo meu rosto.

— Obrigada, por tudo que vocês fizeram por mim. Diga aos outros que eu disse adeus.

Antes que qualquer um deles pudesse protestar novamente, corri pelo corredor, parando brevemente no banheiro para jogar minha escova de dentes, escova de cabelo e desodorante na bolsa. O brilho de ouro em meu dedo chamou minha atenção. Olhei para o anel de Lucas por um longo momento, antes de arrancá-lo rudemente do meu dedo. Coloquei-o cuidadosamente no tampo da bancada, esfregando meu dedo sobre ele uma última vez. Então desci as escadas correndo para a sala de estar, abri a gaveta onde ficavam as chaves. A sala estava vazia e eu me perguntava onde estavam todos. *Provavelmente se escondendo de mim*, pensei irracionalmente.

Peguei minhas chaves e corri escada abaixo, jogando minhas coisas no porta-malas. Abrindo a porta da garagem, liguei o carro e desci o caminho o mais rápido que pude, querendo apenas fugir desta casa e do que tinha acontecido.

CAPÍTULO 22
CORRENDO

Saí do minúsculo banheiro, meu cabelo enrolado em uma toalha e vestindo roupas limpas. O quarto do motel era minúsculo e antiquado, mas impecável, com lençóis de algodão gastos na cama e cortinas desbotadas na janela.

Meu celular estava vibrando de novo, como acontecia a cada dez minutos desde que saí de Puckhaber na noite passada. Apesar da minha total falta de habilidade técnica, eu puxei para o lado da estrada cerca de duas horas depois de Puckhaber Falls e apertei furiosamente os botões até que descobri uma maneira de parar de tocar. Agora ele vibrava silenciosamente, mas pelo menos não era tão perceptível e não estava me deixando distraída.

Afundei-me ao lado da cama e olhei para o visor iluminado do telefone. Era Rowena e eu ignorei enquanto secava meu cabelo com a toalha, passando meus dedos pelos cachos para colocá-los em ordem.

Eu dirigi a noite toda, colocando o máximo de distância possível entre Lucas e eu. As lágrimas pararam de cair cerca de três horas de viagem, quando parecia impossível ter mais lágrimas. O resto da longa noite passou em um borrão entorpecente quando deixei Montana e me dirigi para o sul. Eu não tinha nenhum plano, nenhum pensamento sobre para onde ir, o que faria a seguir. Tudo o que pude reconhecer foi a necessidade de escapar, precisava de um lugar para ficar sozinha, algum lugar onde pudesse pensar sobre o que havia acontecido.

O amanhecer iluminou os céus enquanto eu seguia em frente, observando o céu mudar para os magníficos tons de rosa e roxo que anunciam um novo dia. Senti uma pontada de tristeza ao saber que na pressa de partir havia deixado para trás meu material de arte, único meio de que dispunha para me sustentar. Eu endireitei meus ombros decidida, sabendo que não voltaria. O que eu fiz com Lucas, William e seu amigo, Holden, era impossível pensar em voltar agora.

Eu não tinha ideia de para onde estava indo, nenhum plano de qual seria o destino final. Escolhi estradas ao acaso, seguindo onde quer que elas me levassem. O dia passou em um borrão interminável de rodovias e atalhos, com paradas intermitentes para reabastecer e pegar café para viagem. As densas florestas de Montana foram substituídas pelas planícies planas de Wyoming, que em outras circunstâncias eu teria achado de tirar o fôlego. No meu estado de espírito atual, mal notei a beleza do meu entorno.

O cansaço tomou conta de mim quando a escuridão caiu novamente, e saí da estrada quando avistei outro pequeno motel situado fora da rodovia. O letreiro neon piscando do lado de fora oferecia quartos por quarenta dólares e eu aceitei, preparada para lidar com qualquer coisa se isso significasse que eu poderia tomar banho. Joguei minha mochila no chão, desabei na cama e me surpreendi ao cair em um sono profundo. Foi um sono cheio de pesadelos estranhos e perturbadores, com Lucas deitado quebrado e ferido no chão, seus amigos olhando para mim acusadoramente.

Quando acordei, meu cabelo estava suado, minha pele coberta por uma fina camada de suor. Olhando para o quarto barato e percebendo onde eu estava, meu coração despencou. Depois de um banho, eu estava pronta para pegar a estrada. Joguei minhas últimas coisas na mochila, joguei-a no carro e virei para a estrada novamente.

Eu sabia que não poderia continuar assim,

minha situação financeira era frágil na melhor das hipóteses e ficar em motéis, mesmo os mais baratos, iria acabar rápido com o dinheiro que eu tinha. Mas eu não tinha a menor ideia de para onde pretendia ir, nenhum plano do que faria. Minhas lágrimas iniciais foram substituídas por um profundo entorpecimento, mente vazia, coração vazio. Eu estava sozinha novamente. Pior ainda, me senti mais sozinha do que nunca, depois de passar os últimos meses aprendendo a amar de novo, curtindo a companhia de outras pessoas. Agora eu não tinha absolutamente nada.

O dia seguiu o mesmo padrão – dirigir, abastecer, tomar café. Prestei pouca atenção ao meu redor, mal considerando em que direção estava indo. O celular continuou a vibrar persistentemente.

Passava da meia-noite quando estacionei em outro pequeno motel, o letreiro néon na frente sem metade das letras do nome do motel. Paguei um quarto e caí na cama, sem nem me preocupar em tirar os sapatos.

Eu dormi até o sol atingir o quarto com luz, meus pesadelos com Lucas, a mesma realização horrível do que tinha acontecido me atingiu quando eu acordei. Mais de quarenta e oito horas após o evento, eu ainda não tinha nenhuma ideia de como isso aconteceu. Levantei-me e comecei a me preparar para mais um dia na estrada. Tirando meus tênis, tirando minhas meias, fui até o pequeno banheiro para tomar banho.

Meu celular estava vibrando com raiva quando voltei para o quarto, quase caindo no chão. Olhei para a tela iluminada, vi que era Conal. Desde o sequestro, ele manteve contato regular comigo, sempre iniciando a conversa com a mesma frase *"Ainda com o sugador de sangue?"* Ele provou ser um amigo bom e leal. Embora ele insistisse em manter contato por causa do pacto de sangue, eu sabia que ele estava interessado em mais. Lucas não gostou do meu contato contínuo com Conal, mas aceitou sem reclamar, dizendo apenas que eu tinha o direito de escolher meus próprios amigos. Hesitei por um minuto, tentando decidir se respondia ou ignorava. Com um suspiro, atendi.

— Olá.

— Graças a Deus. Onde diabos você está? — Exigiu Conal, alívio tangível em sua voz. — Estou ligando há horas.

Engoli nervosamente.

— Eu tenho ignorado as ligações.

— Isso é óbvio, — afirmou Conal, sua voz profunda e rouca do outro lado da linha. — Onde você está, Charlotte?

Olhei ao redor do quarto, vendo o papel de parede desbotado, o carpete gasto cobrindo o chão.

— Para ser sincera, não tenho a menor ideia.

— Acenith telefonou ontem, me disse que você tinha fugido. Disse que algo aconteceu com seu namorado sugador de sangue, embora ela não tenha dado detalhes. Ele te machucou? — Conal questionou. Eu podia ouvir o antagonismo mal disfarçado em sua voz.

— Não. Ele não me machucou. — Eu olhei para minhas mãos, me perguntando pela milionésima vez como eu tinha criado tal destruição. — Eu o machuquei, — eu admiti calmamente.

Houve um longo silêncio do outro lado da linha e esperei que Conal falasse.

— O que diabos isso *significa?* — ele finalmente perguntou.

— Não sei. Não sei o que fiz, nem como fiz. — Fiz uma pausa, tentando montar uma explicação razoável para o que havia ocorrido. — Só sei de uma coisa, que machuquei Lucas, o irmão de William e Striker. O joelho de William está deslocado e ele teve uma concussão. O irmão de Striker, Holden, teve uma concussão grave e seus braços estão quebrados. Lucas está com o crânio fraturado, sua perna direita está quebrada e ele está com algumas costelas quebradas.

Mais uma vez, houve um silêncio prolongado do outro lado da linha.

— E você acha... que *você* fez isso? — Conal perguntou incrédulo.

— Eu sei que fiz isso, — afirmei estupidamente.

Houve outro minuto de silêncio prolongado antes de Conal falar novamente.

— Onde você está? Deve haver algo por perto para lhe dizer onde você está.

Olhei ao redor do quarto, espiando o cardápio do serviço de quarto sobre a mesa de madeira arranhada.

— Estou no Paddlers Motel, Steamboat Springs.

— Colorado? — Conal disse incrédulo.

— Sim, aparentemente. — Eu dirigi mais longe do que imaginei, nem mesmo percebendo a distância que percorri.

— Ok. Não se mova. Estou indo para o aeroporto e pegarei um voo para Denver. Alugo um carro e encontro você em Steamboat Springs.

— Conal, isso não é uma boa ideia. Você não sabe o que aconteceu, não sabe o quão forte é esse poder. Eu poderia machucar você.

— Isso não está em discussão.

— Estou falando sério, Conal. Sou muito perigosa para ficar perto de alguém até descobrir como controlar isso.

— Eu vou aproveitar minhas chances. Você não vai me machucar, — Conal respondeu com firmeza. — E eu não vou aceitar um não como resposta.

— Conal... você não tem que fazer isso, — eu protestei baixinho. No fundo do meu coração, eu estava grata. Eu estava completamente sem direção, sem ideia de para onde estava indo, o que estava fazendo. Seria bom ter alguém assumindo o controle, me impedindo de dar voltas incontrolavelmente como estava fazendo agora.

— Sim. Prometa-me que vai ficar aí até eu ir buscá-la. — Sua voz era inflexível, cheia de determinação.

Eu respirei fundo.

— Eu prometo.

CAPÍTULO 23
SALVAÇÃO

Era tarde da noite quando ouvi uma batida suave na porta e fui abri-la.

Conal estava parado na porta, tão alto e musculoso quanto eu me lembrava, vestindo jeans e uma camiseta preta, seu cabelo escuro uma juba selvagem ao redor de seu rosto atraente. Ele olhou para mim, seus olhos escuros suavizando.

— Charlotte.

Por um longo momento, eu o encarei, até que meus olhos se encheram de lágrimas novamente. Ele me puxou para seus braços e me abraçou enquanto eu chorava, sussurrando palavras reconfortantes contra meu cabelo até que eu conseguisse controlar minhas emoções. Eu me afastei, enxugando as lágrimas com meus dedos.

— Entre.

Conal soltou seu aperto e me seguiu até o minúsculo quarto do motel. Quando me virei, ele estava diminuindo o lugar com seu tamanho.

— Você realmente sabe como escolher um lugar elegante, não é? — ele anunciou secamente.

— Tem uma cama e um chuveiro. Atendeu minhas necessidades. — O fantasma de um sorriso brincou em meus lábios, desaparecendo tão rapidamente quanto surgiu.

Conal olhou para mim e pude ver as perguntas em seus olhos negros. Mas ele me surpreendeu.

— Quando você comeu pela última vez?

— Eu-eu não sei. — Nas últimas 48 horas eu bebi muito café, mas não conseguia me lembrar de ter comido nada desde que saí de Puckhaber.

— Você está horrível, Charlotte. Vi uma lanchonete alguns quilômetros adiante na estrada. Vamos comer alguma coisa e tomar um café.

Sentamos em uma mesa na lanchonete à beira da estrada, era tão tarde da noite que havia apenas alguns outros clientes, caminhoneiros a caminho de uma longa viagem, parando para comer e beber. A garçonete anotou nossos pedidos e Conal recostou-se no assento de vinil marrom, olhando-me com curiosidade. Eu contei toda a história do que aconteceu, não deixando nada de fora e até tropeçando no fato de que pensei que Holden estava me atacando. Quando terminei, senti a energia nervosa vazar de meus ombros enquanto esperava por sua resposta.

— Eu te avisei sobre os sugadores de sangue, não foi? Eles não são confiáveis, Charlotte. — A voz de Conal era baixa na lanchonete silenciosa. — Pode ter sido um mal-entendido desta vez, mas você tem razão em estar com medo. Em última análise, eles não podem lutar contra o desejo de sangue humano.

— A garçonete estava no balcão, os outros clientes longe o suficiente de nós para que fosse improvável que eles ouvissem nossa conversa.

— Tenho certeza que eles não teriam me machucado, — eu protestei baixinho. — Foi realmente um mal-entendido.

Conal balançou a cabeça, seu cabelo escuro caindo sobre seus ombros.

— Eles são o que são. Não há como negar que eles apenas vivem... existem por uma coisa. Sangue. O Beijo Tine pode resistir ao sangue humano, mas não acredito que eles possam controlá-lo perfeitamente. Mais cedo ou mais tarde, Charlotte, isso dará errado. — Ele estava sentado de braços cruzados, mas agora ele estendeu uma mão sobre a mesa, tocando um cacho que pendia de minha bochecha. — E o que aconteceu, quando você pensa que os atacou. Você tem certeza absoluta de que veio de você?

— Minhas habilidades têm aumentado

constantemente. — Expliquei os acontecimentos das últimas semanas, como estava refinando o controle que tinha sobre os espíritos e aumentando minhas habilidades mentais. — Mas nunca foi assim antes. Conal, eu quebrei seus ossos... isso não deveria ser possível.

— Não é impossível, — Conal respondeu lentamente. — Mas improvável. Vampiros são praticamente indestrutíveis. Seria preciso uma tremenda quantidade de energia para quebrar um de seus ossos. Mais poder do que qualquer ser humano tem. Ou qualquer lobisomem, aliás.

— Bem, aparentemente eu consegui. E não quebrei só um osso, eu quebrei vários deles. — Mordi o lábio, forçando o controle sobre minhas emoções tensas.

A garçonete apareceu com nossos pedidos – café expresso para Conal, refrigerante para mim e um enorme hambúrguer para cada um de nós. Peguei a alface que espreitava do pão, colocando-a na boca.

— Acenith estava preocupada comigo?

Conal tomou um gole de café, olhando-me pensativo.

— Eu gosto daquela garota, Marianne também. Apesar de serem sanguessugas. Sim, ela estava preocupada com você. Praticamente me implorou para te encontrar, porque você não atendia o celular.

Fechei os olhos, uma onda de tristeza me inundando.

— Gosto delas também.

Conal mordeu seu hambúrguer, mastigando antes de falar novamente.

— Ela queria que eu dissesse que os homens estão bem. — Seus olhos negros estavam me examinando cuidadosamente como se ele estivesse vendo minha alma. — Eles querem que você volte.

— Não posso voltar.

— Por quê? Porque você tem medo deles? Você *deveria* ter.

Eu balancei minha cabeça, pegando a semente de gergelim no topo do pão.

— Porque eu posso machucá-los. — Eu vi o olhar cínico cruzar as belas feições de Conal e corri para explicar. — Você não viu, Conal. Você não viu quanto dano eu causei. Joguei Lucas através de uma parede sem tocá-lo *fisicamente*. Forte o suficiente para quebrar a pedra e a madeira atrás dele. Não posso arriscar fazer isso de novo. E William tem uma irmãzinha, Katie. Não suportaria pensar que poderia machucá-la.

— Um sugador de sangue com uma irmã? — Sua voz estava carregada de cinismo. — Ela é uma vampira também?

— Não, ela é apenas uma garotinha. Ela não é

realmente sua irmã... mais uma descendente. Mas ele e Gwynn a amam como uma filha.

— Os sugadores de sangue correm o risco de ter uma criança humana morando com eles?

— Nem sempre. Ela mora com uma cuidadora.

— Conveniente. Provavelmente a salva de ser comida por eles. O que eles fizeram? Mataram os pais para levar a criança?

— Não foi assim, — eu pisquei com raiva. — A mãe dela era viciada em drogas, Katie foi colocada em um orfanato.

— Provavelmente melhor, — Conal disse teimosamente.

— Como você pode dizer isso?

Por um longo momento, nós olhamos um para o outro, antes de Conal recuar.

— Ok. Vamos concordar em não brigar por isso. Você os conhece melhor do que eu. — Ele terminou o último bocado de seu hambúrguer. — Agora coma, Charlotte. Você não tocou na sua comida.

Mordi o hambúrguer e tive que admitir, estava bom. Conal sentou-se em silêncio à minha frente, permitindo-me comer em paz e me surpreendi ao terminar uma boa porção.

— Então, — Conal juntou as mãos sobre a mesa enquanto me observava. — Você não vai voltar.

Eu balancei minha cabeça.

— Não posso.

— E você e o Lucas? Achei que vocês eram muito felizes juntos. — Ele estava me estudando, seus olhos desprovidos de qualquer emoção decifrável.

Lágrimas brotaram em meus olhos.

— Não posso colocá-lo em risco. É melhor para ele que não voltemos a nos ver.

Conal me observou por um longo momento, seus olhos negros como piscinas infinitas de noite.

— Acho que você deveria voltar para o Mississippi comigo. Fique no meu apartamento, reserve um tempo para descobrir o que você quer fazer. Tenho um quarto vago que você pode usar. — Ele empurrou meu telefone para mim. — Mas os sugadores de sangue devem ouvir isso de você. Não quero que eles tenham a impressão de que estou coagindo você de alguma forma.

Eu balancei minha cabeça freneticamente.

— Não posso.

— Charlotte, temos um pacto de sangue com você como parte do Beijo Tine. Ter você vindo para o nosso lado pode tornar o pacto... confuso. Tenho que pensar no meu próprio bando. Lucas e seus amigos precisam saber que você vem comigo de bom grado. Não quero que pensem que precisam resgatá-la.

— Não tenho certeza se é uma boa ideia, Conal, pode ser perigoso para você.

Conal sorriu.

— Eu vou aproveitar minhas chances. Agora ligue para eles.

Olhei para o telefone, pegando-o com os dedos trêmulos. Disquei o número de Acenith. A covarde em mim esperava que ela não respondesse, que talvez estivesse caçando. Típico da minha sorte, ela atendeu no segundo toque.

— Charlotte! Obrigada, Senhor! Você está bem? — Sua voz estava cheia de ansiedade.

— Estou bem, — respondi calmamente. — Conal está comigo.

— Lottie, o que aconteceu não foi sua culpa, você não deveria saber que sua habilidade aumentou tão dramaticamente. Todos nós entendemos completamente, você pensou que Holden iria atacá-la. Lucas está arrasado com o que aconteceu e você se sentiu ameaçada. — Acenith falou apressadamente, como se precisasse dizer tudo rápido para o caso de eu desligar.

— Eles estão bem?

— Sim, claro. Os ossos se regeneraram e ninguém está pior do que o desgaste. Holden sente muito por aparecer tão abruptamente e assustar você, ele não recebeu nossas mensagens sobre você vir morar conosco, então ele ficou chocado ao descobrir uma humana na casa. Ele interpretou mal a situação, pensou que William havia perdido o controle de sua sede e estava atacando você. Ele não teria a machucado, ele estava tentando salvar você. — O tom de Acenith mudou, quase implorando. — Por favor, volte para casa. Isso não é nada que não possamos resolver.

— Eu não vou voltar, Acenith. Eu estou... — Eu inalei pesadamente. — Eu vou ficar com Conal por um tempo. Preciso resolver algumas coisas.

Houve silêncio do outro lado da linha e imaginei o rosto de Acenith, sabia que ela estaria chorando se fosse capaz de vê-la.

— Por favor, Charlotte. Não faça isso, — ela implorou suavemente.

— Tenho medo de machucar alguém. O que eu fiz, pode acontecer de novo. Não posso correr esse risco. Da próxima vez pode ser você, ou Marianne, ou Rowena. Pior ainda, eu poderia machucar Katie. Não posso deixar isso acontecer. — Fiz uma pausa, tentando colocar meus pensamentos errantes em ordem. — Preciso de tempo para descobrir o que aconteceu, por que aconteceu. Como controlar isso.

Houve um longo silêncio.

— Charlotte.

Era Lucas e meu coração afundou, as lágrimas escorrendo livremente pelo meu rosto.

— Sinto muito, meu amor. Eu falhei com você. Eu juro que nunca mais vai acontecer.

Lutei para conter as lágrimas, respirando com dificuldade enquanto olhava para Conal. Suas feições fortes eram sem emoção, seus olhos impassíveis.

— Eu não vou voltar.

— Não podemos conversar sobre isso? — Eu ouvi a tristeza em sua voz, podia imaginar sua expressão e as lágrimas pingavam sobre a mesa.

— Não, não há nada para se dizer.

— Pelo contrário, acho que há muito para se dizer, — respondeu Lucas com firmeza. — Charlotte, o que aconteceu foi um desastre. Holden escolheu o pior momento possível para retornar ao Beijo. Todos nós sabemos que William se preocupa com seu autocontrole e que Holden chegou e o viu correndo em sua direção, uma humana. Ele honestamente acreditava que você estava em perigo. Para aumentar o fiasco, Marianne recebeu um aviso, mas quando ela o decifrou e ligou para Rowena, já era tarde demais. Você não pode nos perdoar por um erro?

— Eu não estou culpando você ou os outros. Mas isso... me assustou, não sei explicar o que aconteceu, como consegui... machucar vocês. E não posso correr o risco de ficar perto de vocês caso aconteça de novo. — Eu inalei profundamente, lutando por coragem para dizer as próximas palavras. — Acho que é melhor para todos que não nos vejamos novamente.

— Mas você pode correr o risco de ficar com Conal, — ele afirmou duramente.

Estremeci com a amargura em sua voz.

— Conal não é um risco para mim, Lucas. Ele não tem os mesmos problemas com sua... condição, como você tem.

— Eu nunca ameacei você, Charlotte. Nunca perdi o controle.

— Mas um de vocês pode. — Eu odiava dizer isso, não queria ferir seus sentimentos, mas eu tinha que fazer. No fundo do meu coração, eu tinha que admitir que fiquei apavorada quando Holden correu em minha direção, estava convencida de que ele iria me atacar. Se acontecesse de novo e esse poder que eu tinha aparecesse novamente, eu mataria um deles? — Por favor Lucas. Por favor, aceite que eu tenho que sair.

O silêncio do outro lado da linha parecia interminável. Mesmo antes de Lucas falar, eu sabia o que ele diria, sabia que ele não iria me forçar a nada que eu não quisesse fazer. Ele havia prometido que nunca o faria e, quando falou, suas palavras confirmaram.

— Se é isso que você decidiu, sou obrigado a aceitar, minha Charlotte. Prometi que nunca faria você fazer nada que não quisesse. E eu prometi para mim mesmo que nunca iria te machucar. Falhei em ambas as promessas.

Eu estava chorando muito agora, grandes soluços que deixaram meu peito doendo. Eu não podia suportar isso, não podia tolerar nunca mais vê-lo e, ainda assim, não havia alternativa.

— Prometa-me que não fará nada estúpido. Prometa que vai cuidar de si mesmo, — eu implorei. Eu não conseguiria viver comigo mesma se ele decidisse fazer algo drástico por minha causa.

Outra longa pausa antes de ele falar novamente, sua voz desolada.

— Eu farei essa promessa, contanto que você prometa a mesma coisa.

— Eu prometo, — eu concordei suavemente. — Adeus, Lucas. — Encerrei a chamada e o encarei por um longo momento, antes de enterrar o rosto nas mãos.

Conal deslizou de seu lado da cabine para o meu, sem dizer nada, puxando-me para seus braços e me deixando chorar contra sua camisa.

CAPÍTULO 24
NOVOS COMEÇOS

Fazia pouco mais de dois meses desde que Conal me resgatou do quarto de motel no Colorado. Ele assumiu o controle, organizando o transporte do meu carro para o Mississippi e nos levando para Denver para que pudéssemos pegar um voo para a Louisiana.

Eu soube que Conal tinha duas casas, uma nos arredores de Natchez, em um grupo de casas onde membros de seu bando viviam em uma comunidade próxima, e um apartamento no coração de Jackson, onde ele morava durante a semana. Seu elegante apartamento era espaçoso e confortável, com dois quartos, dois banheiros, uma ampla sala de estar e uma pequena varanda com vista para a cidade.

Conal era engenheiro e trabalhava na construtora de seu pai, projetando arranha-céus a serem erguidos nos Estados Unidos. Ele ficava longe de Jackson com frequência e insistia que eu era bem-vinda para morar no apartamento enquanto eu organizava minha vida. Ele ficava ausente por duas ou três noites na maioria das semanas e eu passava o tempo aceitando minhas novas circunstâncias.

Nas primeiras semanas, eu estava em constante depressão, profundamente deprimida e lutando para compreender uma vida sem Lucas. Sentei no apartamento, tomando café e assistindo reprises na TV a cabo. Na maioria dos dias, eu não me incomodava em tirar o pijama. Para seu crédito, Conal foi incrivelmente paciente, deixando-me trabalhar com meus sentimentos em meu próprio tempo. Tenho certeza de que em alguns dias devo tê-lo levado à loucura e o fiz se perguntar por que diabos ele convidou essa mulher miserável para sua casa. Se eu fosse ele, teria me chutado na bunda.

Ele era um perfeito cavalheiro. Na primeira noite no apartamento, Conal insistiu em me dar o quarto principal e mudou-se para o quarto menor. Ele não mencionou nada além de amizade, embora eu estivesse ciente da maneira como ele olhava para mim quando pensava que eu não estava olhando. Às vezes eu captava o desejo latente em seus olhos quando levantava os olhos inesperadamente e ele se virava até recuperar a compostura. Nós dois ignoramos cuidadosamente mencioná-lo.

A finalização do meu rompimento com Lucas veio cerca de uma semana depois da minha chegada ao Mississippi, quando um caminhão de entrega chegou ao apartamento com o resto dos meus pertences de Puckhaber Falls. Meus materiais de arte, roupas, livros, todos os meus pertences foram cuidadosamente embalados em caixas de papelão e entregues na porta de Conal. Meu coração se partiu mais uma vez quando desfiz as malas e encontrei uma carta de Lucas no topo de uma caixa. Passei o resto do dia olhando para o envelope lacrado, oscilando entre o desejo desesperado de abri-la e o terror total em relação ao que ele poderia ter escrito. Para o bem da minha própria sanidade, optei por não lê-la. Eu estava oscilando nas asas da depressão, do jeito que estava, nada que Lucas dissesse faria isso melhorar. Quando Conal chegou do trabalho, entreguei-lhe o envelope, pedindo que se livrasse dele. Eu não suportaria fazer isso sozinha.

Com o passar das semanas, comecei a rastejar para fora da estagnação em que me afundava, embora não tenha reconhecido a mudança até que Conal me ouviu rindo de um episódio de "The Big Bang Theory" e comentou sobre isso. Embora meu coração ainda estivesse ferido e eu sentisse desesperadamente a falta de Lucas, eu estava aceitando minha nova vida. Aos poucos, voltei aos vivos.

Saímos com frequência, para jantar, ao cinema e Conal fazia o papel de guia turístico nas tardes de domingo, mostrando-me os pontos turísticos de Jackson e arredores. Para todos os efeitos, éramos bons amigos e eu gostava disso. Não achava que me envolveria com outro homem, não conseguia me imaginar amando outra pessoa. Meu amor por Lucas foi... *era*, abrangente. Ele nunca poderia ser substituído em meu coração.

O Bando Tremaine foi informado da minha chegada ao Mississippi e Lyell Tremaine e sua esposa, Amoux, nos visitaram para jantar uma noite, logo após minha aparição. Amoux Tremaine era uma mulher atraente na casa dos cinquenta anos, o cabelo preto com mechas prateadas e a pele cor de oliva sem rugas. Ela me cumprimentou com a gentileza do sul e não parecia preocupada com nossas condições de vida, embora eu tivesse certeza de que ela devia estar curiosa sobre a verdadeira natureza de nosso relacionamento.

Conal havia explicado as circunstâncias de minha partida abrupta de Puckhaber Falls e os Tremaines mais velhos me trataram com simpatia. Eles concordaram mutuamente em manter as circunstâncias exatas que levaram à minha chegada ao Mississippi do bando. Lyell disse que eles eram naturalmente desconfiados e supersticiosos e teriam medo de minhas habilidades radicalmente aprimoradas.

Lyell me chamou de lado depois do jantar para perguntar sobre o pacto com o Beijo de Lucas. Enquanto Conal e sua mãe lavavam a louça, Lyell explicou que eu tinha o direito de quebrar o pacto entre os dois grupos, perguntando se desejava fazê-lo. Balancei a cabeça, assegurando-lhe que, apesar de terminar com Lucas, ainda os considerava meus amigos. Lyell usou seu telefone celular e contatou Lucas, dizendo-lhe que o pacto entre os lobisomens e os vampiros permanecia em vigor. Meu coração afundou, sabendo que ele estava fazendo o que eu não podia – entrar em contato com as pessoas que eu mais amava e considerava família.

— Pronta para ir? — Conal apareceu na porta, vestindo uma camisa branca de gola aberta e jeans azul escuro, seus pés envoltos em botas resistentes. A camisa branca acentuava o tom oliva de sua pele, seus braços tonificados escurecidos pelo sol.

Eu passei uma escova pelo meu cabelo, jogando-o em um rabo de cavalo no alto da minha cabeça antes de pegar minha bolsa.

— Sim.

Conal pegou minha mão na dele.

— Você está linda, — ele disse suavemente.

— Obrigada. — Saímos do apartamento para pegar o elevador lá embaixo. Conal me convidou para um churrasco do bando e estávamos dirigindo por uma hora e meia até Natchez, onde o bando Tremaine vivia em uma comunidade um pouco fora dos limites da cidade. Era minha primeira visita e eu tinha me vestido com cuidado para enfrentar o bando. Eu não queria envergonhar nem Conal nem seus pais.

Conal dirigia sua picape preta tranquilamente pelo trânsito do meio da tarde, mantendo um fluxo agradável de conversas sobre trabalho e nossos planos para o fim de semana. Conal tinha dominado a arte de selecionar entretenimento para nós, o que não significava "namoro", algo que ele sabia que eu evitaria fazer. Nada de jantares íntimos em restaurantes românticos, nada de eventos que parecessem outra coisa senão dois amigos curtindo a companhia um do outro. Eu me preocupava constantemente por não estar sendo justa com ele, mas não suportava a ideia de não tê-lo por perto. Nos primeiros dias do meu rompimento, eu me agarrei a ele como uma tábua de salvação. Ele era a única âncora na minha vida agora.

Meu interesse pelos arredores aumentou quando chegamos aos arredores de Natchez e Conal apontou vários pontos de interesse. Eu nunca tinha visitado Mississippi antes e aos poucos fui conhecendo a região. Eu não tinha certeza se conseguiria me acostumar com o calor. Nos primeiros dias de verão, o clima era úmido e opressivo e, sem o ar-condicionado funcionando, imaginei que minhas roupas estariam grudadas na pele.

Dirigimos pelo coração de Natchez, antes de deixar para trás os prédios históricos e seguir por uma estrada estreita, que seguia a margem do rio Mississippi. Entramos em uma pequena comunidade e Conal parou do lado de fora de uma casa branca compacta, seus jardins plantados com uma variedade de flores brilhantes, o gramado bem aparado.

— Aqui é a casa da mamãe e do papai, — ele anunciou, contornando a caminhonete para me ajudar a sair. Deslizei para o chão, feliz por ter escolhido uma camisa branca de algodão e uma saia de linho de cor damasco, combinando com sandálias rasteiras de tiras. Os materiais naturais eram perfeitos para um clima tão úmido e me senti razoavelmente confortável, embora um pouco nervosa. Conal apontou outras casas na rua larga, nomeando quem morava nelas. Parecia que cada casa na área pertencia a um membro do bando e mencionei isso a ele.

— É conveniente morarmos juntos na lua cheia, quando precisamos ter acesso à mata. Ela fica logo atrás de nós, além do rio.

Eu sorri suavemente, balançando a cabeça, e Conal apertou meus dedos.

— O que está te divertindo?

— Às vezes esqueço que você é um lobisomem.

— Isso é porque eu não penso constantemente em comer você. Só acontece três dias por mês, — ele sorriu perversamente. — E então eu saio do caminho, para que isso não aconteça.

Contornamos a lateral da casa e pude ouvir o murmúrio constante de vozes no jardim. Quando entramos no quintal, fui assaltada por uma onda de som e cor, com gente por toda parte. Alguns estavam de pé em grupos, outros sentados em grupos sob a sombra de árvores frondosas. Havia uma grande piscina com dezenas de crianças pulando e brincando na água.

Conal me conduziu pela multidão, apresentando os membros do bando e me familiarizando com alguns que conheci em Nova Orleans após nosso resgate. Kenyon me cumprimentou com um abraço caloroso, enquanto em contraste, Phelan Walker deu um oi frio e foi embora. Ele estava visivelmente desconfortável na minha presença, mas pelo menos ele disse oi. Eu pegaria o que pudesse.

Conal me conduziu mais adiante pela multidão e eu levantei meus dedos para minha cabeça, esfregando a leve dor de cabeça atrás de meus olhos.

— Charlotte? Você está bem? — Quando olhei

para cima, Conal estava me olhando com preocupação.

Eu balancei a cabeça.

— Tocar as pessoas permite que novos espíritos entrem em minha cabeça. Ainda não consegui controlar essa parte. Isso me dá dor de cabeça até que eu tenha tempo de processar todos eles.

Ele apertou meus dedos suavemente.

— Vou apresentá-la à minha avó e pegar uma bebida para você. — Ele examinou a multidão e me puxou para uma mulher idosa que mantinha a calma entre um grupo de outras senhoras mais velhas.

— Conal, venha me dar um pouco de açúcar! — Ela me olhou com indisfarçável interesse. — Quem é essa adorável jovem?

Conal se inclinou, beijando sua bochecha afetuosamente.

— Ei, Nonny. Esta é minha amiga, Charlotte Duncan. Charlotte, esta é minha avó, Juanita Tremaine.

A idosa levou as mãos ao rosto, abrindo a boca de alegria.

— Venha sentar perto de mim, criança. Temos muito o que conversar. — Ela se virou para a mulher sentada ao lado dela. — Mova-se, Bonnie. O bando fez um tratado com vampiros por esta garota. Quero descobrir um pouco mais sobre ela.

— Ei, Nonny, não vá assustá-la, — Conal advertiu suavemente, mas ele piscou para mim quando Juanita me puxou para a cadeira ao lado dela. — Volto em um minuto, Charlotte.

Assisti impotente enquanto ele desaparecia na multidão e então me voltei para Juanita Tremaine com um sorriso nervoso. Pelas rugas finas marcadas em sua pele e pela brancura de seu cabelo, imaginei que ela devia estar na casa dos oitenta. Seu rosto mostrava sinais de beleza, sugerindo que ela tinha sido linda em sua juventude. Ela tinha olhos negros penetrantes, da mesma cor e formato dos de Conal e estudou meu rosto cuidadosamente, avaliando cada detalhe.

— Você é uma bela jovem, Charlotte. Entendo por que meu neto gosta tanto de você.

Minhas bochechas ficaram vermelhas, o calor subindo pelo meu rosto.

— Eu gosto dele também.

— Não do jeito que ele quer que você goste, eu ouvi. — Procurei em seu rosto algum sinal de julgamento, mas não encontrei nada. Sua expressão era suave e calma enquanto ela me observava astutamente. — Mas não podemos escolher quem amamos.

— Não, não podemos, — admiti timidamente.

— Meu filho Lyell me disse que você tem um dom muito especial. — Ela ofereceu a mão e eu aceitei, sabendo o que ela procurava. Ao nosso redor, as outras mulheres observavam atentamente enquanto eu ouvia as vozes se derramando em minha cabeça como um lento fio de água.

Eu escutei até detectar a voz mais forte, normalmente uma indicação de alguém importante.

— Seu marido, Rafael, está comigo. Ele é um homem muito bonito. Ele diz que te ama e sente sua falta. Ele se lembra dos bailes a que você ia e de como gostava de valsar. — Avistei o colar que ela usava, uma corrente de ouro com um pequeno pingente em forma de pássaro, com as asas abertas. — Rafael te deu aquele colar no seu quinquagésimo aniversário. Ele diz que você o lembrava de um pássaro, livre e voando pela vida com honestidade e amor. Era o que ele mais gostava em você, a forma como aceitava a todos e o amor que demonstrava por sua família e amigos.

Ela apertou meus dedos com ternura, os olhos brilhando com lágrimas não derramadas e sua mão macia e quente na minha.

—Você é realmente muito especial, Charlotte.

Conal apareceu, entregando-me um copo de plástico e eu bebi com gratidão. Estava gelado e o doce frescor bem-vindo escorria pelo fundo da minha garganta enquanto eu engolia.

— Chá doce. Você está no sul, agora, — ele explicou com um sorriso.

— É gostoso, — eu anunciei, bebendo do copo novamente.

Conal estendeu a mão.

— Vamos, vamos comer alguma coisa. — Peguei sua mão e deixei que ele me levantasse.

— Foi um prazer conhecê-la, Sra. Tremaine.

— Me chame de Nonny, todo mundo chama, — ela disse com um sorriso doce. — E Conal, você a traz de volta para falar comigo mais tarde, ouviu?

— Sim, senhora, — Conal disse, piscando para a mulher mais velha.

Segurei as bebidas enquanto Conal empilhava os pratos com comida das vastas mesas no centro do gramado. Conal me guiou pela multidão, encontrando uma área tranquila perto das margens do Mississippi, que corria ao longo dos fundos da propriedade de Lyell Tremaine. Sentei na grama quente, aproveitando a tranquilidade de contemplar a água, depois da agitação do churrasco dos Tremaine.

— Está se divertindo? — Conal perguntou baixinho. Ele estava sentado de pernas cruzadas, o prato no colo, uma garrafa de Corona na mão.

— Eu estou, na verdade. — Peguei um pouco da carne marinada de uma coxa de frango grelhada e enfiei na boca.

— Você parece surpresa, — ele comentou, tomando sua cerveja.

— Eu acho que eu estou. —. Olhei para ele, largando a coxa de volta no meu prato. — Eu não tinha certeza se poderia me sentir feliz de novo, — confessei.

— É a minha personalidade encantadora que está fazendo a diferença.

— Claro que é. — Eu ri, pegando a coxa e jogando para ele.

Com reflexos instintivos, ele pegou a coxa entre o polegar e o indicador e imediatamente a colocou na boca, mastigando um pouco da carne.

— Minha avó gosta de você, — ele comentou quando terminou de comer, jogando os restos de volta em seu prato vazio.

— Ela é maravilhosa, — eu disse. — Gostei de conversar com ela.

Ele olhou para a multidão ao nosso redor, seu barulho criando um rebuliço na noite tranquila de junho.

— Você quer dar um passeio?

— Claro. — Levantei-me e Conal se livrou do lixo antes de pegar minha mão e me conduzir ao longo da margem do rio. Caminhamos em silêncio por alguns minutos, aproximando-nos da mata, que cortava a curva do rio. — Não é lua cheia esta noite, é?

Ele balançou sua cabeça.

— Não, não é lua cheia esta noite. Além disso,

ainda não vai escurecer por um tempo. Você ainda estaria segura.

Eu ri nervosamente e Conal se aproximou, seus dedos quentes contra os meus.

— Você não se importa de sair um pouco da festa? Todas aquelas vozes me dão dor de cabeça depois de um tempo.

— Não, eu não me importo. Todas essas vozes também me dão dor de cabeça, e estou lidando com as que estão fora e dentro da minha cabeça.

Caminhamos em silêncio ao longo da margem do rio e uma brisa fresca e suave soprou do rio, refrescando a umidade da minha pele. Os grilos começaram a cantar enquanto Conal me conduzia ao longo do caminho que entrava na floresta. A luz diminuiu um pouco, enquanto as árvores cresciam mais densas ao nosso redor.

— Tem certeza que não é lua cheia esta noite?

Conal parou de andar e se virou para mim.

— Claro que não é lua cheia. Sabe, — ele se aproximou de mim, os dedos afastando uma mecha de cabelo do meu rosto, — eu nunca colocaria você em perigo, Charlotte.

— Eu sei, — eu sussurrei.

Por um longo momento ele olhou para mim, seus olhos cheios de afeto, sua respiração lenta e constante enquanto me observava.

— Charlotte. Você acha... — ele fez uma pausa,

inalando profundamente. — Existe alguma chance de você me amar? Pelo menos um pouco?

Eu não sabia o que dizer e desejei poder escapar do desejo em seus olhos negros. O que eu sinto? Eu me importava com ele, mas não tinha certeza se poderia amá-lo. Não do jeito que ele queria.

— Eu não posso te dizer o que você quer ouvir, — eu finalmente admiti tristemente, baixando meu olhar.

Ele pegou meu queixo e levantou meu rosto para que pudesse olhar nos meus olhos, seus dedos quentes contra minha pele.

— Não se desculpe. Acho que tenho amor suficiente por nós dois. — Ele fez uma pausa, me estudando atentamente. — O que você diria se eu quisesse te beijar? — ele disse com voz rouca, sua voz apenas um pouco acima de um sussurro.

Engoli em seco ansiosamente.

— Acho que diria... sim.

Ele capturou meu rosto em suas mãos e se inclinou, seus lábios roçando os meus. Seus lábios eram macios e dóceis, o calor de sua boca fazendo com que um fio de desejo se inflamasse e queimasse em meu corpo. Eu passei meus braços em volta de sua cintura e ele deixou cair um braço em volta das minhas costas, a outra mão segurando a parte de trás da minha cabeça e inclinando meu rosto do jeito que ele queria. Seus lábios ficaram mais insistentes contra os meus, os dentes mordiscando suavemente meu lábio inferior até que abri minha boca para ele. Ele aprofundou o beijo, firme e implacável enquanto explorava a pele nua das minhas costas sob sua mão. Ele me puxou para mais perto até que nossos corpos estivessem alinhados e meus joelhos fraquejassem com o pensamento de seu corpo musculoso pressionado contra o meu, apenas finas camadas de roupa entre nós. Seu coração batia rapidamente, combinando com o meu próprio ritmo quando ele soltou meus lábios e arrastou uma fileira de beijos em minha bochecha, em meu pescoço e sobre meu ombro.

Conal respirou pesadamente quando me soltou, um largo sorriso aprofundando as covinhas em seu rosto.

— Acho que devemos voltar.

— Fiz algo de errado?

— Não. Claro que não, — ele me tranquilizou com a voz rouca. — Mas se ficarmos aqui por mais tempo, vou querer fazer muito mais do que apenas beijar você.

— Oh. — Fiquei surpresa com sua honestidade e corei furiosamente.

Com um sorriso encantado, ele pegou minha mão e voltamos para a festa.

CAPÍTULO 25
NONNY

A festa estava mais silenciosa quando voltamos para o pátio dos Tremaines, muitos dos casais mais jovens com filhos voltaram para casa.

Nonny Tremaine nos viu caminhando de volta e acenou para que nos sentássemos, com os olhos brilhando de prazer.

— O que você tem feito, Conal Tremaine? — ela exigiu quando chegamos ao seu lado.

— Nada, Nonny. — Eu vi Conal piscar para sua avó. — Levei Charlotte para passear à beira do rio.

— É uma boa noite para um passeio ao luar, — Nonny disse com um sorriso astuto.

Corei furiosamente e Conal sorriu timidamente para sua avó.

— E aí, Nonny?

A senhora idosa olhou para mim incisivamente.

— Sente-se, criança. Eu gostaria de conversar um pouco mais com você, agora que aquelas velhas intrometidas foram para casa, para suas camas.

Encontrei os olhos de Conal e ele deu de ombros, puxando uma cadeira para que eu pudesse sentar ao lado de sua avó. Ele se sentou ao meu lado, segurando minha mão na dele.

— Sobre o que você quer falar?

— Estive pensando no dom de Charlotte e sei, pelo que uma velha senhora ouve quando deveria estar dormindo, que há outras coisas acontecendo, coisas que não foram contadas ao bando, — começou Nonny.

— Nonny, você andou escutando? — Conal perguntou bem-humorado. Ele apertou meus dedos. — Não se preocupe, a Nonny não gosta muito de superstições.

— Nem todas as superstições, meu jovem, têm algum fundamento na verdade, — Nonny o repreendeu. — Mas, às vezes, superstições e histórias sobre o nosso bando devem ser lembradas e reconhecidas. Acho que a jovem Charlotte é uma delas.

Conal parecia perplexo, seus olhos se estreitando enquanto observava sua avó.

— Do que você está falando, Nonny?

Nonny olhou ao redor do pátio ainda lotado.

— Não é algo que devemos discutir aqui. Muitas

pessoas. Você pode me pegar amanhã e me levar para um passeio? Daí eu vou contar mais. E precisamos visitar alguém para obter mais informações.

Por um longo momento, Conal olhou para sua avó, observando-a astutamente como se estivesse avaliando silenciosamente o que ela havia dito.

— Tudo bem, Nonny. Nós vamos passar e pegar você. Que horas?

— Cerca das dez. — Ela estendeu a mão e apertou meus dedos suavemente. — Acho que posso ajudar a explicar suas habilidades, Charlotte. Vejo você amanhã de manhã. — Acariciando meu braço, ela se virou para Conal. — Já era hora dessa velha senhora estar em sua cama. Conal, você pode ter a honra de me ajudar a entrar em casa.

Conal se levantou, ajudando sua avó a se levantar.

— Eu já volto, — ele prometeu e eu o observei ajudar a velhinha a atravessar o gramado e entrar em casa.

No caminho de volta para Jackson, Conal e eu discutimos o que Nonny havia insinuado.

— Você acha que ela realmente sabe o que está acontecendo comigo?

Conal encolheu os ombros.

— Com Nonny, tudo é possível. Ela é a guardiã da história do bando, sabe muita coisa que não conta. As histórias do nosso bando foram transmitidas, de geração em geração. É claro que os mais jovens não dão muita importância às velhas histórias, acho que muitos deles pensam que são lengalengas supersticiosas. Mas a família de Nonny tem sido a curandeira e guardiã do segredo de nosso bando há milhares de anos. Se alguém sabe de alguma coisa, provavelmente é a Nonny.

Eu bocejei cansadamente, observando os faróis vindo em nossa direção na estrada cheia de neblina. Mesmo perto da meia-noite, a temperatura era quente, o ar noturno úmido e pegajoso.

— Você está cansada, — Conal comentou suavemente.

— Eu não durmo bem, — eu admiti. Parecia não haver como escapar de Lucas durante o meu sono, todas as noites ele me alcançava em pesadelos e era sempre a mesma coisa: Lucas correndo em minha direção, sede de sangue em seus olhos e eu o atacaria, uma luz brilhante irrompendo de meus dedos e forçando-o a ir embora. Em meus pesadelos, ele nunca sobrevivia e eu acordava pelo menos duas ou três vezes por noite, vendo-o deitado com os olhos arregalados e sem vida.

— Não é surpreendente, os pesadelos estão impedindo você de dormir direito. — Ele estendeu a mão na escuridão e esfregou minha coxa suavemente. — Eu ouço você gemendo e chorando. Às vezes você grita.

— Desculpe. Eu não percebi. Devo estar incomodando você.

— Está tudo bem, eu não estava reclamando. Mas eu me preocupo com você. — Ele parou de esfregar minha perna e ergueu o braço na parte de trás do assento. — Venha aqui, — ele exigiu calmamente.

Eu deslizei pelo banco até me aninhar contra seu quadril e ele me segurou perto enquanto dirigia ao longo da tranquila interestadual.

— Você ainda sente falta dele, não é?

Lágrimas brotaram em meus olhos e eu as limpei.

— Estou tentando, Conal, estou mesmo.

— Eu sei, querida. O que eu não entendo é o controle que ele tem sobre você. É como... acho que é como se um pedaço de você tivesse morrido quando terminou com ele. Você está aqui, está vivendo, mas ainda parece... ligada a ele. Como se sua felicidade dependesse dele fazer parte de sua vida.

Eu apertei meus olhos fechados, pensando sobre suas palavras.

— Eu acho... eu não sei. Eu sinto que estou amarrada a ele. Meu coração, minha alma, tudo dentro de mim parece que faz parte dele.

O braço de Conal endureceu em meu ombro e eu

olhei para ele. Sua mandíbula estava apertada, seus olhos duros.

— Desculpe. Eu sei que não é isso que você quer ouvir.

— Você sabe que ele está morto? — ele disse abruptamente. Vendo meu olhar assustado, ele xingou baixinho. — Eu sei, eu sei. Ele anda, fala, finge respirar e tudo, mas ele está morto, — ele disse, amargura em seu tom. — E eu estou vivo, respirando e querendo tanto você que dói quando ouço você chorar durante a noite.

Pisquei para conter as lágrimas, tentando encontrar as palavras certas para dizer. Eu queria fazê-lo se sentir melhor, mas não sabia se tinha o poder de fazer isso.

— Conal... — Fiz uma pausa, tentando descobrir o que dizer. — Eu gosto de você. Acho que uma parte de mim te ama, um pouquinho. Só não tenho certeza se resta o suficiente do meu coração para te dar. Acho que não posso te amar tanto quanto você quer. Tanto quanto você merece. E eu gostaria que fosse diferente. Talvez, com o tempo, seja.

— Isso é tudo que eu quero, — Conal respondeu roucamente. — E pensar que pode haver uma chance para você e para mim. Estou preparado para esperar que isso aconteça, desde que eu ache que há uma chance. — Ele beijou minha testa e apertou meu ombro suavemente.

Continuamos a viagem em silêncio e pensei em uma miríade de coisas. O silêncio na caminhonete me deu a oportunidade de compartimentalizar as novas vozes dos espíritos que se juntaram a mim, permitindo que eles se apresentassem.

— Você ainda ouve as vozes deles? — Conal perguntou na escuridão. — Os espíritos dos ancestrais de Lucas e os outros?

Eu balancei a cabeça.

— Eu ouço todas as vozes, embora eu tente encaixotar as deles. — Eu me encolhi ao ouvir o nome de Lucas falado em voz alta, foi algo que evitei por causa da onda dolorosa que causou em meu coração. — Mas às vezes, quando estou cansada ou sem concentração, eles conseguem me alcançar.

Houve silêncio por um momento antes de Conal falar novamente.

— O que eles dizem?

— Prefiro não falar sobre isso, — admiti cuidadosamente. Eu já tinha machucado Conal esta noite, não queria machucá-lo mais deixando-o saber que os ancestrais de Lucas, junto com Marianne, Striker, Ripley – na verdade todos eles – estavam fazendo o possível para me fazer voltar para Puckhaber Fall.

Conal parecia contente em deixar o assunto morrer e levantou o braço do meu ombro quando chegamos à cidade. Entramos no estacionamento subterrâneo do bloco de apartamentos dele e subimos as escadas. Na porta do meu quarto, Conal parou.

— Boa noite, Charlotte.

— Boa noite. — Eu estava dividida entre o desejo de ter Conal me beijando novamente e uma vontade de fugir para o quarto. Ficamos ali olhando um para o outro até que Conal se inclinou para frente e roçou um beijo fugaz em minha bochecha. Eu o observei ir embora, pelo corredor até seu quarto antes de me virar para entrar no meu quarto. Eu estava mais confusa do que nunca, desapontada por ele não ter me beijado, aliviada por não ter feito isso. Talvez eu estivesse perdendo a cabeça.

Coloquei uma regata e uma calça de pijama de algodão, jogando minhas roupas no cesto do banheiro. Depois de escovar os dentes e lavar o rosto, caí na cama e deitei de costas, olhando para o padrão no teto projetado pela luminária de cabeceira. Quando o sono veio, ele foi preenchido com os pesadelos recorrentes que sofri por semanas. Lucas podia ficar longe da minha mente durante o dia, mas não podia escapar à noite. Repetidamente, eu o vi pulando em mim, dentes à mostra, olhos selvagens enquanto eu tentava fugir dele. Todas as vezes, o pesadelo mudava de repente e eu levantava minha mão em direção a Lucas, uma luz branca irrompia de meus dedos e ele era arremessado para longe de mim. Quando olhei para baixo, ele estava deitado aos meus pés, seus olhos fixos e sem vida...

Acordei com o som de um grito, percebi que era meu e chorei, segurando minha cabeça com as mãos. Suando e respirando pesadamente, senti a cama se mexer e me virei para encontrar Conal ao meu lado. A parte superior do tronco estava nua, ele usava apenas a calça do pijama e, à luz da lâmpada, pude ver os músculos firmes em seu peito e abdômen. Sem dizer uma palavra, ele puxou as cobertas e subiu na cama ao meu lado, segurando-me em seus braços enquanto eu soluçava.

Conal ficou deitado em silêncio até que meu choro diminuísse e eu me acalmasse. Seus dedos traçaram padrões infinitos contra meu ombro, seu toque quente e reconfortante.

— Obrigada.

— Pelo quê?

— Por estar aqui. — Eu me levantei para poder me apoiar no meu punho e olhar para ele. Seus olhos negros eram insondáveis à luz fraca da lâmpada, seu rosto mais infantil, menos áspero. Estendi a mão para tocar seu cabelo escuro e meus dedos roçaram em sua bochecha. Ele capturou meu pulso, envolvendo-o com sua mão grande.

— Charlotte... não, — disse ele rispidamente. — Não faça isso, a menos que você realmente queira seguir em frente.

Olhei para ele, meus pensamentos confusos, imaginando o que eu realmente queria.

— Eu não sei, — eu finalmente admiti.

Ele suspirou e soltou meu pulso, capturando minha mão na dele e entrelaçando nossos dedos.

— Eu sonhei com você na minha cama por tantas noites, sonhei com todas as coisas que eu quero fazer com você. Eu sei em meu coração que você não está pronta para os meus sonhos. Mas... — ele olhou em meus olhos, seus próprios uma poça de emoções rodopiantes, — deixe-me ficar esta noite. Apenas divida esta cama comigo, nada mais. Deixe-me dormir com você em meus braços, abraçando você e manterei os pesadelos longe. Por favor. — As duas últimas palavras foram suaves, quase suplicantes e fechei os olhos, não suportando o fato desse homem me amar tanto e eu não ser capaz de retribuir o amor que ele merecia. Mas eu poderia dar isso a ele, poderia ficar com ele e deixá-lo me abraçar, sentir seu coração batendo sob minha bochecha.

Eu balancei a cabeça e caí em seus braços à espera. Ele me cercou com sua força e amor e eu me senti segura.

CAPÍTULO 26
CONVERSA SOBRE ANJOS

Nonny Tremaine estava esperando quando chegamos na manhã seguinte, sentada na varanda em uma cadeira de vime. Ela estava vestida com uma saia vermelha brilhante e uma blusa floral colorida, os pés envoltos em sandálias rasas. Seu cabelo branco estava trançado e caído sobre o ombro direito. Ela viu o carro chegar e pegou um chapéu de palha, enfiando-o firmemente na cabeça enquanto esperava que Conal a ajudasse a descer as escadas.

— Chega pra lá, jovem, — ela ordenou com um sorriso quando Conal a ajudou a entrar na caminhonete. — Conal, por que você não pode ter um carro normal que seja fácil para uma senhora como eu entrar?

Conal sorriu com ternura para sua avó.

— Vamos lá, Nonny. Você sabe que adora

sair na minha caminhonete. — Ele a ajudou com o cinto de segurança e depois fechou a porta com cuidado antes de dar a volta e voltar para o banco do motorista. Ele olhou além de mim para sua avó. — Então, para onde estamos indo?

— Merryweather Street em Jackson. A velha igreja episcopal.

Conal franziu o cenho quando ligou a ignição.

— Pensei que aquela igreja tivesse fechado anos atrás.

Um pequeno sorriso brincou nos lábios de Nonny.

— Sim.

— Então, por que estamos indo para lá? — Conal pressionou.

— Porque eu sei que alguém mora lá. Alguém que lembra muito do nosso passado, junto com a história de outros seres sobrenaturais. Acho que ele pode ter uma resposta para a jovem Charlotte.

— Sra. Tremaine? — Eu vi sua carranca de desaprovação e me ajustei de acordo. — Nonny, você realmente acha que pode me dizer por que tenho essa habilidade?

— Tenho minhas suspeitas sobre o que você é, minha querida. Mas o cavalheiro que vamos visitar é quem tem o verdadeiro conhecimento. Acho que devemos esperar para falar com ele. Mas por que você não me conta um pouco sobre você? Conal me disse que você é uma artista...

A viagem até a Merryweather Street nos levou de volta ao coração de Jackson. Onde o apartamento de Conal ficava a sudoeste da cidade, ele dirigiu mais para o leste, por uma área que parecia mais velha e dilapidada. Havia um monte de casas com tijolos, pintura descascada em suas varandas, janelas rachadas e cobertas de sujeira. Esta área estava calma, pouquíssimas pessoas se aventuravam no que se preparava para ser uma linda manhã de sábado. Parecia um pouco assustador e eu tremi, arrepios subindo na minha pele. Conal, que estava descansando a mão em minha coxa (para o deleite de Nonny), apertou minha perna gentilmente.

— Esta área de Jackson é onde vive a maior parte do sobrenatural. Há outro bando de lobisomens, menor que o nosso. Alguns metamorfos, um beijo de vampiros e alguns feiticeiros.

Eu era Alice e havia atravessado o espelho. Não muito tempo atrás, os seres míticos que ele mencionou pertenciam aos livros, lendas para serem gritadas nos filmes. Ainda parecia um tanto irreal saber que eles realmente existiam. Eles não apenas existiam, mas também, eu estava sentada entre dois deles agora. Um sorriso brincou em meus lábios enquanto eu considerava Nonny Tremaine se transformando em um lobo. A imagem era de alguma forma incompatível com a senhora sentada ao meu lado em uma saia vermelha brilhante.

Conal parou a caminhonete em frente a uma grande e velha igreja, a pedra cinza envelhecida e esburacada. Em minhas estimativas, deve ter sido construído há mais de cem anos. Janelas altas em arco aninhadas em ambos os lados de portas duplas de madeira e gárgulas com olhos cegos vigiavam a mistura de velhas lápides que cobriam o terreno. Era como nenhuma igreja episcopal que eu já tinha visto antes, esta igreja parecia mais adequada para a Inglaterra medieval do que aqui. Os terrenos ao redor da igreja eram cercados por uma cerca antiquada construída em pedra e montada com pontas de ferro forjado em uma formação regular. Qualquer vestígio de tinta havia desaparecido anos atrás e as pontas de metal eram do rico vermelho-alaranjado da ferrugem. Havia um ar de decadência no prédio, uma sensação de abandono que me fez estremecer no ar quente de junho. Os pelos dos meus braços se arrepiaram e senti algo escorrendo, algum poder flutuando ao nosso redor. Eu não conseguia imaginar o que poderia ser, mas me deixou nervosa.

Nonny marchava em direção a um portão enferrujado, fixado na imponente cerca. Ela estava extraordinariamente alegre e eu me perguntei quantos anos ela teria. Eu perguntei a Conal enquanto caminhávamos para o portão, atrás de Nonny.

— Ela fará cento e vinte e sete anos no mês que vem, — ele respondeu, segurando o portão aberto.

— Cento e vinte e sete, — repeti vagamente.

— Os lobisomens vivem mais que os humanos.

— Eu vejo. — Subimos o caminho coberto de mato em direção à igreja e parei abruptamente, olhando para Conal e Nonny com curiosidade. — Você pode entrar aí?

Conal sorriu, as covinhas em suas bochechas se aprofundando.

— Nós somos lobisomens, Charlotte, não sugadores de sangue. Eles não podem entrar em solo consagrado, mas isso não faz diferença para nós.

A vovó bateu na pesada porta de madeira e esperamos por um longo tempo no calor abafado.

— Talvez eles não estejam? — Eu sugeri depois de mais um minuto. Eu esperava que não, o frio na espinha não tinha passado e eu queria ir embora.

— Claro que ele está em, — Nonny anunciou. Ela bateu na porta novamente com uma força surpreendente. — Ele está nos esperando.

— Quem está nos esperando? — Conal perguntou.

Houve o som de fechaduras sendo giradas do outro lado da pesada porta e ela se abriu lentamente, permitindo um vislumbre do interior escuro. Uma cabeça de repente apareceu na porta, olhos azuis redondos olhando para nós por trás de enormes óculos redondos.

— Nonny Tremaine, é um prazer vê-la novamente. Entre, entre!

Entramos no fresco santuário da igreja e olhei em volta com interesse. O interior da igreja era o mais *anti*-igreja possível. Onde deveria haver bancos, um altar e os paramentos de uma igreja episcopal, ao contrário, foi convertido em um apartamento. Um apartamento notavelmente completo. Cada parede estava coberta de estantes de livros, estendendo-se do chão até o nível mais alto do teto abobadado. Havia uma longa mesa de madeira onde deveria ser o altar, com pilhas altas de livros, pilhas de papel e uma variedade de artefatos, todos os quais pareciam interessantes e ligeiramente alarmantes. Um aroma de papel velho, couro e fumaça de tabaco pairava pesadamente no ar. A um lado, um fogo queimava em uma lareira, uma enorme chaleira de ferro pendurada em um gancho resistente. No meio da sala havia um sofá estofado, apoiado em pernas finas. Também estava cheio de livros empilhados, alguns abertos e outros empilhados precariamente uns sobre os outros.

— Epimetheus, gostaria de apresentar a você meu neto, Conal Tremaine, e sua amiga, Charlotte

Duncan, — Nonny anunciou. — Charlotte, Conal, este é Epimetheus Vander.

Ele era baixo, provavelmente apenas um pouquinho mais de um metro e meio de altura. Seu rosto era dominado por enormes óculos redondos, sustentados por um nariz bulboso. Ele parecia velho, seu rosto marcado por rugas profundas que lhe davam a aparência de um pequeno elefante. Sua cabeça era quase careca, apenas um tufo de cabelo branco criava uma auréola ao redor de seu crânio.

Ele usava roupas estranhas, calças marrons antiquadas com uma túnica vermelha opaca, botas de couro nos pés. A túnica tinha sido costurada à mão com cordão de couro, os pontos grandes. Ele estendeu a mão, apertando a nossa com um aperto firme que desmentia sua aparente idade.

— E o que os trazem aqui nesta bela manhã de sábado, eu me pergunto? — ele perguntou.

— Você sabe por que estamos aqui, — Nonny respondeu com impaciência. — Eu liguei para você para falar sobre essa jovem.

Eu duvidava que fosse uma boa ideia – a aparência e a atitude do homem eram tão bizarras que ele poderia ter perdido suas faculdades mentais ou ter sofrido de demência. Ele não poderia nos ajudar.

Obviamente, Conal estava tendo dúvidas

semelhantes, envolvendo seu braço em volta da minha cintura de forma protetora.

— Nonny, do que se trata?

Nonny voltou sua atenção para mim, com um leve sorriso nos lábios e curiosidade nos olhos.

— Você leu alguma coisa dele, Charlotte?

Eu balancei minha cabeça sem palavras. Eu não tinha percebido que não havia novas vozes até Nonny mencionar. Eu estava tão atordoada com o homenzinho estranho diante de mim, ele era tudo em que eu conseguia pensar. Procurei uma segunda vez, mas não encontrei nada e balancei a cabeça novamente.

— Como eu suspeitava, — Nonny sorriu triunfante. — Epimetheus é um feiticeiro.

— Eu não entendo. — Fiquei completamente perplexa com este anúncio e nervosa porque não conseguia ouvir as vozes deste homenzinho. Isso significava que eu poderia estar em perigo.

De repente, Epimetheus voltou-se para os negócios e parecia ter a mente mais clara.

— O que você me disse pode ser verdade, Nonny. — Ele sorriu amplamente para Conal e para mim, o largo feixe mostrando uma distinta falta de dentes. — Vamos sentar e conversar, certo? — Ele acenou com o braço educadamente em direção ao sofá estofado e me perguntei como deveríamos sentar nele, quando estava coberto de livros. O sofá desapareceu, substituído por uma mesa bastante frágil com quatro cadeiras ao redor. Pisquei e, não pela primeira vez, pensei que estava perdendo a cabeça.

Conal me levou até a mesa e puxou uma cadeira. Sentei-me cautelosamente, imaginando se algo que tinha acabado de... *aparecer* poderia ser sólido. Conal puxou uma segunda cadeira e se sentou ao meu lado. Nonny sentou-se à nossa direita e Epimetheus ocupou a cadeira oposta.

— Agora, deixe-me explicar do que se trata, minha querida. — Ele falou com uma voz clara, inesperada de alguém tão idoso. Sua voz era forte com um leve sotaque, possivelmente inglês.

— Quando Nonny ligou para mim e me contou sobre você, fiquei convencido de que você era apenas uma excelente médium, talvez até uma fraude. Eu queria ver se você afirmava ser capaz de ler minha mente, ou se havia a mais remota possibilidade de você ser o que Nonny suspeitava.

Eu olhei do velho para Conal e de volta, franzindo a testa em confusão.

— Desculpe. Não tenho a menor ideia do que você está falando.

Epimetheus falou com Nonny.

— Você não disse nada a eles, eu presumo?

— Claro que não. Precisamos ter certeza, — respondeu Nonny.

Conal se levantou abruptamente, seus olhos brilhando com aborrecimento.

— Nonny, eu não trouxe Charlotte aqui para ouvir vocês dois conversando em enigmas.

— Sente-se. — A voz de Nonny era firme, suas palavras ecoando pelo interior da igreja.

Conal sentou-se lentamente, olhando para sua avó como se estivesse se perguntando sobre *suas* faculdades mentais.

Epimetheus estudou-me demoradamente, com os olhos enormemente ampliados por detrás dos óculos.

— Charlotte, se você tivesse vindo aqui e pudesse entrar em contato com meus ancestrais, eu teria escolhido uma das duas opções. Você era uma médium notavelmente boa – e isso era tudo – ou você era uma fraude. Você não seguiu nenhum desses caminhos. O que provou para Nonny e para mim que você pode ser o que eu estudei e procurei, quase toda a minha vida. — Ele viu a perplexidade em meus olhos e balançou a cabeça. — Eu preciso começar do começo, eu posso ver.

— Isso pode ser útil, — disse Conal, com uma forte ponta de sarcasmo.

Epimetheus o ignorou.

— Existe uma lenda, tão antiga quanto o próprio tempo. Milhares de anos atrás, o Anjo Nememiah misturou seu sangue com o sangue dos homens e criou uma raça superior de humanos. Eles foram criados para livrar o mundo dos demônios, para fornecer às criaturas sobrenaturais deste mundo regras e convenções, que manteriam a paz e impediriam que eles se destruíssem. Os humanos que Nememiah criou mantiveram o mundo pacífico e livre de demônios por centenas de anos. Mas com o passar do tempo, os Anjos de Nememiah se destruíram por meio de brigas internas e orgulho excessivo. Eles começaram a acreditar que eram os homens mais importantes da terra e ficaram arrogantes. É uma longa história, mas no final das contas, os filhos do Anjo se destruíram por causa da perda da humildade. Onde antes havia unidade, agora havia discórdia. Onde antes trabalhavam juntos em harmonia, agora irmão brigava com irmão e muitos abandonaram o grupo, desencantados com as mudanças. O sangue do Anjo Nememiah foi diluído e enfraquecido, até que não restasse mais nada dos poderes concedidos à raça de Nememiah. Eles desapareceram há mais de mil anos.

— Embora eu tenha certeza de que é uma história muito interessante, não vejo o que isso tem a ver com Charlotte, — afirmou Conal teimosamente.

— Se você me deixasse terminar. — Epimetheus olhou para Conal, seus olhos em chamas. — Eu teria dito a você que, por muitos anos, tenho estudado a história dos filhos anjos de Nememiah. Há outra lenda, que sugere que se um dos grupos sobrenaturais ganha supremacia demais, os filhos de Nememiah ressurgirão para devolver o equilíbrio ao mundo. — Ele se virou para mim, sua expressão sincera. — Nonny parece pensar que você pode ser uma daqueles filhos de Nememiah.

— Eu? Porque você pensaria isso?

— Porque você tem um dom muito extraordinário. Um dom que cresceu em força e poder nos últimos meses. Um dom que permitia que você derrotasse vampiros sozinha, causando-lhes ferimentos que nunca pensamos serem possíveis. — Ele se inclinou para frente, seus olhos perfurando os meus. — E porque você não conseguiu alcançar meus ancestrais. A história dos filhos de Nememiah afirma que, tradicionalmente, eles não conseguiam alcançar os espíritos de um feiticeiro. Você não conseguiu ler o meu.

— Ainda não entendi, — respondi. Na verdade, eu não tinha ideia de qual era o objetivo da história. Este velho estranho estava sugerindo que eu tinha algo a ver com essas crianças anjos? A ideia era completamente ridícula.

— Os feiticeiros têm sangue de demônio. Na verdade, de todas as criaturas sobrenaturais, nosso sangue é mais de cinquenta por cento demoníaco.

Não ser capaz de contatar os espíritos era uma maneira pela qual os filhos de Nememiah podiam detectar demônios. Os demônios assumiam muitas formas e podiam se esconder atrás da fachada da normalidade, especialmente porque os demônios aprenderam a assumir características humanas. Mas com o toque de um ombro, uma mão, o sangue do demônio poderia ser reconhecido. Assim como outros inimigos. — Epimetheus bateu na mesa com os dedos, olhando para mim por mais um longo momento. — Eu presumo que houve alguns que você não conseguiu ler?

— Eu... sim, tem alguns. Normalmente pessoas que estão tentando... me machucar. — Olhando-o com curiosidade, fiz a pergunta que estava em minha mente. — Você acha que estou de alguma forma ligada a esses filhos anjos?

— Não sejamos precipitados, — disse o velho, balançando a mão descuidadamente no ar à sua frente. — Nós apenas revelamos que existe uma possibilidade. Há muitas outras coisas para discutir e estabelecer antes que essa conclusão possa ser feita.

— Que tipo de coisas? — Conal perguntou. Ele parecia mais relaxado agora, apertando meus dedos suavemente enquanto observava o velho atentamente.

— Quero que Charlotte me diga exatamente

quando essa habilidade se apresentou e como se manifestou. — Epimetheus acenou com a mão em direção à chaleira, que imediatamente começou a ferver com o vapor saindo do bico. — Mas primeiro, deixe-me oferecer-lhe uma bebida quente. Onde estão minhas maneiras?

CAPÍTULO 27
EPIMETHEUS VANDER

Epimetheus me questionou por horas, querendo saber cada pequena faceta de minhas habilidades, quando elas se apresentaram, como se manifestaram, que mudanças estavam ocorrendo. Ele perguntou sobre minha história familiar, qualquer habilidade psíquica dentro da família e passou um período considerável desenhando uma linha do tempo em uma folha de papel. De vez em quando, ele pulava da cadeira, correndo de um lado para o outro pela sala, selecionando volumes das estantes aparentemente ao acaso. Trazendo-os de volta à mesa, ficamos sentados em silêncio enquanto ele examinava várias passagens. Houve muitos grunhidos, zumbidos e hmms, enquanto ele se debruçava sobre os livros, os óculos empoleirados bem na ponta do nariz bulboso e os dedos ossudos seguindo linhas de escrita arcaica no pergaminho.

Meu estômago roncou de forma alarmante durante esse interrogatório e Epimetheus ergueu os olhos de seus livros.

— Minha querida, eu continuo me esquecendo da necessidade humana de comer.

— Sem mencionar o de um lobisomem, — Conal murmurou.

Epimetheus acenou distraidamente com a mão e um prato apareceu no centro da mesa, cheio de sanduíches empilhados. Outro prato apareceu com bolos e biscoitos e eu timidamente estendi a mão para pegar um sanduíche, mal acreditando que eram reais até que toquei o pão macio e senti o delicioso aroma de frango e maionese. Dei uma mordida em um e achei deliciosamente saboroso.

Conversamos durante a tarde, com a pilha de livros empilhados sobre a mesa começando a aumentar assustadoramente. O céu lá fora estava escurecendo quando Epimetheus empurrou sua cadeira para trás, levantando-se agilmente para caminhar até a longa mesa onde outrora havia um altar. Ele embaralhou as coisas, procurando por algo, eventualmente ele voltou carregando uma pequena caixa como se fosse o item mais importante que ele possuía.

— Minha querida, eu acredito que você pode ser

um dos filhos do Anjo Nememiah. Todos os sinais estão aí. No entanto, eu acho que este artefato que entrou em minha posse muitos, muitos anos atrás, vai provar isso, de uma forma ou de outra. — Ele colocou a caixa de madeira simples sobre a mesa e a abri com um floreio. Olhei para dentro, desapontada com o que vi. No fundo da caixa havia um pequeno pedaço de madeira flutuante. Olhando mais de perto, percebi que não era madeira flutuante, era muito mais escuro, a madeira brilhante e lisa como se tivesse sido tocada e esfregada por um longo período de tempo. Tinha cerca de doze centímetros de comprimento e talvez cinco centímetros de diâmetro. Era torcida e enrolada, com uma extremidade afunilada em uma ponta, como uma caneta. Olhei para ele por um longo tempo antes de voltar minha atenção para o velho.

— O que é?

— Uma das maravilhas do mundo dos filhos do Anjo. Eu me pergunto, muito, se você irá pegá-lo?

Estendi a mão para segurá-lo, mas Conal agarrou meu pulso com firmeza.

— O que é, velho? E como sei que não vai machucá-la?

— Não vai machucá-la se ela for apenas uma humana normal com poderes psíquicos. Nem vai machucá-la se ela for uma dos filhos do Anjo. Mas a diferença será se funciona ou não. — Ele olhou para o objeto com uma certa quantidade de adoração em seus olhos. — Mas se você está preocupado, vou permitir que você toque primeiro. Eu te aviso, os efeitos não serão agradáveis.

Antes que Nonny ou eu pudéssemos objetar, Conal enfiou a mão na caixa, segurando o objeto com a mão. Eu gritei quando ele foi jogado para longe da mesa, voando pelo ar e caindo no chão ao lado de uma estante. Era muito parecido com o que eu tinha feito em Puckhaber, e joguei minha cadeira para trás, correndo para ele. Quando cheguei ao lado de Conal, ele se endireitou e esfregou a nuca com cuidado.

— Merda, — ele rosnou. — Que raio foi aquilo?

— O poder do Hjördis. Era o item usado pelos filhos do Anjo para marcar a pele, protegendo-os dos demônios e potencializando seus poderes. Ele é projetado especificamente para ser usado por filhos do Anjo. Não pode ser usado, — ele sorriu um pouco maliciosamente, — ou tocado, pelo sobrenatural ou demônios.

Conal se levantou e voltamos para a mesa, onde ele caiu na cadeira, ainda esfregando a cabeça com cuidado. Ele olhou para o Hjördis com cautela.

— Essa coisa. Isso me jogou do outro lado da sala.

— Porque você não foi feito para usá-lo, lobo.

— Você deveria tê-lo avisado, — Nonny resmungou para Epimetheus.

— Eu avisei. — Epi não se importou com os acontecimentos dos últimos minutos e sorriu presunçosamente. — Não é minha culpa que ele não tenha feito mais perguntas antes de agir.

— Tente pegá-lo, — Nonny sugeriu suavemente para mim. — Você é humana. Não vai te machucar.

Olhei para Conal inquieta e vi seu aceno quase imperceptível. Minha mão tremia quando estendi a mão para o pedaço indefinido de madeira. Respirei fundo, forçando-me a envolver meus dedos em torno dele. Nada aconteceu. Tirei-o cuidadosamente da caixa e ele começou a vibrar contra meus dedos. A madeira ficou quente, mais quente do que deveria e deixei-a cair sobre a mesa, olhando-a com desconfiança.

— O que você sentiu, criança? — Epimetheus parecia sem fôlego e animado. Inclinando-se para a frente em sua cadeira, seus olhos focalizaram o objeto inofensivo sobre a mesa.

— Não sei. — Fiquei nervosa quando o toquei e calafrios subiram e desceram pela minha espinha.

— Pegue de novo.

— Não.

— Pegue de novo, criança. — A voz de Epimetheus era firme, cheia de determinação.

— Não!

Conal se levantou, seus olhos brilhando de raiva.

— Deixe-a em paz, Vander. Eu não sei o que você está jogando, mas acabou. Eu já tive o suficiente. — Eu podia sentir a tensão agitando seu corpo em ondas, senti seu poder me inundando. Não estava me fazendo sentir melhor.

Nonny se levantou, esfregando as mãos nos meus ombros e costas antes de se inclinar para a frente e aconchegar o rosto no meu.

— Vocês dois estão assustando Charlotte. Parem com isso agora. — Os dois homens continuaram a olhar um para o outro, enquanto Nonny ficava esfregando sua bochecha na minha e eu comecei a me acalmar novamente. Eu tinha visto alguns membros do bando de Conal fazendo algo parecido na festa, quase como se estivessem marcando uns aos outros com seu cheiro. Fosse o que fosse, ajudou a acalmar minha explosão de nervos e achei o toque de sua pele macia calmante. — O que aconteceu, Charlotte, quando você segurou o Hjördis? — ela perguntou baixinho.

— Ele vibrou, — eu admiti lentamente. — E parecia meio quente, quase quente. Mais quente do que deveria.

A mão de Nonny voou para sua boca, seus olhos arregalados de descrença.

— É verdade! Você é uma dos filhos do Anjo! Eu sabia!

— Agora, Nonny, não tão rápido. É verdade que ela pode segurar o Hjördis. Isso não é prova de que ela é forte o suficiente para ser filha do Anjo, — Epimetheus disse severamente. Ele empurrou as pilhas de livros e papéis para longe, deixando um pedaço vazio na mesa na minha frente. — Desenhe alguma coisa, criança.

Eu encontrei seus olhos, completamente perplexa.

— Desculpe?

— Desenhe algo. Coloque o Hjördis em sua mão, deixe seus pensamentos se concentrarem nisso. Use-o como uma caneta, um pincel. Não pense demais. Desenhe algo, usando o Hjördis como ferramenta.

Olhei para ele por um minuto, vendo a alegria em seus olhos. Peguei o Hjördis timidamente, menos assustada desta vez quando ele começou a vibrar suavemente. A madeira esquentou, não o suficiente para queimar, mas certamente mais quente do que deveria ser normal. Eu não tinha ideia do que ele queria dizer com desenhar algo. Eu poderia desenhar pessoas, lugares e coisas. O que ele queria que eu desenhasse? E como eu poderia desenhar algo com um velho fragmento de madeira?

— Eu disse, *não pense demais!*

Eu fiz uma careta para o velho, antes de voltar minha atenção para a mesa danificada. Fechando os olhos, respirei fundo e deixei o ar escapar lentamente pelos lábios, tentando liberar tudo da minha mente, concentrando-me na madeira em minha mão. Ele zumbiu mais alto contra a palma da minha mão, aquecendo levemente e eu o segurei como se fosse um lápis ou um pincel. Uma imagem se formou nos recessos da minha mente e eu a desenhei, ciente do cheiro de madeira queimada chegando às minhas narinas enquanto trabalhava. Quando abri os olhos, encontrei Nonny, Conal e Epimetheus olhando para a mesa. Um símbolo intrincado foi gravado na madeira, mas as linhas não estavam enegrecidas e chamuscadas como eu presumi que estariam, elas eram luminosas, da cor índigo.

— Que diabos é isso? — Conal respirou calmamente. Ele estava olhando com indisfarçável surpresa para o símbolo que eu desenhei.

— Vamos ver se Charlotte sabe, — Epimetheus sugeriu presunçosamente. — Tem um significado. E cuidado com a língua, lobo. Você está na igreja.

Ignorei suas brigas e encarei o símbolo esculpido. No fundo da minha mente, havia uma familiaridade, um sentimento de que de alguma forma eu sabia o que significava. Fechei os olhos, vendo o símbolo estampado em minhas pálpebras.

— Coragem, — murmurei. — Significa coragem.
— Eu sabia que esse era o significado, sem dúvida.

Não havia raciocínio para o conhecimento, eu apenas *sabia*.

Epimetheus pôs-se de pé de um salto, correndo para a longa mesa do altar. Ele vasculhou os muitos livros, até encontrar um pequeno, trazendo-o de volta para a mesa com ele. Este livro era antigo, a capa de couro desbotou para que sua cor original não pudesse ser distinguida. Ele colocou o livro reverentemente sobre a mesa e começou a virar cuidadosamente as páginas frágeis. Ele parou de repente e empurrou o livro para mim, apontando para um desenho.

Era idêntico ao que eu tinha desenhado.

— Ela é filha do Anjo, — Nonny suspirou com admiração.

— Há mais um teste. Charlotte, você tem alguma cicatriz, marca de nascença? Algo incomum? — Epimetheus perguntou ansiosamente. — Pode ser algo incongruente, algo em que você nunca pensou, mas que existe desde a infância.

Olhei para ele, imaginando como ele sabia de todas essas informações, imaginando se eu poderia acreditar no que ele estava dizendo. Eu levantei meu cabelo dos meus ombros e apontei para um ponto atrás da minha orelha esquerda.

Conal, Epimetheus e Nonny se reuniram atrás de mim para examinar o local que eu havia apontado. Era uma marca que eu tinha desde a infância, minha mãe disse que foi causado pelo fórceps quando nasci. Eu nunca tinha pensado em nada disso até agora. Mamãe chamou de minha marca da sorte, dizendo que era especial porque ninguém mais tinha uma. Era uma pequena mancha pálida no meu pescoço, em forma de asa.

— Uma asa de anjo, — Epimetheus anunciou, soando um tanto ofegante. — Ela é uma dos filhos de Nememiah.

≈†◊◊†◊◊†◊◊†≈

— Então você está sugerindo que tudo o que aconteceu nos últimos meses, o ataque de Ambrose, seu beijo voltando para a casa, o sequestro – eles estavam todos ligados a essa coisa de filha de anjo? — Eu questionei com ceticismo.

Era tarde da noite e o único tópico de conversa durante o longo dia e noite adentro tinha sido eu. Epimetheus Vander havia me interrogado como um interrogador do FBI, fazendo uma miríade de perguntas. Com o passar do tempo, até mesmo Conal parecia concordar com ele e Nonny, que eu era de fato uma dos Filhos de Nememiah. O que muito perturbou Epimetheus foi a quantidade de contato que tive com seres sobrenaturais nos últimos meses e o número de desastres que aconteceram comigo. Ele havia sugerido que alguém que sabia sobre os

Filhos de Nememiah me queria e os eventos dos últimos meses estavam ligados.

— Eu acredito que sim, — Epimetheus concordou. — Embora o ataque inicial do vampiro tenha sido provavelmente uma coincidência infeliz, acredito que os outros incidentes estão relacionados ao seu papel como filha de Nememiah.

— Se é assim, — Conal perguntou lentamente. — Por que aconteceu agora? Por que não quando Charlotte era mais jovem?

Epimetheus respondeu a Conal, como se estivesse falando com uma criança pequena.

— Porque como você mesmo disse, Charlotte não abraçou a habilidade. Ela tinha, para todos os efeitos, alguma habilidade psíquica que ela mesma admite ter ignorado tanto quanto possível. Mas para aqueles de nós que buscam o retorno dos filhos de Nememiah, sua verdadeira natureza não seria revelada até que ela mesma começasse a aceitá-la. E usá-la.

— O que significa, — Nonny acrescentou, — que outra pessoa sabe sobre os Filhos de Nememiah e está procurando por ela.

— Sim, — Epimetheus concordou. — Precisamos ensiná-la a usar seus poderes e instruí-la sobre como se defender. Devemos mantê-la segura. A história dos filhos de Nememiah diz que eles atingem a maturidade completa aos vinte e um anos. Depois dos vinte e um anos, eles não podem ser transformados em nenhuma outra força sobrenatural. Antes disso, ela é capaz de ser transformada. Seus poderes podem ser aproveitados por alguém que queira ganhar poder para si mesmo.

Eu me sinto doente. Eu estava apenas começando a compreender o que eles estavam sugerindo e mal acreditei. E agora eu ia ter que aprender a me defender? Precisava ser protegida?

— Charlotte, quando você faz vinte e um anos? — Conal perguntou.

— Dois de setembro.

— Isso não nos dá muito tempo, — calculou Nonny. — Menos de três meses.

— O bando irá protegê-la, — Conal anunciou.

— Mas eles devem saber o que estão protegendo, o que está em jogo, — respondeu Nonny. — Conal, o bando deve ser avisado do que aconteceu aqui hoje. — Seus olhos escuros eram firmes, o conjunto de sua mandíbula determinado.

Eles trocaram um olhar inquieto, Conal franzindo a testa.

— Nonny, você acha que isso é sensato? Você, mais do que ninguém, sabe como alguns dos membros do bando são supersticiosos.

— Não temos escolha, Conal. Isso é grande demais para ser mantido em segredo. Devemos voltar ao bando, convocar uma reunião com seu pai e os anciãos. Deve ser esta noite.

Conal suspirou.

— Você tem razão. Mas vou levar Charlotte de volta ao meu apartamento primeiro. Não a quero perto do bando até sabermos quanto apoio vamos conseguir.

— Você acha que o bando não vai gostar disso? — eu questionei.

Conal apertou meus dedos suavemente.

— Se tudo isso for verdade...

— O que é, — Epimetheus interrompeu, olhando para cima do livro que ele estava folheando.

Conal olhou para ele.

— Como eu disse, *se* isso for verdade, significa que teremos problemas. Se Vander estiver certo, os filhos de Nememiah estão sendo ressuscitados por causa de algum perigo iminente. Não sabemos o que é e o bando pode não acreditar em um feiticeiro antigo e na minha avó idosa. Sem ofensa, Nonny, — ele terminou com um sorriso fraco para Nonny.

— Nenhuma, — ela respondeu alegremente.

Conal continuou.

— O bando é extremamente supersticioso. Eles podem pensar que seu surgimento é um mau presságio. Eles podem acreditar que são as divagações de dois velhos senis...

Epimetheus pigarreou alto.

Conal o ignorou e continuou.

— Eles podem decidir que é um absurdo. Não posso prever como eles vão reagir. Você sabe como era o papai quando conheceu você. Ele estava apavorado, pensou que você era uma bruxa.

Eu balancei a cabeça sem palavras.

Conal estava carrancudo, seus olhos negros solenes.

— Até que eu tenha certeza de seu apoio, eu quero manter você longe do bando. Não tenho certeza em quem podemos confiar. Temos que pensar nisso, fazer alguns planos.

— Você acha que alguém do seu bando está por trás disso?

Ele balançou sua cabeça.

— Não, eu não acho. Mas alguém está. E quanto menos pessoas souberem onde você está, melhor. Pelo menos até resolvermos isso. Você tem seu telefone?

Eu abaixei minha cabeça em reconhecimento, me sentindo mais do que um pouco sobrecarregada.

— Ligue para Lucas, diga a ele o que está acontecendo. Eles precisam ser mantidos informados.

Nonny ergueu a cabeça do livro que estava estudando.

— Isso é sábio? Como sabemos que eles não estão por trás disso?

Conal soltou um suspiro.

— Por mais que eu não goste de confiar em um sugador de sangue... eles parecem serem bons. Eles não estão por trás disso. — Ele olhou para mim com expectativa.

— Eu não quero ligar para eles. Eles estarão mais seguros se não estiverem envolvidos, — eu anunciei depois de pensar por alguns minutos. — Eles não precisam saber. Quem está atrás de mim sabe onde estou. Na verdade, estou mais preocupada com você.

As feições duras de Conal suavizaram, seus olhos como alcaçuz líquido quando ele olhou para mim.

— Você vai ficar comigo, querida. Não vou deixar você lidar com isso sozinha.

Um pensamento aleatório me ocorreu, arrancado da lista interminável e crescente de coisas furiosas em minha mente e olhei para Epimetheus.

— Como você pode estar em uma igreja? Se você tem tanto sangue de demônio, certamente você foi condenado? Isso não é solo consagrado?

Epimetheus sorriu.

— Eu sou diferente. Sim, eu tenho sangue de demônio. Muito mais sangue de demônio do que Conal e Nonny aqui. — Ele puxou a gola de sua túnica, puxando-a para baixo para revelar uma tatuagem em seu ombro. — Mas eu lutei ao lado do bem na guerra final que destruiu os Filhos de

Nememiah. O líder dos filhos dos Anjos era um homem corajoso, que valorizava a verdade e a integridade dos ensinamentos de Nememiah. Ele me deu esta marca.

Era uma asa, parecida com a do meu pescoço, mas totalmente preta contra a pele branca e enrugada do velho.

CAPÍTULO 28
CONFUSÃO

Três da manhã chegaram e passaram enquanto eu andava pelo apartamento de Conal. Ele me deixou em casa pouco depois da meia-noite, verificando o apartamento minuciosamente antes de sair com Nonny para convocar uma reunião de emergência com seu bando.

Uma pilha de livros estava sobre a mesa de centro, mas eu estava muito agitada até mesmo para olhar para eles. O velho insistiu que eu os levasse, querendo que eu começasse a aprender sobre meu "dom prodigioso", como ele o chamava. Minha primeira tarefa era estudar o significado de inúmeras imagens que ele chamou de "selos". Eu precisava memorizá-los e Epimetheus visitaria o apartamento mais tarde para começar minhas aulas.

Eu ainda estava me recuperando das revelações

com as quais fui inundada e estava distraída e nervosa. Pela centésima vez, questionei se o que me disseram poderia ser verdade. Explicava uma série de episódios ocorridos nos últimos meses e como consegui ferir Lucas e os outros. Mas filha de Nememiah? Eu poderia realmente ter o sangue de um anjo correndo em minhas veias?

A ideia de ser algum tipo de... *destino* pesava muito. Epimetheus havia insistido que os Filhos de Nememiah eram guerreiros, lutadores, matadores de demônios e protetores dos fracos. Uma descrição que parecia tão distante de *mim* quanto era possível obter. Afastei-me das lutas durante toda a minha vida, adotando uma abordagem pacifista para tudo. Por que eu seria marcada como filha de Nememiah? Não fazia sentido. Além disso, eu matei alguém, matei meu padrasto a sangue frio. Isso não me tornava uma provável candidata a ter sangue de anjo.

Ouvi uma chave girar na fechadura e o alívio me inundou quando Conal entrou no corredor, fechando e trancando a porta atrás dele. Pela queda de seus ombros e o olhar abatido em seus olhos, eu poderia dizer qual foi a resposta do bando.

— Eles não acreditaram em você.

Conal deixou cair as chaves na bancada, notando-me pela primeira vez.

— Eu pensei que você estaria na cama. — Ele me

puxou para seus braços, segurando-me firmemente contra seu peito.

— Achei que não iria dormir. — Procurei em seus olhos a confirmação do que deduzi. — Acho que eles não acreditam nisso, hein?

Conal respirou profundamente, seus olhos negros rodeados de sombras cansadas.

— Não é tanto que eles não acreditem, — disse ele, esfregando meus ombros suavemente, — é que eles não *querem* acreditar.

— Então estou sozinha, — eu disse uniformemente, me virando para continuar andando.

— Não, você não está sozinha. Nonny e eu acreditamos em você. Alguns dos outros, eles acreditam nisso lá no fundo. Mas o bando segue seus líderes e eles votaram contra os preparativos. — Ele pegou minha mão, puxando-me para o sofá e afundando nele, puxando-me para baixo em seu colo. Eu me aninhei contra seu peito, imediatamente mais calma.

— Eles todos votaram contra? — Eu perguntei estupidamente.

— Não, foi perto. Meu pai votou em você, se isso serve de consolo.

— Então o que eu faço agora?

Conal me aconchegou mais apertado contra ele.

— *Nós* vamos para a cama. Foi um longo dia e

uma noite mais longa. Começaremos nossos próprios preparativos amanhã. Alguém ou algo está tentando pegar você. Vou garantir que isso não aconteça. Vander vai te ensinar a coisa do Anjo, eu vou te ensinar como se proteger.

Eu o olhei duvidosamente.

— Como você pode fazer isso? Você fica fora pelo menos três dias por semana e precisa trabalhar.

Conal esfregou minhas costas de forma tranquilizadora.

— Estou de licença. Imediatamente. Tenho cerca de três meses de férias para mim.

— Como seu pai vai se sentir sobre isso? Ele não vai pensar que você está agindo pelas costas dele?

— Eu não vou pelas costas dele, — Conal me assegurou calmamente. — Foi papai quem sugeriu. Como eu te disse, ele votou *em* você. Ele não pode ser visto como indo contra o voto do bando – mas ele pode apoiá-la em segredo. — Conal bocejou e deu um tapinha na minha perna. — Vamos, querida. Podemos conversar sobre isso mais tarde. Hora de dormir.

Utilizando sua imensa força, que continuamente me surpreendeu, Conal me ergueu pela cintura, colocando-me suavemente sobre meus pés antes de se levantar atrás de mim. Ele me acompanhou pelo corredor, parando do lado de fora do quarto para beijar minha bochecha suavemente.

— Boa noite, querida. — Ele se virou para caminhar pelo corredor, mas eu peguei sua mão, puxando-o de volta.

— Espere.

Conal se voltou, seus olhos escuros ardentes.

— O que foi?

Engolindo nervosamente, tropecei nas palavras.

— Você vai... você pode... — Eu inalei profundamente. — Conal, fique comigo. Por favor?

Conal apoiou uma mão contra a parede, baixando o olhar para o chão.

— Eu não posso, Charlotte. Eu quero. Cristo sabe que eu quero isso mais do que qualquer coisa no mundo. Mas eu não acho que poderia compartilhar sua cama e não tocá-la, não querer fazer mais do que eu acho que você é capaz de lidar agora, — ele admitiu com voz rouca. — Eu não acho... — ele fez uma pausa, fechando a mão em um punho. — Não tenho forças para deitar ao seu lado e não fazer amor com você.

— E se... e se for isso que eu quero que você faça? — Eu respondi calmamente.

Conal ficou em silêncio por um longo momento, seus olhos traindo a batalha interna que ele lutou.

— Por quê? Por que agora? Porque você está com medo e acha que o que ouvimos hoje significa que você está em perigo? Ou porque você realmente quer fazer amor comigo? — Ele esfregou a mão no queixo enquanto me observava. — Eu quero que você esteja fazendo amor *comigo*, Charlotte. Não quero que você pense no sugador de sangue e não quero concordar com isso, então acordar de manhã e encontrar um olhar de arrependimento naqueles lindos olhos verdes.

Eu sabia que ele estava certo. O pensamento de perigo iminente, o fato de que eu poderia ser atacada por algum inimigo oculto, de que alguém poderia querer me machucar antes que eu tivesse a chance de completar 21 anos, todos esses pensamentos estavam influenciando meu processo de tomada de decisão.

— Esqueça isso, — eu disse entorpecida. — Você tem razão. Péssima ideia. — Deslizei pela porta do quarto, fechando-a silenciosamente atrás de mim. Tirando minhas roupas, entrei no chuveiro, zangada por parecer tola e envergonhada por meu comportamento. A água quente era calmante, derramando-se sobre meus ombros e pescoço doloridos, mas quando a raiva e o constrangimento começaram a desaparecer, foram substituídos pelo medo. As lágrimas começaram a fluir novamente e eu me agachei, segurando meu rosto em minhas mãos enquanto tentava me recompor. Desmoronar não iria mudar a situação. No fundo do meu coração, acreditei em Epimetheus e Nonny. Isso explicava tantas coisas.

Mas eu estava absolutamente, totalmente apavorada.

Eu me esfreguei e saí do chuveiro, me sequei e vesti o pijama. Escovei os dentes e levei um minuto para me olhar no espelho. Eu parecia a mesma garota de sempre, mas de um jeito ou de outro, eu não era mais aquela pessoa. Eu era uma dos Filhos de Nememiah, colocada nesta terra por razões completamente diferentes do que eu imaginava. Um pouco de medo atingiu meu peito novamente e eu balancei minha cabeça com veemência. Eu não ia deixar isso me assustar. Mostrando a língua para o espelho, apaguei a luz do banheiro e entrei no quarto.

Eu parei, olhando para a cama com surpresa. Conal estava deitado ali, os lençóis puxados até a cintura e seu cabelo escuro ainda úmido.

— Achei que tínhamos decidido que isso era uma má ideia, — afirmei calmamente.

— Isso é uma má ideia. Eu não estou aqui para isso, — ele respondeu, tão calmamente. — Você precisa de mim para ajudar a afastar os pesadelos. — Ele estendeu os braços e eu deslizei para a cama, deixando-o me abraçar.

— Obrigada, — eu estava deitada contra o músculo duro de seu peito, ouvindo seu coração sob minha orelha.

— De nada, — ele respondeu roucamente,

esfregando os dedos preguiçosamente pelo meu cabelo.

— Você não precisa fazer isso.

Ele inalou profundamente, o movimento fazendo minha cabeça subir e descer contra seu peito.

— Eu acho que eu preciso. Dada a situação atual, acho que estou mais confortável aqui com você, garantindo que você fique segura.

— Você acha que alguém poderia me encontrar aqui?

Ele balançou a cabeça um pouco.

— Eu não tenho certeza. Mas me sinto muito melhor estando com você do que no corredor.

Fiquei em silêncio por alguns minutos, absorta em pensamentos. Imaginando como minha vida poderia ter se tornado tão bizarra.

— Conal?

— Mmmm?

— Você já ouviu falar dos Filhos de Nememiah?

— Eu mesmo estive pensando sobre isso. Lembro-me de ouvir histórias de anjos, caçadores de demônios e coisas do gênero. — Ele encolheu os ombros. — Não posso dizer que é uma lenda em que eu realmente acreditei. Mas agora, acho que pode ser possível.

— Seis meses atrás, eu nem sabia que *você* era possível, — eu disse com tristeza. — Vampiros, lobisomens, metamorfos eram todos mitos. Há todo um mundo que eu desconhecia. E então hoje, conhecendo um verdadeiro feiticeiro ao vivo. São coisas que eu pensei que só existiam em contos de fadas. — Inclinei minha cabeça para ver o rosto de Conal. — Você acha que isso está acontecendo por causa de algum deles? Ou os demônios estão realmente por aí e eu ainda não os encontrei?

— Demônios são criaturas do Outro Mundo. De acordo com os mitos, eles invadiram este mundo há milhares de anos. Nossas lendas dizem que todos os lobisomens e vampiros foram criados pela combinação de sangue humano e de demônio. Os demônios foram supostamente erradicados deste mundo, séculos atrás.

— Mitos? — Eu questionei baixinho.

Conal sorriu e estava um pouco cansado, um pouco mais cansado do que seu sorriso brilhante de sempre.

— Eu sou um mito, Charlotte. Nós, os sugadores de sangue... somos todos mitos. — Ele colocou sua mão sobre a minha, onde estava sobre a extensão suave de seu peito. — Eu me sinto como um mito?

— Não, — eu admiti suavemente.

— Como sabemos, Charlotte? Eu sou real, mas estou relegado a um mito porque precisamos manter nossa verdadeira natureza em segredo. O que me torna real, senão o Yeti, o Monstro do Lago

Ness, o Pé Grande... todos eles são desconsiderados como criaturas míticas? Vander pode estar certo, os demônios também podem não ser um mito. Só porque não os vimos, não significa que não existam.

— Se ser uma desses filhos do Anjo significa que posso sentir a presença de demônios, como posso entrar em contato com seus ancestrais? — Perguntei. — Se você tem sangue de demônio, isso não significa que eu não deveria ser capaz de ouvi-los?

— Eu não quero fazer mal a você, querida. Pelo que Vander estava tagarelando, acho que as pessoas que querem te machucar pessoalmente, tenham sangue de demônio ou não, são as que você não consegue ler, — Conal respondeu, após um momento de reflexão. — Epi disse que os feiticeiros têm mais sangue de demônio do que qualquer outra pessoa, algo sobre ter mais de cinquenta por cento. O resto de nós, presumivelmente, tem menos.

— Mas você pode entrar em uma igreja. — Eu continuei minha linha de pensamento, trabalhando nos pontos que eu tinha certeza que chegariam a uma conclusão, se eu seguisse cada um. — Se você tem sangue de demônio, isso não iria impedi-lo de entrar em solo consagrado?

Conal encolheu os ombros.

— Talvez seja a quantidade de sangue de demônio. Tudo o que sei é que vou à igreja desde criança. Nunca me aconteceu nada de horrível... bem, acho que levei uma surra uma vez por tentar olhar debaixo da roupa de uma das freiras. Mas não acho que tenha algo a ver com sangue de demônio, — ele admitiu com um sorriso irônico.

— Então, por que alguns se tornaram vampiros e outros se tornaram lobisomens?

— Demônios vieram em muitas formas. Acho que dependia de qual sangue de demônio entrava na mistura.

— Bem, isso tudo soa muito científico.

Conal suspirou.

— Charlotte, eu não tenho todas as respostas. Só sei que sou um lobisomem e nasci lobisomem. Outros se tornam lobisomens ao serem mordidos. Vampiros são humanos que foram mordidos por outro vampiro. Metamorfos, pelo que entendi, eles acontecem por causa de mutação genética. Nenhum sangue de demônio é necessário.

— Sério? — Eu questionei bruscamente.

— Sério.

Eu considerei por um momento.

— O que aconteceria se você e eu... bem, você sabe? Nós teríamos bebês lobisomens? — Prendi a respiração, imaginando se essa linha de questionamento o deixaria com raiva. Eu não queria dizer nada que colocasse alguma ideia em sua mente ou o deixasse infeliz.

— Isso soa como uma oferta que eu não recusaria, — ele admitiu com um sorriso. — Se você e eu tivéssemos bebês, eles teriam cinquenta por cento de chance de serem lobisomens. Há uma taxa maior de aborto espontâneo em bebês de sangue misto, chegando a setenta por cento.

— O que acontece se eu não tiver sangue humano? E se eu tiver sangue de anjo?

Conal respirou fundo e deixou o ar escapar lentamente entre seus lábios.

— Não sei. Se você vai continuar me fazendo perguntas assim, deveria perguntar a Vander, ele pode ter as respostas. — Ele pegou meu queixo com a ponta dos dedos e ergueu meu rosto para ele. — Agora, você precisa ir dormir. E eu também. Boa noite, querida. — Ele beijou meus lábios suavemente, e então se agachou até que ele estivesse debaixo das cobertas, me acomodando contra seu peito com seus braços envolvendo minhas costas.

Fiquei deitada por um longo tempo, ouvindo o som de sua respiração constante antes de cair em um sono profundo e sem sonhos.

CAPÍTULO 29
TREINAMENTO

Os dias seguintes voaram, enquanto Epimetheus e Conal me ensinavam tudo o que podiam. As noites eram preenchidas com o estudo dos livros que Epimetheus continuava a me dar em um ritmo alarmante. Achei comparativamente fácil memorizar os selos, quase como se estivessem sendo redescobertos de algum lugar no fundo da minha mente e sempre tivessem estado lá. Eu ainda não fazia ideia para que serviam, Epimetheus não dava pistas, apenas me incitava a lembrar de cada um deles.

Aprender a história dos filhos de Nememiah foi uma experiência fascinante. Não havia um único livro de história dedicado à sua memória, mas Epimetheus acumulou uma enorme coleção de obras arcaicas dedicadas à sua lenda, poder e morte.

Ele insistiu que eu aprendesse o máximo que pudesse e estava gostando do processo.

Nonny se juntava a nós sempre que encontrava uma oportunidade. Conal insistiu que o bando não devia saber o que estávamos fazendo, então ela não poderia passar tanto tempo conosco quanto gostaria. Eu me perguntei em voz alta o que poderia acontecer se o bando descobrisse, e a resposta de Conal foi direta, qualquer um agindo contra o voto do bando seria expulso, rejeitado pela família e amigos.

Como Conal havia previsto, alguns membros do bando acreditaram em nossa história e nossos números foram aumentados por aqueles que juraram nos ajudar se necessário. Kenyon apareceu no apartamento de Conal alguns dias depois da reunião, apresentando-nos sua esposa Marissa e seu filho Javier. Alguns dias depois, recebemos a visita de Ralph Torres, junto com seu irmão Rudolph. Ralph me cumprimentou com respeito, pedindo para se unir ao nosso grupo.

Eles foram seguidos por outros membros do bando em um fluxo constante, homens e mulheres mais jovens que acreditavam que deveriam estar preparados para o que estava acontecendo. Conal os mantinha atualizados com nosso planejamento e Ralph assumiu o papel de Beta para o Alfa de Conal. Ele trabalhou com nosso pequeno grupo para treinar para o que quer que estivesse vindo em nossa direção. Conal insistiu que eu fosse mantida separada deles, então continuamos trabalhando apenas com Epimetheus.

Os espíritos foram mais próximos com informações e em longas conversas, ganhei uma compreensão mais profunda da minha missão. Embora tudo isso fosse uma nova descoberta para mim, eles sempre souberam que eu era filha de Nememiah. Eles simplesmente não me esclareceram, até que eu descobri por mim mesma. O que me irritou muito, mas eles argumentaram que era outra regra que deveriam seguir. Agora eles estavam oferecendo conselhos e informações. Isso não significava que eu estava completamente informada, mas eles me ajudariam onde e quando pudessem. Passei informações para Conal e Epimetheus e aprendi a trabalhar com a ajuda dos espíritos. Eles poderiam me proteger de muitos ataques, mas avisaram repetidas vezes que eu não era imortal e poderia ser facilmente morta. Esta declaração só aumentou minha apreensão. Eles se recusaram a dar informações sobre o que enfrentamos, apesar de perguntar inúmeras vezes.

Junho se tornou julho e o calor do verão estava sobre nós. Eu suei durante as aulas com Epimetheus na igreja quando Conal estava com o bando. Epimetheus não tinha ar-condicionado e parecia alegremente imune ao calor sufocante do verão do Mississippi.

Eu memorizei muitos dos selos, que foram projetados para fornecer forças e poderes extras durante a batalha. Coragem, agilidade e velocidade eram apenas alguns. Havia uma variedade incrível e Epi tinha a intenção de me ensinar cada um deles. Como eles eram usados permaneceu um mistério, Epimetheus me assegurou que o conhecimento viria com o tempo.

Conal e eu chegamos à igreja em uma manhã quente de domingo, para sermos recebidos na porta por um animado e exuberante Epi. Ele abriu as portas para nós e, entrando, parei repentinamente.

— Epi, cadê os móveis?

O interior da igreja havia se transformado e eu olhei para Epi, percebendo suas roupas. As túnicas antiquadas e as calças de lã áspera desapareceram. Hoje ele usava um agasalho azul marinho, que parecia incongruente em seu corpo minúsculo. Percebi que ele estava usando tênis Nike e reprimi um sorriso.

A igreja estava completamente desprovida de móveis e cada centímetro do chão, as paredes, até mesmo o teto alto tinha sido coberto com espuma espessa.

— Hoje começaremos a praticar o que você aprendeu, — Epi anunciou, sua voz cheia de empolgação. — Você aprendeu a teoria. Sabemos que você tem sangue de anjo pulsando em suas veias. Agora poderemos ver quanto poder você realmente tem.

— O que isso vai implicar, exatamente? — Conal perguntou. Ele fechou as portas e as trancou com segurança.

— É hora de colocar os selos em prática. — Epi entregou a caixa contendo o Hjördis para mim. — Até agora, você só praticou as marcas no papel. Você está pronta para a próxima fase e deve aprender a desenhar os selos em si mesma.

Imagens da mesa queimada imediatamente vieram à minha mente e eu fiquei boquiaberta com ele.

— Você está falando sério? — Conal ficou horrorizado, olhando para Epi como se o velho tivesse finalmente enlouquecido.

Epi olhou para ele, seus olhos enormes por trás dos óculos grossos.

— Desenhar os selos no papel não dará nenhum poder a Charlotte. Marcando-os em sua pele, sim.

— Você viu o que essa coisa fez com a mesa? — Eu questionei freneticamente. — Queimou a madeira!

— O Hjördis é projetado para esta tarefa, Charlotte, — declarou Epi com naturalidade. — É para isso que foi usado em tempos passados. — Ele tocou meu ombro, acariciando-o gentilmente. — Você deve confiar em mim, criança.

— Não. Sem chance. — Afastei-me dele, profundamente perturbada com o que ele estava sugerindo.

Epi se afastou de mim, apontando para um grupo de fotos que ele havia pregado na parede. Cada um retratava pessoas com seus corpos pintados em símbolos azuis rodopiantes. Aproximei-me para estudá-los e percebi que alguns dos símbolos eram familiares. Aproximei-me novamente e sabia que tinha aprendido com os livros que Epi insistia que eu lesse.

— O que é isso?

— Eles são uma raça conhecida como pictos. Eles existiram na Escócia de cerca de 7000 aC até 845 dC.

Mudei de uma foto para a outra, estudando os desenhos que eles pintaram em seus corpos, reconhecendo mais selos que eu conhecia.

— Eles eram filhos de Nememiah?

— O primeiro dos Filhos de Nememiah. Seu nome Pictos, vem da palavra "Pictos" em latim, como os romanos os chamavam. Significa "os pintados". — Seus olhos percorreram as fotos, um olhar distante em sua expressão. — Eles foram os primeiros Filhos de Nememiah, a quem foi dada a tarefa de proteger o mundo dos males que já estavam preparados para destruir e mutilar. Nememiah gerou de seu próprio sangue para criar o primeiro dos Filhos. Ele forneceu-lhes armas e habilidades para proteger o mundo do perigo. O influxo de demônios do Outro Mundo gerou vampiros, lobisomens e outras criaturas. Nememiah deu aos pictos a tarefa de monitorar esses seres sobrenaturais e devolver todos os demônios ao Outro Mundo. Este Hjördis, — ele disse, apontando para a caixa, — é o último que existe. Não tem mais. — Ele ficou em silêncio, estudando as fotos quase com reverência.

Eu me virei para Conal, fazendo uma pergunta silenciosamente com meus olhos. A caixa com o Hjördis escondido com segurança dentro dela parecia pesada, como se o conhecimento do que era, o que poderia fazer estivesse me pesando.

— Eu não posso te dizer o que fazer, Querida. Depende de você, — Conal admitiu calmamente.

— Me dê um segundo. — Chamei os espíritos e pedi seus conselhos, obtendo sua segurança. Com dedos trêmulos, retirei o Hjördis de sua caixa e ele esquentou e vibrou em minha mão. Olhei para Conal. — Você pode segurar meu braço? — Conal pegou meu pulso em sua mão e eu coloquei o Hjördis perto do meu antebraço. — Qual você quer que eu use? — perguntei a Epi.

— Vamos começar com agilidade.

Aproximei o Hjördis em direção à minha pele, fechando os olhos quando ele fez contato e esperando sentir uma queimadura excruciante. A sensação era desconfortável, mas para minha surpresa, havia pouca dor. Isso criou uma sensação mais aguda e pungente contra o meu braço. Desenhei o selo com cuidado, observando a pele sob a ponta do Hjördis se tornar um rico azul índigo. Quando terminei, parecia que eu tinha feito uma tatuagem intrincada na minha pele.

— Isso vai ficar aí para sempre? — Conal perguntou, olhando meu braço com uma carranca.

— Não. O poder do selo desaparece. Cada um durará um período, dependendo de quanto daquela habilidade específica foi gasta durante a batalha. O selo desenhado na pele desaparecerá completamente.

Flexionei meu braço e esfreguei a marca, descobrindo que ela havia afundado na pele, exatamente como uma tatuagem faria. Eu tinha minhas dúvidas sobre a afirmação de Epi de que iria desaparecer, mas agora era tarde demais. Eu me perguntei o que deveria acontecer a seguir.

— Eu deveria me sentir diferente?

— O teste do selo estará em seu uso, — explicou Epi. — Daí a redecoração da minha casa. — Ele acenou com a mão expansivamente ao redor da grande sala. — Hoje, começamos a treinar para valer. Conal e eu estaremos atacando você, e você deve aprender a lutar contra nós.

Lutei contra a vontade de rir.

— Conal eu posso entender, mas Epi... — Fiz uma pausa, escolhendo minhas palavras com cuidado porque não queria ferir os sentimentos do velho. — Eu acho que poderia lutar com você, mesmo sem as marcas.

— Não tenha tanta certeza, mocinha. Estou nesta terra há mil e quinhentos anos e ainda sei uma ou duas coisas. Como continuo dizendo, ataques físicos não são a única coisa que você deve esperar. Haverá outras formas de ataque. Os feiticeiros têm muitos poderes diferentes, para os quais tentaremos prepará-la.

— Você acha que meu inimigo é um feiticeiro? — Fiz uma pausa, meus olhos arregalados. — Espere, você tem *mil e quinhentos anos*?

— Sim, tenho, e acho que isso significaria que mereço um pouco mais de respeito de vocês dois, — resmungou Epi. — Quanto à ideia de que seu inimigo pode ser um feiticeiro, eu não sei, criança. Mas precisamos ter certeza de que você está preparada para qualquer coisa e os feiticeiros estão entre os mais poderosos de todos os sobrenaturais.

Epi quis dizer o que disse. Para um homem idoso, mesmo um homem da *antiguidade*, ele tinha uma força que eu nunca esperei e se jogou em mim com despreocupação, me sobrecarregando com ataques físicos e mágicos. Eu estava convencida de que o selo não estava fazendo nada, já que fui repetidamente espancada.

— Você não está se concentrando, — Epi disse irritado, quando eu caí no chão acolchoado em uma pilha amassada pela quarta vez consecutiva.

— Está tão quente aqui! — Eu reclamei, enxugando o suor da testa com as costas do braço. A camiseta que eu usava pingava e grudava na minha pele, enquanto o suor desagradável escorria pela parte de trás das minhas coxas.

— O campo de batalha não vai ter ar-condicionado, sua tola! Se você acha que o pior com o qual lidará é ficar um pouco suada e desconfortável, infelizmente está mal informada! As batalhas são feias, são violentas, seu combatente não vai ficar esperando que você se acalme! — Epi estava quase indignado de raiva. — Agora, tente novamente! E acredite em você!

Ele levantou a mão e uma onda de ar brilhante correu pela sala em minha direção. Eu sabia que iria me jogar contra a parede com força substancial, como havia feito repetidamente. Eu levantei minha mão com raiva e observei com surpresa quando a onda de repente virou sobre si mesma e fluiu rapidamente em direção a Epi. O velho foi lançado no ar, atingindo o teto alto antes de cair no chão em uma pequena pilha de azul marinho. Fiquei horrorizada e comecei a correr em direção a ele, mas Conal já havia chegado ao seu lado e o ajudava a se levantar.

— Isso! — Epi anunciou alegremente, sorrindo seu sorriso desdentado e não parecendo pior pelo desgaste. — Conal, tente um ataque físico novamente.

Conal tinha ficado apenas de jeans durante o treino, sua camiseta caída em uma pilha amassada no chão. Nós nos movemos para o centro da sala e Epi observou enquanto Conal se preparava para me atacar. Ele se moveu rapidamente, mais rapidamente do que qualquer ser humano poderia e conseguiu me atacar todas as vezes. Respirei fundo para me acalmar, tentando me concentrar no selo enquanto observava Conal em busca do primeiro sinal de movimento. Ele se lançou para mim com um rosnado de lobo. Na fração de segundo em que ele me alcançou, eu balancei sem graça para o lado, com uma velocidade que eu não sabia que era capaz. Virei-me para vê-lo cair inofensivamente no chão, rolando como um gato até ficar de pé novamente. Ele me olhou com admiração e sorriu.

— Legal, Charlotte.

— Sim, sim! Maravilhoso! Agora um pouco mais de prática assim, e vamos adicionar outro selo à mistura, — Epi concordou encantado.

Com a prática, consegui segurar cada homem individualmente. Com o passar do dia, pude lidar ativamente com eles juntos. O progresso teve um custo, minha cabeça doía e ser jogada para trás continuamente estava tendo um efeito adverso em meus músculos, fazendo-os doer de fadiga. Apesar de Conal querer parar quando minha cabeça começou a latejar, implorei para ele continuar. Eu sabia que estava ficando sem tempo, embora eu não pudesse dizer de onde vinha a certeza. Mas havia uma sensação de urgência em meus esforços, uma sensação de que precisaria disso e que a hora se aproximava rapidamente.

— Excelente! — Epi gritou feliz, quando derrotei novamente os dois com pouco esforço. Meus braços estavam cobertos de selos, Epi insistiu que eu deveria superar minha destreza predominante e aprender a marcar os dois braços. Com a prática, foi ficando mais fácil, embora meu lado artístico sentisse que as marcas no meu braço esquerdo eram muito superiores ao meu direito.

— Então, podemos parar por hoje à noite? — Conal perguntou. Ele estava respirando pesadamente, seu cabelo penteado para trás e a parte superior de sua calça jeans estava escurecida com a transpiração, que escorria de seu torso.

— Claro que não. Não há tempo para "desistir", como você diz. Charlotte conseguiu nos derrotar, mas não somos um verdadeiro teste de suas habilidades, — Epi estalou. — Embora você pareça estar atacando-a com força, a verdade é que você guarda algo dentro de si para não machucá-la. — Epi olhou do meu rosto para o de Conal, seus olhos azuis como os de uma coruja por trás dos óculos. — Charlotte não pode confiar apenas nos espíritos. Nem nos selos. Ela deve aprender a manusear armas.

— Não esta noite... — Conal começou cansadamente.

— Sim! Essa noite! — Epi gritou. — Ela deve fazer isso!

Conal e eu olhamos um para o outro e Conal viu determinação em meus olhos.

— Está bem, está bem. O que vem a seguir, velho?

Epi fez sinal para que o seguíssemos e caminhamos até o outro lado da sala comprida. Ele acenou com a mão e a espuma que cobria a parede desapareceu, deixando a pedra visível. Eu considerei melancolicamente colocar meu rosto contra a pedra fria para esfriar minha pele superaquecida, mas me forcei a me concentrar no que Epi estava dizendo. Ele apontou para um lugar na parede.

— Está vendo aquela pedra?

Todas pareciam idênticas para mim e eu as

encarei por um momento, e então voltei minha atenção para Epi.

— Qual?

— Olhe bem, mocinha. Permita que as pedras falem com você. Embora esta seja a magia de um feiticeiro, você deve ser capaz de vê-la.

Respirando profundamente, encarei a parede novamente, permitindo que outros pensamentos se afastassem de minha mente como folhas se espalhando ao vento. Enquanto me concentrava, a pedra mais central brilhou um pouco. Eu me virei para Conal.

— Você consegue ver isso?

Conal estava observando as pedras, mas pude ver por sua expressão neutra que ele não conseguia entender o que eu estava vendo.

— Ele não pode ver porque não tem a habilidade, — disse Epi calmamente. — Só você e eu podemos. — Ele me fez sinal para frente. — Vá, criança, e pegue o que encontrar.

Caminhei lentamente até a parede, tocando a pedra brilhante. Quando meus dedos a alcançaram, o bloco de pedra desapareceu, deixando um quadrado aberto.

— Como você fez isso? — Conal perguntou.

Dei de ombros. Como eu fiz isso? Não havia explicação para minhas ações, apenas um conhecimento do que precisava ser feito. Alcancei os recessos escuros da abertura quadrada. Meus dedos se fecharam sobre um pacote arrumado, amarrado com uma tira de couro e puxei-o do buraco.

— O que é? — perguntei a Epi.

— Armas dos Anjos. Como o Hjördis, estas são as últimas que restam.

Puxei a tira de couro que segurava o pacote e o desenrolei com cuidado. Dentro, encontrei duas adagas afiadas, seus punhos incrustados com selos e as hastes brilhando intensamente. Pareciam prata, mas percebi que não era prata, este era um material diferente, quase luminescente, e um brilho parecia vir de dentro das próprias adagas. Olhei para elas por um longo momento antes de colocá-las de lado e pegar os outros dois itens. Estes eram redondos e planos, cobertos com selos semelhantes e com cinco lâminas afiadas espaçadas uniformemente ao redor das bordas.

— Eles são o *Katchet* e o *Philaris*, — explicou Epi. — As armas dos Filhos de Nememiah. As adagas são usadas em combate corpo a corpo, os Philaris são úteis para arremessos à distância. Eles também podem ser usados em combate corpo a corpo, para derrubar o inimigo.

Conal pegou uma das adagas, mas Epi agarrou seu braço com firmeza.

— Você não pode tocá-los. Eles criarão o mesmo efeito que o Hjördis criaram quando você o tocou.

— Obrigado pelo aviso, velho, — Conal murmurou. Ele retirou a mão.

— Eu... eu não acho que posso usar isso, — eu disse baixinho, olhando para as armas. Eu só usei uma arma uma vez na minha vida, quando fui tomada pela raiva criada pelo assassinato da minha família.

— Você aprenderá a usá-las, criança. Você deve — disse Epi.

— Em que ela vai usá-las? — Conal perguntou. — Nós?

— Claro que não, — respondeu Epi, seu tom abruptamente profissional. — Agora vocês têm que trabalhar juntos contra um inimigo comum. Charlotte, haverá um cinto com as armas. Coloque-o e coloque as armas nele. E então você tem que marcar Conal.

— Com licença?

Epi balançou a cabeça com impaciência.

— Continuo esquecendo que há lacunas em seu conhecimento. Eu realmente gostaria que você pudesse ler mais rápido, — ele murmurou. — Charlotte, como uma dos Filhos de Nememiah, você pode usar os selos em outros seres sobrenaturais. Eles não podem usar o Hjördis ou as armas, mas podem ser marcados, receber um pouco da proteção de Nememiah. Você vai dar marcações a Conal, para dar a ele proteção adicional.

— Isso vai machucá-lo? — Eu exigi. O instinto me disse que marcar sua pele pode ser mais doloroso do que marcar a minha.

— Sim, sim, ele vai sentir algum desconforto, — Epi concordou, acenando com a mão para cobrir novamente a parede com estofamento. Ele viu o ceticismo em meus olhos e deu de ombros. — Tudo bem. Será doloroso. Mas isso lhe dará força extra para lidar com o inimigo.

— Não se preocupe, Charlotte. Eu vou ficar bem, — Conal disse rispidamente. Ele estendeu o braço e eu tirei o Hjördis do bolso, segurando seu pulso com a mão esquerda. Comecei uma marca e vi o músculo apertar em seu antebraço enquanto o Hjördis queimava o selo em sua pele. Fiquei consternada quando o cheiro de carne queimada flutuou em minhas narinas e olhei nos olhos de Conal, meus próprios cheios de lágrimas. — Apenas faça, — ele ordenou asperamente, seus olhos negros brilhando com determinação. Ele voltou sua atenção para Epi enquanto eu fazia o selo. — Então, de que inimigo estamos falando, velho? O que você tem em mente?

Terminei o selo de agilidade e comecei o de resistência.

Epi estava ocupado desenhando algo próprio no chão acolchoado.

— Seu inimigo vai ser um demônio, — afirmou.

CAPÍTULO 30
DEMÔNIOS

Conal e eu ficamos boquiabertos com Epi com expressões notavelmente semelhantes. Descrença completa.

— O que você disse? — Conal rosnou.

— Um demônio. — Epi ergueu os olhos do que estava fazendo e empurrou os óculos para cima do nariz bulboso. — Nada muito difícil para começar. Talvez um simples Valafar. Algo que é difícil para vocês matarem, mas fácil para que eu retorne às suas origens no Outro Mundo se ficar fora de controle.

— Bem, isso certamente é reconfortante, — Conal gemeu, cerrando os dentes contra a queimadura do Hjördis em sua pele. — Você está quase terminando, Charlotte?

— Sim. — Afastei o Hjördis e pisquei para

afastar as lágrimas que transbordavam em meus cílios. — Eu sinto muito.

Conal me abraçou.

— Não é sua culpa, querida. — O olhar sujo que ele lançou para Epi não deixou dúvidas, quem Conal culpou. — Então, Vander, como você pode trazer um desses demônios do Outro Mundo, se é proibido?

Epi parecia ligeiramente decepcionado.

— É para um bem maior.

— Você quer dizer, ninguém sabe que você está fazendo isso, — afirmou Conal.

— Está correto.

— Você não vai ter problemas com a... União dos Feiticeiros ou algo assim? — Perguntei.

— Não. Estou trazendo apenas um pequeno demônio, quase inofensivo. Mas altamente necessário se você quiser aprender como derrotá-los. — Ele levantou-se, estudando as linhas que havia marcado no chão de pedra. — E não existe União de Feiticeiros, sua criança tola.

— O que é isso? — Caminhei até as marcas que ele havia feito no chão.

— É um pentagrama, — Epi anunciou, estudando seu trabalho com satisfação. Havia selos em quatro dos cinco cantos triangulares, o quinto estava vazio. — Tradicionalmente usado para chamar demônios do Outro Mundo. — O velho

voltou-se para Conal, observando-o com interesse.
— Você precisará se transformar em seu lobo.

Conal zombou.

— Lobisomens só se transformam na lua cheia. Não somos metamorfos.

— Oh, não seja tão ridículo, — Epi retorquiu suavemente. — Você está apenas repetindo o que aprendeu desde a infância. Os lobisomens não são tão diferentes dos metamorfos e podem se transformar sempre que necessário.

— Eu não posso, — Conal rosnou com raiva e por um breve segundo eu vi a onda de lobo em seu lábio. — Só nos transformamos durante a lua cheia. Três noites. Não posso me transformar com Charlotte por perto, poderia matá-la.

— Isso é porque você *acha* que é a única vez que você pode se transformar, — Epi respondeu alegremente. — E, posso perguntar, quem é a raça mais inteligente? Os metamorfos, que podem mudar de forma sempre que necessário, ou os lobisomens, que se apegam às suas crenças antiquadas e só se transformam durante a lua cheia?

As primeiras ondas do poder de Conal começaram a rolar de seu corpo e arrepios surgiram em minha pele nua.

— Não me irrite, velho, — ele rosnou.

Epi continuou, ignorando completamente os sinais de alerta da raiva de Conal.

— Você acabou se esquecendo que pode se transformar sempre que quiser. Ou precisa. E você não vai machucar Charlotte, sua forma de lobo irá reconhecê-la como filha de Nememiah, tão facilmente quanto sua forma humana o faz.

Conal amaldiçoou em voz alta.

— Você é louco, velho. Tem sido assim desde que me lembro...

— O que não é muito pelo eu me lembro, — Epi retorquiu suavemente. — Não importa. Vamos continuar com o treinamento e ver o que acontece. Claro, você precisa ter em mente que você lutaria mais e mais forte como um lobisomem, mas se você quiser tentar derrotar um Valafar em forma humana... — ele se abaixou e completou um quinto selo no pentagrama e o chão da igreja tremeu — ... isso depende completamente de você.

Eu cambaleei para trás, caindo de joelhos enquanto o pentagrama girava com uma espessa névoa vermelha e preta. Do centro da névoa, uma criatura começou a se formar e saiu pelo pentagrama para me encarar.

Era horrível, com cabeça de urso e corpo de homem. Um homem que tinha pelo menos 2,10 metros de altura e tinha a constituição de um levantador de peso fanático. Todo o seu corpo era preto, um preto brilhante e úmido, como se tivesse passado por uma mancha de óleo. Suas presas eram longas e tinham garras substanciais nas extremidades de cada membro. Ele rugiu, o som como um trem a vapor ecoando por um túnel e deu um passo em minha direção. Eu gritei, levantando-me e procurando uma saída.

— Use suas habilidades, Charlotte! — Epi gritou do outro lado da sala.

Conal passou correndo por mim, tentando agarrar o pescoço da criatura. O Valafar agarrou seu braço e jogou Conal, sua reação instintiva. Ele se virou para mim e com um grito sobrenatural começou a andar para frente. Convoquei os espíritos, observando o Valafar ser atingido por uma onda de bloqueio de energia. Ele foi jogado para trás, caindo com força suficiente para que o chão tremesse sob meus pés. O Valafar ficou de pé e correu em minha direção, claramente irritado. Tirei um dos Katchet do meu cinto, segurando-o com a mão direita. Eu golpeei nervosamente o Valafar, mas a tentativa foi ineficaz e garras afiadas como navalhas relancearam em meu braço direito.

— Concentre-se, Charlotte! — Epi gritou com urgência. Ignorando a dor lancinante em meu antebraço, virei-me para observar o Valafar se aproximando novamente.

Pelo canto do olho, captei um borrão e ouvi um rosnado profundo, lembrando-me da noite em que fui resgatada em Nova Orleans e Conal se transformou em um lobisomem. Quando o Valafar investiu novamente, uma faixa de pelo preto passou voando. Fiquei boquiaberta enquanto Conal, em forma de lobisomem, se lançava contra o Valafar, forçando-o a cair no chão e mordendo ferozmente seu pescoço. O Valafar e Conal rolaram pelo chão, mordendo um ao outro e eu assisti horrorizada quando o demônio chicoteou um braço pesado para cima, cortando-o em direção ao traseiro de Conal. O Valafar uivou, partindo o pelo e a pele de Conal com suas garras. Conal gritou e o som terrível me estimulou a agir. Agarrei o Katchet com mais firmeza em minha mão direita, avançando em direção ao Valafar com raiva e fúria alimentando meus movimentos. Minha cabeça clareou, meu corpo se acalmou e eu sabia exatamente o que precisava fazer. Peguei o Valafar em torno de seu pescoço grosso e enfiei a adaga inabalavelmente em seu peito. Ele caiu de joelhos, boca de urso aberta e uivando. Um líquido preto pegajoso espirrou de seu peito, respingando em meu rosto e roupas. Começou a dobrar-se sobre si mesmo, tornando-se cada vez menor, até desaparecer, deixando apenas uma marca de queimadura enegrecida no piso acolchoado.

Largando o Katchet, corri para Conal. Ele voltou à forma humana, nu e respirando rapidamente, com cortes escorrendo sangue de sua panturrilha e coxa.

— Conal!

— Viu. Eu disse a você que pode se transformar sempre que quiser, — Epi anunciou presunçosamente.

— Epi! O que eu faço? Como posso ajudá-lo? — Eu gritei com raiva.

— Use um selo de cura, é claro.

Tirei o Hjördis do bolso e segurei o braço de Conal. Seu rosto estava abatido, sua respiração irregular quando ele olhou para mim timidamente.

— Charlotte, estou nu...

— Isso não importa, — eu suspirei. E não importa. Tudo o que importava era ajudá-lo.

— Merda, essa coisa tem um gosto terrível, — Conal rosnou e cuspiu um líquido preto no chão ao lado dele.

— Não no braço dele, Charlotte. Os selos de cura devem ser desenhados perto do ferimento — explicou Epi, ajoelhando-se para me mostrar onde devo colocar as marcas. — Você precisa usar um para sangue e outro para veneno.

— Veneno? — Eu repeti inexpressivamente, marcando o selo de sangue contra a coxa de Conal.

— Sim, claro. A maioria dos demônios são venenosos. Não se preocupe, este não é uma ameaça à vida, mas seu veneno causará uma quantidade significativa de dor.

— Epi, — eu murmurei com os dentes

cerrados, — você não acha que deveria ter mencionado tudo isso *antes* de termos que lutar contra isso?

— Claro que não, — disse ele com desdém. — Charlotte, os demônios não vão parar e te dar instruções. Este pequeno exercício provou exatamente o que eu esperava. Você pode lutar na batalha contra os demônios. E mais importante, você pode ganhar. Não só foi provado para mim, mas também provou esse fato para *você*.

Eu terminei o segundo selo e caí no chão, observando ansiosamente as feridas na perna de Conal. Os selos de repente irromperam com um brilho iridescente e a pele rasgada começou a se unir, deixando cicatrizes recém-curadas para trás, a pele brilhante e lisa. Os selos de sangue e veneno recuaram simultaneamente, desaparecendo em nada. Provavelmente levou menos de três minutos e eu olhei para o rosto de Conal ansiosamente.

— Você está bem?

Conal esticou a perna, olhando as cicatrizes com ceticismo.

— Sim. A sensação está melhor. — Ele avistou meu braço, que estava sangrando e doendo como um louco. — Faça as marcas em si mesma, Charlotte, — ele lembrou gentilmente.

Eu balancei a cabeça e desenhei os selos de sangue e veneno contra os cortes em meu braço, observando o mesmo procedimento se repetir nas feridas.

— Como você sabia que eu não iria machucá-la, velho?

— Ela é filha de Nememiah. Um dos anjos. Você nunca vai machucá-la. Parte do fascínio de Charlotte é tornar as pessoas protetoras. Esse é o sangue do Anjo, aumentando seu desejo de cuidar dela. Acontecerá com todos os seres sobrenaturais que não desejam mal a ela. Ela atrairá das pessoas ao seu redor o desejo de amá-la e protegê-la.

— O que você está dizendo? Que as pessoas podem... *pensar* que me amam, mas é apenas uma ilusão? — Eu me senti mal, pensando no que isso significaria para os sentimentos de Conal... e de Lucas.

— Eu nunca disse isso, criança. Eu realmente gostaria que você ouvisse corretamente. Mas claro, você é muito jovem. Existem muitas formas de amor. O amor de que falo é o amor afetuoso, o desejo de manter alguém seguro, um sentimento avassalador de carinho e proteção. Você atrairá esse sentimento de muitas pessoas, puramente por causa do sangue que corre em suas veias. O amor de que você fala é algo totalmente diferente. E sim, — ele admitiu com um suspiro, — isso é possível para você também. Alguém, ou talvez mais de um, vai te amar de ambas as formas.

Conal fez a pergunta que havíamos discutido algumas semanas atrás.

— O que acontece se Charlotte se apaixonar por um sobrenatural? Se ela engravidasse?

Epi olhou Conal solenemente por um longo momento, seus olhos azuis penetrantes.

— O sangue de anjo sempre dominará. Não importa quem Charlotte ame, se ela tiver um filho, sua composição genética seguirá a mãe. Nunca o pai.

Recebi esta informação com silêncio, exaustão e estresse misturados com... alívio. E outra emoção. *Arrependimento.* O que Lucas passou tanto tempo tentando me salvar era algo que nunca poderia acontecer. Seu filho não teria me matado. Seu filho... *nosso* filho, estaria seguro e saudável. Eu balancei um pouco e minha visão nadou, mas os braços fortes de Conal me pegaram, me segurando perto.

— Tudo bem. Acho que já chega de prática por hoje — anunciou Epi, como se não tivéssemos sobrevivido a nada mais perigoso do que uma caminhada rápida por um parque. — Vá para casa, descanse um pouco. Você deveria tomar banho. Sangue de demônio cheira a cadáveres, não é particularmente atraente. Vejo vocês aqui novamente amanhã de manhã.

— Você esqueceu uma coisa, Vander, — Conal

afirmou em um rosnado baixo. — Não posso dirigir por Jackson assim.

Olhei para baixo e corei. Agora que o drama acabou, parecia estranho ver Conal nu e tentei manter meus olhos afastados de certas áreas de sua anatomia. E falhou. Ele foi poderosamente construído em *todas* as áreas. Eu me virei, tentando recuperar minha compostura quebrada.

Epi acenou com a mão e, quando me virei, Conal estava usando jeans. Ele se levantou e então me ajudou a levantar, me abraçando perto.

— Vamos para casa, querida, — ele sussurrou contra o meu cabelo.

Tirei o Hjördis do bolso para colocá-lo de volta na caixa de madeira, mas Epi balançou a cabeça.

— É seu agora, Charlotte. Mantenha com você. Você é a verdadeira dona do Hjördis e das armas. Você é a filha de Nememiah.

Apesar de tudo que ele me fez passar, eu estava grata por ter conhecido Epimetheus Vander. Ele forneceu respostas para tantas perguntas e estava nos ajudando. Mesmo que ele fosse um pé no saco. Deslizei dos braços de Conal para dar um abraço impetuoso em Epi.

— Para o que foi isso? — ele perguntou e eu tinha certeza que ele corou.

— Por me ajudar a superar.

— De nada, minha filha. E você me deu mais do

que eu jamais sonhei. Encontrar uma filha de Anjo tem sido o trabalho da minha vida. Achei que nunca iria acontecer e, no entanto, aqui está você. Estou orgulhoso de você, Charlotte. Você provou a si mesma, muito além dos meus sonhos mais loucos. Imaginei que quando Nonny trouxesse você aqui, você poderia ter um pouco do sangue de Nememiah. Você provou hoje que é verdadeiramente uma dos filhos do Anjo. Você protegerá nosso mundo, tenho certeza disso.

Conal pegou minha mão e caminhamos em direção às portas. Parei na porta aberta e olhei para trás para encontrar Epi me observando, seus olhos azuis brilhando com lágrimas.

CAPÍTULO 31
A NOITE MAIS LONGA

Olhei para a garota no espelho, sem ter certeza se ainda a reconhecia. Epi estava certo, sangue de demônio cheirava a cadáveres. Era um cheiro enjoativo e nauseante, uma combinação de carne podre e fezes, que grudavam na minha pele e cobriam o fundo da minha garganta. Esfreguei com gel de banho de morango até ter certeza de que o odor havia sumido, então lavei meu cabelo três vezes, garantindo que a gosma preta pegajosa tivesse sido completamente erradicada.

Estudei meu reflexo. Muitos dos selos desapareceram completamente e os que restaram desapareceram de índigo brilhante para o tom mais pálido de azul. A cicatriz das garras do Valafar tinha ficado mais fraca entre o banho e agora, pouco mais que uma marca prateada contra a minha pele clara.

Havia diferenças físicas, semanas de atividade intensa fortaleceram os músculos, proporcionando definição na forma dos meus braços e pernas. Meu estômago era plano e havia músculos em meu abdômen que eu nunca tive antes. Meu cabelo estava mais comprido, estávamos tão ocupados que não me preocupei em cortá-lo e agora podia prendê-lo facilmente em uma trança, o que era conveniente se Epi insistisse em lutar contra mais demônios.

Eu sabia que havia outras diferenças, não físicas, mas psicológicas. Eu era mais forte do que jamais poderia me lembrar, mais focado, mais no controle de minhas emoções. Parecia ridículo, mas eu sentia o que estava acontecendo comigo – era o destino. Isso era o que eu deveria fazer. Esta é quem eu era. Não havia dúvida em minha mente, nada me faria acreditar no contrário.

Diferenças sutis se apresentavam no espelho. Meus olhos pareciam mais verdes, meu cabelo mais escuro e minhas bochechas tinham um toque de cor. Meus lábios estavam mais vermelhos, como se eu sempre usasse batom. Eu me considerava comum, mas agora, com o conhecimento de minha herança, me sentia se não bonita, certamente mais atraente. A garota diante de mim se sentia no controle de si mesma e confiante. Ela era capaz de enfrentar o que quer que o futuro reservasse.

Vesti jeans e uma camiseta de algodão, andando

descalça pelo corredor até a sala de estar. Conal já havia saído do chuveiro, sentado no sofá com uma cerveja aninhada entre as mãos. Ele olhou para cima quando me aproximei e sorriu calorosamente.

— Pensei que você nunca fosse sair. Eu pedi pizza, deve chegar em breve.

— Sangue de demônio é bastante revoltante, — eu fiz uma careta. — Levei séculos para tirá-lo do cabelo.

— Quer uma bebida? Uma cerveja? — Ele ofereceu.

— Não, obrigada. Ainda com menos de vinte e um anos, lembra?

Conal balançou a cabeça, um sorriso brincando em seus lábios.

— Difícil de acreditar que você tem apenas vinte anos, de certa forma você parece muito mais velha. Você sabia que tenho quase o dobro da sua idade?

Selecionei uma lata de refrigerante da geladeira e afundei no sofá ao lado de Conal, abrindo o puxador do anel.

— Eu nunca perguntei quantos anos você tem.

— Trinta e oito.

— E você ainda não encontrou a garota certa? — Eu provoquei, tomando o refrigerante. — Você está deixando isso um pouco tarde.

Conal colocou sua cerveja na mesa e passou o braço em volta do meu ombro.

— Ah, acho que encontrei a garota certa. O problema é que ela é uma anjo e não uma lobisomem. — Ele beijou minha testa. — Sim, morangos. Muito melhor do que sangue de demônio. — Eu podia ver meu reflexo em seus olhos negros e vi o olhar familiar de desejo em seu rosto bonito.

Pensamentos voavam em minha mente tão rapidamente quanto um beija-flor bate suas asas. Estar aqui com Conal – sabendo o que ele sentia por mim – tudo parecia tão natural e certo. Ele me desejou e eu o desejei. Ele me amava e eu sentia amor por ele. Não havia como saber o que eu enfrentava e meu futuro era incerto. Em uma tumultuada onda de pensamentos, tomei uma decisão.

Inclinei-me para tocar seus lábios com os meus, colocando minha mão em sua bochecha enquanto roçava meus lábios nos dele. Ele rosnou, um profundo estrondo gutural e me capturou contra ele, aprofundando o beijo enquanto sua língua sondava minha boca com uma ferocidade e desejo que me dominaram. Corri meus dedos por seu cabelo, puxando-o para mais perto e sua mão deslizou por baixo da minha camiseta, dedos ágeis desfazendo o sutiã de renda por baixo. Sua mão deslizou por baixo da renda e capturou meu seio, seus dedos quentes gentis em minha pele. Engoli em seco e soltei meu aperto em seu cabelo. Atrapalhada com os nervos, desabotoei sua camisa e esfreguei minhas mãos em seu peito. Ele estava quente, sua temperatura corporal mais alta que a minha e eu gemi quando ele se inclinou para substituir sua mão contra meu seio com sua boca. Eu inalei bruscamente, borboletas agradáveis girando em meu estômago e regiões inferiores.

Conal voltou sua atenção para minha boca antes de seus lábios trilharem beijos lânguidos em meu pescoço e ombro.

— Se você quer parar com isso, diga agora, — ele rosnou com a voz rouca.

Eu o puxei para mim em resposta. Conal gentilmente me deitou contra o sofá, segurando seu corpo sobre o meu sem me tocar. Nossos olhares se encontraram e ele entendeu o que eu não era capaz de verbalizar. Conal estremeceu de desejo e deixou cair seu corpo sobre o meu, beijando-me repetidamente até que nossa respiração ficou irregular.

Quatro coisas aconteceram em segundos uma da outra. Minha cabeça rapidamente se encheu de vozes, dezenas delas gritando ao mesmo tempo e clamando por atenção. Eu gritei, levando as mãos à cabeça para tentar conter a dor que irrompeu em minhas têmporas. O celular de Conal e o meu começaram a tocar estridentemente e o telefone do apartamento tocou um segundo depois. Conal se sentou, seus olhos cheios de alarme enquanto tentava me ajudar.

— Charlotte! Charlotte, o que há de errado?

— Eu... eu não sei! — Tentei me levantar e caí para a frente, meus joelhos batendo no chão com força e me inclinei, apertando minha cabeça entre minhas mãos. — Você vai atender uma dessas malditas chamadas?

Conal pegou seu celular, respondendo bruscamente. Ele se ajoelhou ao meu lado, esfregando minhas costas enquanto eu lutava para recuperar o controle. Chamei os espíritos, pedindo que retransmitissem suas mensagens lentamente, puxando fios em minha direção para coletar informações. As vozes eram tão altas que mal consegui ouvir a voz de Conal em meio ao tumulto. Com um esforço meticuloso, comecei a construir uma imagem do que havia acontecido. O que ouvi deles foi horrível, gelando meu corpo até a medula. Não precisei ouvir as palavras de Conal quando ele desligou a ligação – eu já sabia o pior.

— O bando foi atacado, — ele anunciou friamente, seus olhos cheios de pânico. — Por vampiros.

Demorou apenas alguns minutos para nos preparar, enquanto Conal pegava as chaves do carro, corri para o quarto, para calçar os sapatos e pegar o

Hjördis, depois prendi o cinto de armas em volta dos quadris. Conal olhou quando voltei para a sala e viu o cinto de armas.

— Você deveria ficar aqui, Charlotte.

— Eu vou com você, — eu anunciei. — Se o bando for atacado, não estarei mais segura aqui. Eu preferia estar com você.

Para meu alívio, Conal não discutiu.

— Vamos.

A viagem até os arredores de Natchez parecia interminável, interrompida apenas pelo telefonema que retornei no meu celular. Era um número que não reconheci, mas reconheci a voz quando ele atendeu.

— Nick? É Charlotte. O que está errado? — Fiz a pergunta, apesar de já saber uma boa porcentagem da resposta. Os espíritos ainda estavam me bombardeando com informações, mas muitos deles estavam tentando entrar em contato comigo, era difícil juntar tudo de uma vez.

— Charlotte, o Lucas e Ben, todos eles se foram. — Sua voz estava cheia de raiva.

— Quem os levou?

— A casa está uma bagunça do caralho, coisas quebradas, janelas quebradas...

— Quem, Nick? Quem os levou? — Eu repeti impacientemente, precisando de confirmação.

Houve um longo silêncio na linha.

— Eu não sei, mas toda a casa cheira a vampiros. Cheiros que não reconheço.

— Eles todos se foram? — Meu coração disparou em pânico e por mais que eu negasse, sabia que meu coração ainda pertencia a Lucas.

— Todos eles, — Nick confirmou. Eu podia ouvir sua respiração irregular, sabia que ele estava lutando para controlar sua raiva e frustração.

— E Katie?

— Ela está segura. Ela está com meu bando. — Ele fez uma pausa e captei o murmúrio de vozes ao fundo. — Você tem alguma ideia de quem poderia ter feito isso? Não sabia para quem mais ligar e achei que você gostaria de saber.

Foi a minha vez de fazer uma pausa, lágrimas quentes escorrendo pelo meu rosto quando fechei os olhos com força, desejando que a verdade pudesse ser negada.

— É minha culpa, Nick.

— O quê?

— Sou eu, — eu confirmei. — Eles me querem.

— Quem?

— O conselho de vampiros... não me lembro como eles são chamados. Os vampiros que governam todos os outros.

— Eu sabia que você era um problema, desde o minuto em que te conheci, — Nick retrucou com raiva. Houve outra rodada de discussões silenciosas antes de Nick falar novamente. — Jerome insiste que estou sendo muito duro com você, mas vou reter o julgamento sobre isso. O que diabos está acontecendo, Charlotte?

— Olha, Nick, as coisas estão bem caóticas agora. Me dê uma hora ou mais para tentar descobrir algumas coisas. Eu ligo de volta. Enquanto isso, mantenha Katie segura.

— O que está acontecendo?

— É muito para explicar agora. — Eu respirei fundo e olhei para Conal, pegando o olhar selvagem em seus olhos. — O bando Tremaine foi atacado. Por vampiros.

Nick xingou ferozmente.

— Isso está ligado ao fato de Lucas ter sido levado, não é? Os dois ataques não podem ser eventos isolados, — anunciou.

— Eu penso que sim.

— E você está bem no meio disso. — O desgosto em sua voz foi o suficiente para me abalar, mesmo com a distância entre nós.

— Sinto muito, Nick. Tenho que ir agora, mas prometo que ligo de volta assim que puder.

— Não se preocupe, vamos descobrir como resgatá-los nós mesmos.

Ele desligou antes que eu pudesse dizer mais alguma coisa e fiquei olhando para o celular em desespero.

CAPÍTULO 32
VENHA ATÉ MIM

Parecia o inferno. As casas arrumadas, os jardins bem cuidados – tudo havia sido danificado ou destruído. Casas queimadas, alguns do bando bravamente molhando-as com mangueiras de jardim, um gesto inútil contra a ferocidade das chamas. Corpos jaziam em ângulos estranhos em todos os lugares, entes queridos olhando em desespero silencioso. Outros estavam sendo atendidos por membros do bando e quando Conal parou do lado de fora da casa de seus pais, tudo o que pude ver foram os mortos e moribundos, os feridos e enlutados. Era horrível e eu pulei do táxi, observando Conal enquanto ele corria em direção à casa de seus pais. Amoux e Nonny ajoelharam-se na varanda, olhando para um corpo deitado na frente deles. Conal caiu de joelhos, puxando sua mãe para perto e segurando a mão de Nonny. Eu me virei, enjoada até a boca do estômago.

Inclinei-me com as mãos nos joelhos, respirando fundo em meus pulmões para tentar acalmar a náusea que ameaçava me dominar. Os cheiros eram horríveis, uma combinação de sangue, fumaça e carne queimada. Fechei os olhos, desejando encontrar forças para lidar com isso. E convencida de que este ataque foi minha culpa.

— Charlotte. — Kenyon colocou uma mão reconfortante em meu ombro. — Você está bem?

Obriguei-me a me endireitar, ignorando a náusea revirando meu estômago.

— Kenyon. Eu sinto muito. — O que mais havia para dizer, o que mais eu poderia fazer? Havia morte e destruição em todos os lugares que eu olhava.

— Perdemos quase metade do bando, — afirmou, sua voz tão desolada quanto seus olhos. — Muitos outros estão feridos. — Seus olhos piscaram para onde Conal estava ajoelhado ao lado de sua mãe e avó. — Lyell Tremaine está morto.

— Eu sei, — eu sussurrei. Antes de chegarmos, eu sabia que Lyell estava morto. Eu ouvi seu espírito no carro e isso me gelou até os ossos. Não parecia certo contar a Conal durante a viagem até aqui e eu mantive o conhecimento para mim mesma, agonizando silenciosamente sobre o que Conal descobriria quando chegássemos aqui. Eu tinha feito a coisa certa? Eu não sabia, eu simplesmente não sabia. Era uma questão com a qual eu lidaria mais tarde, não agora, quando havia tanta agonia e terror ao nosso redor.

Estendi a mão para o cinto que pendia baixo em meus quadris, segurando o Hjördis em meus dedos. Com clareza repentina, eu sabia o que precisava fazer, a única coisa que podia fazer agora.

— Kenyon, posso ajudar os feridos. Mostre-me onde eles estão.

Ele considerou minhas palavras por um longo momento, pensamentos girando em seus olhos, incluindo uma boa dose de indecisão e preocupação. Ele olhou para o Hjördis na minha mão, as armas presas ao meu quadril. Então ele assentiu em silêncio. Ele me levou a outra casa, que sofreu menos danos do que a maioria. As pessoas carregavam os feridos para esta casa e o quintal estava cheio de pessoas frenéticas e seus entes queridos feridos.

Havia um homem alto movendo-se entre eles e Kenyon o apresentou como Quinn Saunders, um paramédico. O homem me olhou severamente enquanto Kenyon explicava quem eu era, seus olhos azuis impassíveis. Kenyon pediu a Quinn para ajudar selecionando os feridos em ordem de urgência e nos deixou, me dando um tapinha no ombro. Quinn imediatamente me levou a um casal, seu filho pequeno nos braços de sua mãe. Ele sofreu um corte brutal no peito e o sangue encharcou seu pijama, manchando o material com uma mancha escura. Ele choramingava baixinho, as lágrimas escorrendo silenciosamente de seus olhos escuros.

Quinn apertou o braço do pai gentilmente.

— Rafe, Ayame, esta é Charlotte. Ela diz que pode ajudar Caleb.

Rafe olhou de Quinn para mim, incerteza em sua expressão.

— Esta é a Anjo? — ele perguntou com a voz rouca, sua voz rouca de dor.

— Sim. Ela acha que pode ajudar seu filho, se você permitir.

Marido e mulher trocaram olhares e eu quase pude ouvir a discussão muda entre eles. O ferimento no peito que seu filho havia sofrido iria matá-lo, disso eu não tinha dúvidas, mas a superstição e a dúvida os faziam temer o que eu faria com ele.

— Eu prometo, não vou fazer mal, — eu disse suavemente.

O marido hesitou incerto, mas sua esposa assentiu.

— Por favor, — ela implorou. — Ele é tudo o que temos.

Ajoelhei-me ao lado deles e estendi a mão para o menino, desabotoando a parte de cima do pijama para expor toda a extensão do ferimento. Era profundo, talvez dois ou cinco centímetros de largura e cerca de dezessete centímetros de comprimento, indo do topo de suas costelas até o umbigo. Coisas que eu não queria entender saíam de seu estômago. Ele parecia ter cerca de oito anos e me observou cautelosamente enquanto eu olhava para a ferida, engolindo a bile e ordenando severamente para mim mesma para não vomitar. Forcei um sorriso.

— Ei, Caleb. Eu sou Charlotte. — Segurei minha palma aberta e deixei que ele visse o Hjördis. — Veja isso? É uma caneta mágica e vou fazer um desenho especial na sua barriga, bem ao lado daquele corte horrível. Vai melhorar.

Ele assentiu imperceptivelmente, seus olhos negros como pires enquanto observava. Minha mão tremia quando me aproximei dele, eu sabia o quanto os selos machucaram Conal. Eu não conseguia me lembrar dele reclamando quando eu o curei, então respirei fundo e comecei a desenhar um selo de sangue na barriga lisa de Caleb. Quando terminei, sentei-me sobre os calcanhares, observando ansiosamente para ver se seria o suficiente para ajudá-lo. A lesão que ele sofreu foi muito mais séria do que aquela com a qual Conal e eu lidamos antes.

Os pais de Caleb ofegaram quando a ferida começou a brilhar e ligar, a pele se unindo sobre os órgãos protuberantes. A mancha de sangue e a cicatriz vermelha brilhante eram os únicos sinais do ferimento que ele havia recebido. O selo desapareceu lentamente e eu me virei para seus pais com um sorriso aliviado.

— Ele vai ficar bem.

Quinn me levou até a próxima vítima, depois outra. Trabalhamos em equipe, Quinn escolhendo entre os feridos como uma unidade de triagem de um homem só, tomando decisões em frações de segundo sobre quem poderíamos ajudar e garantindo que os piores ferimentos fossem vistos primeiro.

A notícia do que estávamos fazendo se espalhou rapidamente e mais e mais pessoas ficaram nos observando trabalhar. Eu estava alheia a todos eles, focado apenas em curar o máximo que pudesse.

— *Você!* — Eu levantei minha cabeça para ver Phelan Walker vindo em nossa direção, raiva em seus olhos e manchando sua pele. — Isso... tudo isso... é *sua culpa!* — ele gritou. — Eu os avisei sobre você, disse a Lyell que você não era confiável! Agora você causou a morte de dezenas de pessoas!

Kenyon correu, estendendo as mãos em advertência para Phelan.

— Phelan! É o bastante!

— Ela é uma bruxa demoníaca! Ela não é a porra de uma anjo! — Phelan gritou. Kenyon fez sinal para dois homens que capturaram os braços de Phelan, arrastando-o enquanto ele continuava a reclamar.

Abalado e chateado por sua explosão, as lágrimas escorriam pelo meu rosto.

Kenyon se ajoelhou ao meu lado, apoiando a mão em meu ombro.

— Por favor, perdoe Phelan. Ele perdeu um filho e uma filha esta noite, — ele afirmou calmamente.

Segurei o Hjördis com força, meus dedos tremendo enquanto tentava controlar minhas lágrimas.

— E você, Kenyon? Sua família, eles estão seguros? — Havia tantas novas vozes girando em minha cabeça que eu ainda não conseguia descobrir quem era quem.

Kenyon desviou o olhar e quando ele voltou, seus olhos brilhavam com lágrimas.

— Javier está morto. Meu filho. — Ele balançou a cabeça como se para afastar a memória e deu um tapinha no meu ombro. — Eu acredito em você, filha de Nememiah. — Ele apontou para a mulher idosa deitada ao meu lado. — Continue seu trabalho, Charlotte.

≈†◊◊†◊◊†◊◊†≈

Horas depois, sentei-me à beira do rio, observando o nascer do sol sobre a linha das árvores. A exaustão estava me inundando e eu esfreguei meus punhos contra meus olhos, bocejando enquanto o céu se iluminava através de um turbilhão de tristeza antes que o sol rastejasse no horizonte. Minha mente ainda era um turbilhão de imagens e sons de pesadelo, e eu queria gritar de frustração, chutar alguma coisa ou socar alguém – qualquer coisa para reduzir a raiva em minha alma. Isso tudo era tão injusto, pessoas inocentes visadas sem culpa própria.

Meu celular estava jogado na grama e, quando tocou, atendi com um suspiro, desejando poder evitar essa conversa.

— Olá.

— É o Nick.

— Eu sei.

— Consiliului Suprem de Drâghici Vampiri.

Sua tentativa com as palavras estrangeiras foi terrível, mas reconheci o que ele estava tentando dizer. Apoiei a cabeça nos joelhos e me enrolei ao telefone enquanto me esforçava para pensar.

— Charlotte?

— Estou aqui.

— Diga alguma coisa, — ele rosnou.

— O que você quer que eu diga?

— Diga-me que estamos indo atrás deles.

— Não sei, Nick. Não sei de nada agora.

Ele xingou.

— Você é a causa disso.

— Eu sei.

— Mas você não vai fazer *nada*? Você não vai tentar resgatá-los? — Ele parecia incrédulo.

— Eu não disse isso, — eu murmurei, meu temperamento frágil atingindo outro ponto enquanto ele continuava a me incomodar. Eu estava cansada e emocionalmente sobrecarregada, ter um metamorfo zangado comigo não estava ajudando.

— O que você está dizendo? — ele rosnou.

— Vou atrás deles, Nick. Não você, não os lobos de Conal. Apenas eu.

Foi a vez dele cair em silêncio e eu deixei o silêncio atordoado se estender e se alongar, cansada demais para fazer qualquer outra coisa.

— O que você não está me dizendo, Charlotte? O que está acontecendo desde que você largou Lucas?

Respirei fundo, expandindo meus pulmões e depois deixando o ar sair lentamente pela minha boca.

— Muita coisa aconteceu, Nick. Mais do que posso explicar agora. Você sabe a origem dessas palavras?

— É romeno. Significa o "Conselho Supremo dos Vampiros Drâghici".

— Eles estão com eles? — Eu realmente não duvidei disso, eu estava apenas buscando a confirmação do que os espíritos haviam dito.

— Parece que sim. Preciso fazer mais algumas

investigações antes de garantir, mas meu instinto me diz que são eles.

Eu passei meus dedos distraidamente pelo meu cabelo.

— Eu acho que as palavras romenas significam que é para onde eles estão levando? Para a Romênia?

— Eu penso que sim. Ainda não posso confirmar nada.

— Como você sabe tudo isso?

— Eu tenho minhas fontes.

Era óbvio que ele não iria compartilhar mais nenhuma informação e eu fiquei em silêncio novamente, pensando furiosamente.

— Charlotte, — ele rosnou com raiva. — O que diabos está acontecendo?

— Vou explicar tudo, mas não agora. Dê-me até esta noite e eu ligo para você, conto toda a história.

— Você está me irritando.

— Não é minha intenção, Nick. Apenas me dê um pouco mais de tempo.

— Eu quero resgatá-los, Charlotte. Eles são meus amigos.

As palavras foram ditas com bastante benignidade, mas a mensagem subjacente era clara. Ele achava que significavam mais para ele do que para mim e tinha direito a essa opinião. Não importava o que ele pensava de mim. O que importava era resgatar Lucas e meus amigos. Eles estavam presos por minha causa e eu iria resgatá-los. Recusei-me a considerar quaisquer resultados alternativos para essa bagunça.

— Tudo bem, — eu finalmente disse.

— Diga-me o que está acontecendo, Charlotte.

Eu não podia culpá-lo pela suspeita em sua voz. No que dizia respeito a Nick, eu decepcionaria Lucas e os outros, os colocaria em perigo sem avisá-los. Lamentei minha decisão de não contar a eles o que estava acontecendo, mas guardei o arrependimento para ser tratado mais tarde.

— Nick, estou exausta. O bando de Conal foi massacrado ontem à noite, mais da metade deles morreu. Por favor, acredite em mim quando digo que vou explicar tudo, só... só não agora.

Ele suspirou pesadamente.

— Tudo bem. Mas quero ouvir tudo quando você ligar hoje à noite.

— Ok.

— E eu estarei encontrando você para fazer um plano. Não confio em você para fazer isso sozinha.

— Tudo bem.

— E eu estarei levando reforços.

— Não esperaria outra coisa.

CAPÍTULO 33
DOR, FERIMENTO E AGONIA

Eu não percebia o passar do tempo, o que acontecia ao meu redor até que o cheiro de queimado chegou ao meu nariz. O bando Tremaine havia começado a cremar seus mortos. Eu percebi enquanto a longa noite continuava que o bando mantinha tudo em casa, os incêndios, as mortes, a destruição. Apesar de tudo o que aconteceu, foi mantido dentro do bando. Eles estavam longe o suficiente da civilização para que vizinhos intrometidos não chamassem a polícia. Eles não queriam estranhos envolvidos em seus negócios. Era um assunto que queria discutir com Conal, mas não agora, ainda não.

Eu não tinha visto Conal desde que chegamos e não queria ver ninguém agora. Minhas roupas e braços estavam cobertos de sangue seco das pessoas que tentei salvar. Não tive nenhuma satisfação saber que salvei algumas pessoas ontem à noite, havia tantas outras que eu não tinha.

Eu precisava falar com Conal, queria tanto segurá-lo e me sentir segura, mas por enquanto, ele precisava de tempo para chorar. Depois de falar com Nick, liguei para Epi sobre os acontecimentos horríveis desta longa noite. Epi estava imperturbável, como se esperasse que algum evento marcasse o início do conflito.

A lógica ditava que eu precisava dormir. Deveria comer alguma coisa. Ambas as necessidades da vida que eu não poderia enfrentar agora. Fechei os olhos, pressionando meus punhos contra eles enquanto ponderava sobre o plano que se formulava em minha mente. Eu não tinha habilidades para ajudar a desenvolver uma estratégia, essa situação era nova e estranha o suficiente para que eu honestamente não tivesse a menor ideia. Mas eu tinha um objetivo, algumas ideias de como atingir a meta e esperava que Epi, Nick e Conal tivessem experiência suficiente para ajudar.

Eu senti, ao invés de ouvir um movimento próximo e olhei para cima, apreensão percorrendo minha espinha quando vi Phelan Walker caminhando em minha direção. Sua expressão era sombria e ele parecia ansioso por outra rodada de abuso verbal ou pior.

Quando ele estava a um metro da minha posição, estendi a mão.

— Phelan, por favor. Não quero mais brigar, — implorei baixinho. — Você precisa ficar com sua família, não brigar comigo.

Ele parou de andar, seus ombros rígidos e suas mãos fechadas em punhos. Eu não tinha certeza se ele pretendia me socar ou gritar comigo, então fiquei atordoada quando ele falou, sua voz calma.

— Posso sentar?

Eu balancei a cabeça e ele se sentou de pernas cruzadas na grama ao meu lado. Suas ações eram graciosas e fluidas, um sinal que agora reconhecia como uma aptidão natural para um lobisomem. Vestido com jeans desbotados e uma camiseta cinza, suas roupas estavam rasgadas e manchadas de sangue, seu rosto sujo de lutar contra os incêndios.

Ficamos sentados em silêncio pacífico por alguns minutos, enquanto o sol subia lentamente no horizonte, a luz salpicada brincando na água enquanto ela passava.

— Eu te devo desculpas, — Phelan anunciou abruptamente.

Eu não tinha certeza de como responder. Cansada de tudo o que vi e ouvi nas longas horas que estive aqui, minha reação inicial foi dizer a ele que me devia um pedido de desculpas. Mas o homem havia perdido dois de seus filhos, talvez eu precisasse lhe dar uma folga.

— Phelan, sinto muito também. Lamento que você tenha perdido seus filhos ontem à noite.

Ele fechou os olhos com força, as mãos em punhos enquanto tentava controlar suas emoções frágeis. Estava claro que ele não queria mostrar sua dor na minha frente, mas era tão novo, tão profundamente doloroso, que ele estava lutando para se controlar. Meu coração sofreu com ele, a lembrança de perder mamãe e minha família me deu uma visão de sua tristeza. Tínhamos mais em comum do que eu jamais poderia imaginar, Phelan e eu perdemos entes queridos em um ato assassino. Estendi a mão hesitante, tocando seu ombro. Instantaneamente, um fio de vozes entrou em minha mente e percebi que o que eu suspeitava era verdade, Phelan não pretendia mais me fazer mal.

Respirei fundo, sem saber como ele reagiria ao que eu estava prestes a admitir.

— Phelan, posso ouvir seu filho e sua filha.

Seus olhos se arregalaram.

— Você pode ouvi-los?

Eu mordi meu lábio, balançando a cabeça hesitantemente.

A luta era aparente em seus olhos negros, sua dor esmagadora por seus dois filhos guerreando com suas superstições a meu respeito.

— O que... o que eles estão dizendo para você?

— Dolph quer que você saiba que ele morreu rapidamente, houve muito pouca... dor e ele está imensamente orgulhoso de ter conseguido matar um dos vampiros antes de morrer. Ele quer que você diga a sua mãe que ele a ama. Ele te agradece por ser um pai tão bom e diz para dizer que te ama. — Baixei o olhar, mal suportando a dor refletida em seus olhos negros. A dor era imensurável, seu rosto inteiro aguçado com ela. Uma imagem de seu filho e filha apareceu em minha mente, ao lado de uma mulher mais velha. O filho adolescente de Phelan era alto e magro, seu cabelo escuro e seus olhos solenes. Ele estava de mãos dadas com sua irmã, uma garota bonita com cachos escuros e olhos castanhos chocolate, provavelmente com cerca de quatorze anos. — Lupita diz que não quer que você chore por ela. Ela está com a tia Rica e diz que a tia está cuidando deles. Lupita fica muito feliz em reencontrar tia Rica, pois estava com saudades dela. Lupita quer que você abrace a mãe dela e cuide dela e de Dacia. Ela quer que você dê... Herbert, para Dacia e diga a ela que ela tem que cuidar dele agora.

Phelan estava olhando para mim sem palavras quando abri meus olhos, tinham lágrimas escorrendo pelo seu rosto. Ele envolveu as duas mãos em volta das minhas e demorou um pouco para falar.

— Eu julguei mal você, Charlotte, eu estava errado. Quando estou errado, admito que estou errado. — Ele deu o mais leve traço de um sorriso. — Herbert era o ursinho de pelúcia favorito de Lupita, ela o pegou quando ela era apenas um bebê. Ela nunca desistiria dele, mesmo tendo quase quatorze anos. — Ele engoliu em seco, lutando contra a dor. — Nossa filha Dacia tem... estava importunando Lupita para dar Herbert a ela. Você... poderia compartilhar isso com minha esposa? Faolán achará um grande conforto.

Concordei com a cabeça e fiquei chocada quando Phelan me abraçou. Dei um tapinha em suas costas sem jeito, enquanto ele soluçava contra meu ombro.

Phelan ficou mais um pouco, enquanto o sol subia mais alto no céu e o calor do dia brilhava na planície do outro lado do rio. Quando ele recobrou a compostura, ele reafirmou seu desejo de que eu conhecesse sua esposa e com um último tapinha no meu ombro, me deixou em meus pensamentos.

Por muito tempo fiquei sentada imóvel, entorpecida pelos acontecimentos da noite. Quando as lágrimas começaram a rolar, lembrei-me da perda dos filhos adolescentes de Phelan, junto com todos os outros que perderam suas vidas durante esta noite longa e prolongada.

E chorei pela perda de Lucas, Ben e Rowena – todos que eu amava. O terror tomou conta de mim enquanto me perguntava o que aconteceria com eles.

≈†◊◊†◊◊†◊◊†≈

Conal me abordou horas depois. Apesar do calor do dia, permaneci à beira do rio, preferindo a reclusão enquanto lutava contra acessos de raiva e tristeza. A única indicação do tempo que passava era o sol cruzando constantemente o céu e imaginei que deveria ser o meio da tarde agora.

Conal sentou ao meu lado e sem dizer nada me puxou para seus braços. Eu deitei minha cabeça contra seu peito, cedendo com alívio. Eu respirei profundamente, o cheiro de sua pele me enchendo de paz.

— Obrigado não parece o suficiente. Você salvou muitas vidas, Charlotte.

Eu me endireitei, a culpa borbulhando em meu peito como um câncer.

— Se não fosse por mim, nenhum deles estaria morto. — Minha voz era amarga, raiva vibrando em minha garganta.

Os olhos de Conal estavam vermelhos, a pele ao redor dos olhos sombreada por olheiras. Ele parecia ter envelhecido da noite para o dia, seus ombros, geralmente tão largos e fortes, caíram, esmagados pelo ataque a seu povo.

— Charlotte, você sabe que não posso dizer que isso não é verdade. O que posso dizer é que o bando, *meu* bando está com você nisso. Kenyon diz que eles foram atacados por vampiros jovens quase sem autocontrole, sem capacidade de conter sua selvagem sede de sangue. Você não fez isso. Alguém os enviou para massacrar nosso povo.

— O Beijo Drâghici. O Conselho Vampiro.

— Por que eles estariam interessados em você?

Eu ri sem graça, assustando alguns pássaros que levantaram voo em alarme.

— Porque eu tenho algo que eles querem. Lucas me disse meses atrás que eles coletam itens de interesse. Ele sabia que minha habilidade seria de interesse para eles.

— Você acha que eles sabem o que você é?

Eu balancei minha cabeça.

— Não sei. Epi parece pensar assim. Ele está ainda mais convencido de que todos esses incidentes, incluindo o ataque ao Beijo Tine e seu bando, estão relacionados. Eles provavelmente pensaram que me capturariam facilmente, mas com quem eu escolhi ficar frustrou seus planos, então agora eles vieram à tona. Eles atacaram seu bando, provavelmente pensando que eu estaria aqui. Levaram Lucas e os outros porque sabem que estive com eles. Acho que é retribuição ou eles estão tentando me atrair.

— Você... — Ele parou e esfregou meu ombro suavemente por alguns segundos, enquanto compunha sua pergunta. — Você acha que eles os mataram?

Eu balancei minha cabeça.

— Acho que vão usá-los como reféns. Para me forçar a ir até eles.

— Como você pode ter tanta certeza?

Minha voz era monótona quando respondi.

— Porque eu não ouvi nenhum deles na minha cabeça. Se eles estivessem mortos, eu saberia sobre isso.

Conal sentou-se um pouco mais ereto, a tensão saindo dele em ondas que eu podia sentir fisicamente.

— Você sabia sobre meu pai? — Ele perguntou.

Eu andei direto para ele. Eu nem tive a chance de refletir sobre minha decisão de evitar contar a Conal sobre a morte de seu pai. Eu estava tão consumida pela tristeza e preocupação, o trauma de ver as pessoas mortas e morrendo ao meu redor, que não houve tempo. Tomando uma respiração instável, eu confessei.

— Sim. Ele falou comigo no carro a caminho daqui.

Os olhos de Conal brilharam com raiva.

— Por que você não me contou?

Eu me virei para ele, sabendo que não

conseguiria lidar com outro pingo de culpa, mesmo que tentasse.

— Que bem isso teria feito?

O olhar de Conal endureceu.

— Charlotte, ele era *meu* pai. Eu tinha o direito de saber que ele estava morto.

A raiva borbulhou, inundando a culpa em segundos.

— E você descobriu que ele estava morto! Mais quinze minutos teriam feito alguma diferença? — Eu me levantei, envolvendo meus braços em volta da minha cintura, segurando-me firmemente. — Você acha que eu *gosto* disso? Você acha que é fácil lidar com todas as pessoas na minha cabeça, sabendo coisas que outras pessoas não sabem? Suponho que não tenha ocorrido a você que foi um choque ouvir seu pai falar comigo? Posso não tê-lo conhecido bem, mas ele era importante para você e você é importante para mim! Talvez eu não quisesse ser a única a te machucar tanto! Talvez eu tenha errado em não contar o que ouvi! Mas talvez, apenas talvez, eu pensei que era uma tragédia o suficiente para você ter que ouvir isso! Talvez eu tenha pensado que mais quinze minutos sem saber era melhor do que a decisão do que eu tinha para lhe contar!

Eu me virei e tropecei ao longo da margem do rio, pega de surpresa por sua raiva. Foi a gota d'água, o último episódio devastador em uma noite de eventos horríveis, que me levou ao limite. Corri cegamente ao longo da margem do rio, soluçando entrecortadamente.

Conal chegou ao meu lado antes que eu tivesse ido longe e pegou meu braço, me virando e me segurando firmemente contra seu corpo. Eu caí contra ele, minhas lágrimas impossíveis de parar e ele esperou silenciosamente que eu recuperasse o controle, suas grandes mãos esfregando minhas costas em um gesto reconfortante. Quando meus soluços se reduziram a soluços ocasionais, ele olhou para mim, seus olhos negros cheios de ternura.

— Sinto muito, querida. Tem sido uma noite difícil para todos, inclusive para você.

— Eu teria contado a você, se achasse que faria alguma diferença. Mas não teria mudado nada, — eu disse calmamente.

— Você tem razão. Eu sei que você está certa. Só estou chateado com o que aconteceu aqui ontem à noite. — Ele esfregou minhas costas pensativamente. — Charlotte, o que vamos fazer?

Eu encontrei seus olhos.

— *Não* estamos fazendo nada. Eu já causei a você e ao seu povo sofrimento mais do que suficiente. Seu pai está morto por minha causa. Dezenas de outras pessoas estão mortas por minha causa. — Com a culpa me dominando novamente, respirei fundo. — Eu vou enfrentar o Conselho

Vampiro. Falei com Nick Lingard e ele e seu bando vão ajudar. Lucas e seus amigos, eles foram levados por minha causa. Não tenho escolha a não ser tentar resgatá-los.

— O bando Tremaine se juntará a você. Vamos nos vingar, — anunciou Conal. — E temos um pacto com o Beijo de Lucas, é nosso dever ajudá-los.

Levou um minuto para lembrar que ele era o líder do bando após a morte de Lyell Tremaine. A liderança passou de pai para filho.

— Acho que isso nos torna irmão e irmã, — sugeri suavemente. Eu me perguntei o que isso significava para meu relacionamento com Conal.

— Charlotte, — ele começou com a voz rouca, — você teria feito sexo comigo ontem à noite, se não tivéssemos sido interrompidos?

Eu corei, balançando a cabeça lentamente. Eu sabia, sem dúvida, que se os eventos não tivessem nos surpreendido, eu teria deixado ele fazer amor comigo. Queria que ele fizesse amor comigo. Mas tudo havia mudado agora.

Ele suspirou e eu sabia instintivamente o que estava por vir.

— Eu te amo, Charlotte. Eu sempre vou te amar. Mas não posso ter um relacionamento com você agora. É meu dever me casar com uma lobisomem de sangue puro. Mais do que nunca, sei que é isso que devo fazer. Minha responsabilidade como líder do bando é me casar com alguém puro-sangue e gerar uma criança puro-sangue. Você e eu não podemos fazer isso. — Ele se virou, seus olhos ficando distantes e eu podia sentir sua dor. Isso ecoou em meu próprio coração.

Eu coloquei minha mão contra sua bochecha, acariciando o calor de sua pele pelo que provavelmente seria a última vez. Sua decisão significava que não teríamos mais o relacionamento físico que tínhamos. Ele não podia mais compartilhar minha cama, platonicamente ou não. Esse papel em sua vida deve ser substituído por uma mulher que poderia fornecer o que eu não poderia – uma criança lobisomem de sangue puro. Eu sabia por que ele tinha que fazer isso e que a decisão não era fácil para ele. Mas eu poderia torná-lo o mais indolor possível para ele.

— Conal, está tudo bem, eu entendo. E nunca teria funcionado entre nós de qualquer maneira.

— Porque você ainda ama o sugador de sangue, — ele fez uma careta, com algo próximo a desgosto cruzando suas belas feições.

Eu balancei a cabeça.

— Porque eu ainda amo o sugador de sangue.

CAPÍTULO 34
ENCANTAMENTOS

— O que eu não entendo é por que atacar o bando? Por que levar Lucas e seu grupo? Por que não vem e me pega? Eu não poderia ser tão difícil de encontrar. — Eu estava deitada no sofá de Epi, com as mãos atrás do pescoço enquanto expressava meus pensamentos.

Epi estava andando pela sala, fazendo o que fazia de melhor – pegando vários livros de sua extensa biblioteca, vasculhando-os e jogando-os ao acaso no chão quando não encontrava o que procurava.

— Como eu disse a você, Charlotte. Seus poderes estão chegando ao auge agora. Acredito que o Conselho, por qualquer motivo, quer que você seja a mais poderosa possível — respondeu Epi com impaciência.

— Mas eles poderiam ter me levado quando eu estava sozinha. Ou do apartamento... ou mesmo daqui e me deixa ficar poderosa enquanto eles me mantém. Por que matar pessoas inocentes?

Epi ergueu os olhos do livro que estava examinando.

— Sua garota tola. Claro, eles não podem tirar você daqui. Ou do apartamento, aliás.

Sentei-me, olhando para ele astutamente.

— E por quê?

Epi sorriu, seu sorriso desdentado apenas um pouco menos alarmante agora do que quando o conheci.

— Porque coloquei encantamentos poderosos tanto em minha casa quanto no apartamento de Conal. — Olhei para ele sem expressão e ele bufou impacientemente. — Para proteger você, criança. Assim que percebi o que você era, sabia que tinha que mantê-la o mais segura possível. Claro, minha casa sempre teve encantamentos para impedir a entrada de visitantes indesejados, mas quando cheguei ao apartamento de Conal, coloquei feitiços semelhantes sobre a estrutura.

— O que exatamente esses encantamentos fazem?

— Impedem qualquer um de invadir. Ninguém vai se lembrar da localização da igreja ou do apartamento de Conal. Mesmo que eles seguissem você aqui ou ali... eles seriam incapazes de lembrar onde estava, assim que saíssem novamente. E se por acaso eles reconhecessem a posição dos prédios, ficariam mudos se tentassem contar a alguém onde estamos localizados. Completamente incapazes de vocalizar o endereço. — Epi parecia imensamente satisfeito consigo mesmo com o poder de seus encantamentos.

Eu tive que sorrir.

— Legal, Epi, mas gostaria que você tivesse me contado antes. Você poderia ter usado os mesmos encantamentos para proteger todos os outros.

Ele franziu a testa pesadamente, seus olhos azuis se aguçando.

— Eu não sou um artista de circo, mocinha. Estes são encantamentos poderosos e levam algum tempo para serem criados. Eles são projetados para pequenas áreas, não subúrbios inteiros cheios de lobisomens.

— Então por que não tentar me levar quando eu estava com o bando? Eles estiveram lá apenas algumas horas antes. Eles poderiam ter esperado, deveriam saber que Conal seria contatado e certamente teriam imaginado que ele poderia me levar com ele.

— Talvez, minha querida, eles estejam querendo ver exatamente o quanto você progrediu, — afirmou Epi suavemente. — Por alguma razão, desconhecida para nós mesmos, eles parecem querer você o mais próximo possível dos vinte e um anos. Quando seus poderes atingirem seu pico natural.

Eu fiquei em silêncio novamente, caindo de volta no sofá. Fazia uma semana desde o ataque e eu estava escondida com Epi enquanto Conal organizava a transferência dos restos mortais de seu bando para um local seguro. Ele assumiu a liderança de seu bando e trabalhou arduamente desde então, realizando reuniões intermináveis com os anciãos do bando, apoiando os enlutados e reformando seu bando em uma unidade coesa, embora com números bastante reduzidos.

Sua elevação a Alpha gerou polêmica. Embora ele tivesse o apoio dos anciãos de Lyell e o direito de nascimento de liderar, havia um pequeno grupo dentro do bando que tentou dar um golpe. Conal foi forçado a lutar por seu direito à sucessão. Alguns insistiam que a falta de uma esposa e filhos de sangue puro eram o suficiente para permitir o desafio. Conal não havia divulgado os detalhes, mas Epi explicou alegremente que envolvia um desafio físico e terminava com a morte do perdedor nas mãos do vencedor. Depois de ouvir esses detalhes, não pressionei Conal para obter mais informações, mas fiquei incrivelmente aliviada quando ele venceu. Se ele matou o desafiante, eu não queria saber. Lobisomens não eram humanos e seu estilo de vida e crenças não eram humanos. Foi algo que aprendi e não questionei.

Conal estava ensinando a seu bando o que descobrimos, que eles não estavam restritos à transformação durante a lua cheia. Cada vez mais pessoas de seu povo eram capazes de se transformar à vontade e isso ajudaria enquanto eles se escondiam dos Drâghici. Eles eram fisicamente mais fortes e mais rápidos na forma de lobisomem e o poder de se transformar se outro ataque fosse iminente daria a eles uma chance muito maior de sobrevivência.

Eu não via Conal desde que ele voltou para a cidade na noite de domingo e me deixou com Epi. Ele me disse na longa viagem de volta que só confiava em Nonny e Epi depois do ataque. Conal estava convencido de que havia um traidor em suas hierarquias e estava fazendo o possível para localizá-lo. Ele insistiu que alguém deveria ter avisado os vampiros e organizado o ataque simultâneo que ocorreu.

Mas quem poderia ser o traidor? Todos, todas as famílias perderam um membro durante o ataque. Nenhuma pessoa se destacou como um suspeito óbvio.

O que Epi disse era verdade, meus poderes estavam aumentando exponencialmente. Eu tinha um controle coeso dos espíritos, podia convocar quantos precisasse com apenas um pensamento. A maioria das minhas forças vinha dos espíritos, embora eu estivesse me tornando mais adepta da batalha física, minha arma mais forte eram os espíritos. Epi continuou a treinar comigo todos os dias e pude derrotá-lo com contra-ataques físicos e mentais. Epi explicou que cada um dos filhos de Nememiah tinha suas próprias forças. Alguns no passado teriam maior proeza física ou habilidades mágicas. Todos os Filhos de Nememiah podiam conversar com os espíritos dentro deles, mas meu dom único era ser capaz de convocá-los corporalmente e fazer com que cumprissem minhas ordens.

— Ah! Aqui está, — Epi anunciou triunfantemente. Ele marchou até onde eu ainda estava deitada no sofá e me entregou um livro, apontando para um diagrama nele. — É isso.

Na semana passada, eu tinha lidado com pesadelos, embora essa fosse uma descrição muito fraca para eles. Eram terrores noturnos estranhos e angustiantes. Toda vez que fechava os olhos e dormia, me envolvia em imagens horríveis. Eu tinha visto Lucas, Ben e Striker, mortos aos meus pés. Acenith e Rowena sendo assassinadas pelo Conselho. Eu tinha visto William e Holden sendo torturados e queimados com água benta, suas peles se desfazendo de seus ossos. Marianne e Gwynn estenderam a mão para mim, seus olhos cheios de agonia enquanto eram estupradas por um monstro sem rosto, gritando por socorro. Ripley tinha me perseguido, enlouquecido pela sede, as presas pingando sangue em sua camisa branca enquanto ele rasgava minha garganta. Eu tinha visto Katie sendo assassinada pelos Drâghici, seu pequeno corpo murchando enquanto eles a drenavam, dedos minúsculos se estendendo em um pedido desesperado de ajuda. Com seus olhos brilhando em vermelho sangue, Conal caiu sobre mim, meio homem, meio lobisomem, e sua mandíbula pingando sangue. Tive pesadelos com exércitos intermináveis de espíritos, alinhados com olhos sem vida, carregando armas que brilhavam em prata, a luz refletindo em seus rostos apodrecidos. Misturado a tudo isso, um selo meio formado continuou aparecendo, algo que eu não reconheci. Cada vez que eu acordava, gritando e apavorada, o selo desaparecia da minha memória antes que eu pudesse recuperá-lo completamente.

Havia outra coisa sobre os pesadelos. Embora não fosse tão aterrorizante quanto os outros aspectos, era o elemento mais perturbador. Continuei vendo um homem da mesma idade que eu. Seus olhos eram do mesmo tom de verde que os meus, sua cor de pele e características tão idênticas que parecia que poderíamos ser parentes. Toda vez que ele aparecia, ele corria em minha direção e sua boca se abria, me engolindo. Esta parte me assombrava mais do que qualquer outra coisa, apenas por causa da semelhança. Por que esse completo estranho continua aparecendo e o que ele tem a ver com os pesadelos? Por que ele parecia uma versão masculina de mim? Eu não tinha respostas.

Epi se ofereceu para preparar uma poção para dormir, que ele insistiu que manteria os pesadelos afastados e permitiria um sono ininterrupto, mas continuei recusando. Eu estava convencida de que havia respostas nos pesadelos e estava decidida a analisá-los, por mais difícil que fosse.

Eu estava tentando me lembrar do selo desde que os pesadelos começaram. Os espíritos não se mostraram muito úteis e, quando resmunguei, Epi disse que o objetivo deles não era me guiar por essa nova vida estranha com clareza. Eles podiam dar orientações e conselhos, mas nem sempre me davam respostas. Cabia a mim descobrir as respostas sozinha. Apesar de seu conselho, alfinetei os espíritos, implorando por ajuda. Como eu poderia lutar contra o que eu não conhecia?

Olhei para o diagrama que Epi estava me mostrando e sabia que era o mesmo selo que eu via nos pesadelos. Onde eu só consegui desenhar o selo parcial, este estava completo.

— O que é? — Eu perguntei, traçando os contornos do loop intrincado e memorizando-o.

— Pureza, — respondeu Epi. — Mas eu não entendo por que você está vendo isso em seus pesadelos. Pureza não é um selo que os Filhos de Nememiah já usaram. Eles já eram puros, pelo sangue que corria em suas veias.

Dei de ombros, infeliz, o desapontamento claro no gesto.

— Não sei, Epi. Eu gostaria de saber isso. — Era incrivelmente desanimador. Eu pensei que finalmente saber o significado do selo me daria algum insight, algum conhecimento do que estava acontecendo. No entanto, eu não estava mais perto das respostas do que antes. Este selo significava algo, eu estava convencida de que não apareceria persistentemente se não houvesse uma razão para isso. Mas eu não tinha a menor ideia do que era.

Até entender, eu sabia que não poderia fazer nada para salvar meus amigos. Meus nervos estavam à flor da pele, os espíritos estavam me incitando a viajar para a Romênia e tentar um resgate desde o início. Epi e Conal foram veementemente contra qualquer tentativa de resgate até que tivéssemos todas as informações que pudéssemos obter. Epi insistiu que eu simplesmente não estava pronta, afirmando que era importante que cada minuto antes de eu completar 21 anos fosse usado para aumentar minhas habilidades. Isso estava me irritando e definitivamente irritando Nick Lingard. Ele ligava todos os dias, esperando alguma notícia sobre o que estava acontecendo, o que estávamos fazendo. E todos os dias eu o enganava. Pelo menos agora ele sabia toda a história, embora eu não tivesse certeza de que ele acreditaria até que visse minhas habilidades por si mesmo.

Apesar do meu medo sobre o que estava acontecendo na Romênia, eu sabia que Epi e Conal estavam certos. O que quer que eu estivesse enfrentando, era mais poderoso do que eu já havia enfrentado. E eu precisava ter toda a força dos espíritos atrás de mim para lutar contra isso. Com a prática constante, eu estava ficando mais forte e mais poderosa a cada dia. Embora fosse frustrante estar sentada em nossas mãos, eu sabia que os espíritos me contariam se algo acontecesse, me avisariam se fossem mortos. Eu sabia pelos espíritos que eles estavam sendo mantidos pelo Conselho Vampiro na Romênia, em seu castelo perto de uma cidade chamada Sfantu Drâghici. Uma das cidades mais antigas da Transilvânia, era habitada desde 1332. Situada no rio Olt, em um vale entre as montanhas Barolt e Bodoc, os vampiros Drâghici, que se fundiram como um Beijo e o Conselho habitavam uma fortaleza no alto das montanhas, com vista para a cidade. Quem teria pensado?

Vampiros realmente vivendo na Transilvânia. Se eu não tivesse ficado tão horrorizada, teria sido engraçado.

Eu me encolhi por dentro ao pensar novamente sobre o que estava sendo feito com meus amigos. Os espíritos, embora não exatamente úteis em qualquer missão que eu enfrentasse, eram desagradavelmente vocais sobre como meus amigos estavam sendo torturados. Eu sabia que eles não estavam recebendo sangue, sem sustento e com o passar do tempo, suas habilidades estavam se deteriorando, sua força os deixando. Houve um aviso ameaçador sobre o que estava sendo feito com eles, mas eu sabia que não tinha escolha – teria que esperar. Eu precisava de respostas antes que pudesse resgatá-los.

Minhas emoções estavam sendo dilaceradas. Eu sabia que eles precisavam desesperadamente de ajuda, mas tive que aceitar o que Epi e Conal insistiam que era verdade, que precisávamos de mais informações, antes que eu pudesse marchar para a Europa e resgatá-los. Epi me garantiu que me levaria até lá e eu tinha que confiar nele. Não era como se eu pudesse simplesmente ir ao aeroporto e reservar um voo já que eu não tinha meios legais de viajar. Muitas vezes me perguntei se estava confiando demais nas pessoas ao meu redor, mas o que mais eu poderia fazer?

Meu celular tocou e enfiei a mão no bolso do meu short para pegá-lo.

— Alô?

— É Conal. Estou aqui fora, destranque a porta.

Eu me lancei do sofá e corri para as portas pesadas, destrancando as fechaduras e abrindo as portas. Conal estava parado na entrada, sombras pesadas circulando seus olhos, mas ele parecia melhor do que quando eu o vi pela última vez. Eu queria me jogar em seus braços e abraçá-lo, mas hesitei desconfortavelmente. Nosso relacionamento havia voltado a uma cordialidade agradável desde a morte de seu pai.

Ele abriu os braços para mim, aparentemente lendo a indecisão na expressão do meu rosto.

— Não ganho um abraço?

Eu coloquei meus braços em volta dele desajeitadamente e o soltei com a mesma rapidez.

— Está tudo bem?

— Sim, mas não encontrei o bastardo que está vazando informações. — Ele passou por mim e cumprimentou Epi, enquanto eu fechava e trancava as pesadas portas. — Tudo bem aqui?

— Estamos bem. Epi me disse *agora* que colocou feitiços na igreja e no seu apartamento. Aparentemente, toda a preocupação sobre se eu estava segura ou não foi em vão.

— Você não perguntou, — retrucou Epi.

— Que tipo de encantamentos? — Conal caiu no sofá, descansando os braços ao longo da parte de trás do encosto de cabeça.

Expliquei o que Epi tinha feito e Conal esfregou o queixo pensativamente.

— Nada mal, velho.

— Obrigado por esse endosso empolgante, — Epi fungou.

— O bando está seguro? — eu questionei. Sentei no chão perto de Conal, nervosa com a ideia de sentar ao lado dele. O que estava errado comigo? Sim, havíamos declarado qualquer coisa entre nós, mas eu estava lutando com um desconforto que nunca havia sentido perto dele antes.

— Sim. Temos um lugar nas montanhas, há cavernas lá em cima. O bando vai se esconder por enquanto. — Ele franziu a testa pesadamente. — Ralph Torres ouviu que não fomos os únicos atacados na semana passada. Pelo menos dois outros grupos foram atingidos. Talvez mais.

Foi a minha vez de franzir a testa.

— Eu não entendo. Se eles estão atrás de mim, de que adianta atacar os outros? Eles não têm nada a ver com isso.

Conal suspirou.

— Eu também não entendo. Mas acho que me sentiria melhor se tivéssemos mais reforços aqui, para ficar de olho em você. Você acha que Nick Lingard desceria?

— Ele está voando amanhã de manhã, — eu relatei calmamente. Eu não tinha sido capaz de segurá-lo por mais tempo. Ele estava trazendo alguns de seus homens com ele e a pequena Katie. Embora ela não tivesse nada a oferecer aos vampiros em termos de habilidades, eu não os deixaria sequestrá-la, como outra forma de me forçar. Eu disse a Nick que me sentiria melhor se ela estivesse aqui e agora que soube dos encantamentos de Epi, tinha certeza de que tinha sido a decisão certa.

— Você acha que deveria entrar em contato com seu pai e avisá-lo? — Conal sabia que eu mantinha contato com meu pai, usando o iPad para enviar e receber e-mails. Nossa troca de e-mails era regular e estávamos nos conhecendo, na verdade, ele estava sugerindo que nos encontrássemos, algo que, à luz da minha situação atual, eu tentava desesperadamente evitar.

— E dizer a ele o quê? Que estou envolvida com vampiros, lobisomens, metamorfos e um feiticeiro e, a propósito, sou uma anjo? Acho que não — respondi com um sorriso irônico.

— Embora eu possa ver como seria difícil explicar, ele e sua família podem estar em perigo, — disse Epi, surpreendendo-me ao concordar com Conal.

— Não há como explicar, — acenei com a mão pela sala, — tudo *isso* para ele e não parecer uma completa lunática.

— Você me disse que o cara é um ex-fuzileiro naval, — disse Conal. — Ele provavelmente já viu algumas coisas estranhas em seu tempo.

— Tenho certeza que ele nunca conheceu um lobisomem. Ou um feiticeiro, — eu afirmei com certeza. — Olha, eu vou pensar sobre isso, ok? Talvez eu pudesse falar com mamãe, pedir-lhe especificamente para ficar de olho nele, avisar-me se algo acontecer. Isso é bom o suficiente?

Conal concordou com a cabeça.

— Ok. Por enquanto, porém, estou levando você de volta para o apartamento. Você parece um inferno.

— Você estará de volta pela manhã para mais treinamento? — Epi pressionou.

Conal gemeu enquanto destrancava as portas.

— Naturalmente. Nada que eu goste mais do que começar a manhã levando uma surra e cheirando como se tivesse rolado em um cadáver. Até mais, velho.

CAPÍTULO 35
UM MOMENTO DE SÚBITA INSPIRAÇÃO

Deitei no quarto de Conal, os lençóis amassados testemunhando a insônia que eu sofria. Eu estive deitada aqui por horas, me revirando, incapaz de acalmar minha mente o suficiente para cochilar.

A viagem de Epi foi dolorosa e eu sabia que não estava apenas me afetando, Conal estava distraído, tão desajeitado quanto eu. Voltamos ao apartamento e Conal pediu comida chinesa para o jantar, que havíamos comido em silêncio.

Depois do jantar, ele anunciou que estava indo para a cama, deixando-me sozinha na sala, olhando para ele com lágrimas nos olhos. Ouvi a porta do segundo quarto fechar firmemente atrás dele e me arrastei até o quarto que tínhamos compartilhado até agora. Eu sabia que Conal estava fazendo o que precisava fazer e nunca dei a ele o que queria, mas

458

sentia falta dele. Eu sentia falta de sua proximidade, do conforto e segurança de tê-lo me segurando em seus braços.

Rolei para o lado, olhando para o Hjördis, que estava ao lado da cama. Talvez eu devesse ter ficado na casa de Epi. Conal deixou claro que ele estava tão desconfortável comigo por perto quanto eu estava com ele. Agora que ele decidiu com certeza o que precisava fazer, parecia que um abismo havia se desenvolvido entre nós. Ter-me aqui era um lembrete constante do que ele não poderia ter. Uma onda de dor cresceu em meu peito quando percebi que também queria isso. Eu amava Lucas, mas – e me doía admitir – eu também amava Conal. Ambos os homens estavam entrelaçados dentro do meu coração e me causando dor adicional. Talvez eu devesse rejeitar os homens completamente. *Homens não, sua idiota*, lembrei a mim mesma com pesar. *Talvez você devesse dizer vampiros e lobisomens.*

Balançando a cabeça, forcei-me a voltar aos problemas mais urgentes. Como poderíamos entrar na fortaleza dos vampiros, resgatar todos e sair vivos? Nick estava inclinado a lutar para entrar e sair, mas ele estava pensando como um lutador entusiasmado. Epi insistiu que precisávamos usar furtividade e minhas habilidades. Eu nem tentei falar com Conal sobre o que deveríamos fazer. E eu ainda tinha a mesma sensação inquietante. Havia algo que permanecia indescritível, apenas fora do alcance em minha mente. Os vampiros tinham um plano definido, algo iniciado meses atrás. Repassei os acontecimentos da minha vida desde outubro passado, sondando-os cuidadosamente, tentando identificar um padrão, qualquer coisa que pudesse me dar uma pista.

Caí em um sono inquieto por volta das 2h da manhã, mas minha mente se encheu de imagens horrivelmente gráficas. Lucas me chamando, correntes de prata enroladas em seu torso, queimando sua pele enquanto sua expressão se enchia de agonia. Marianne, perguntando por que eu não os havia avisado do perigo, sua voz melancólica e acusatória. Striker gritando, sua mente destruída por uma sede de sangue que não foi saciada. Rowena implorando pela vida de sua família, pois era isso que ela os considerava, sua pele branca como giz e quase fina como papel, seus olhos cheios de terror enquanto observava Ben sendo torturado. A pele de Striker queimava quando água benta escorria em seu torso nu, queimando-o como ácido sulfúrico e a angústia em seus olhos enquanto ele cerrava os dentes contra um sofrimento insuperável. Os rostos da bando de lobisomens, seus olhos vazios conforme eles se aproximavam, rosnando. Conal sendo mordido por um membro do Conselho de vampiros, seus olhos cheios de ódio enquanto ele me observava sozinho e sem fazer nada para ajudar... e o selo, o selo de pureza inacabado que eu sabia que não iria ajudar. Intercalado no pesadelo, aparecendo as vezes, quase como um sonho dentro do pesadelo, estava o homem com semelhanças comigo, com cachos escuros e pele clara...

— Charlotte. *Charlotte*! Querida, é um pesadelo. Vamos querida, acorde... — Meus olhos se abriram e encontrei Conal agachado sobre a cama, seus braços em volta do meu corpo e me segurando firmemente contra ele enquanto eu gritava.

— Conal! — Eu inalei uma respiração trêmula e me agarrei a ele como se nunca fosse soltá-lo. Lutei para recuperar o controle, respirando fundo até que o pesadelo começou a desaparecer. Apertando meus olhos fechados, eu tentei expurgar o que eu tinha visto da minha memória. Não podia ser real, minha mente estava pregando peças com base nos mitos que ouvi sobre vampiros. — Eu não pensei que você viria, — eu admiti baixinho quando me acalmei o suficiente para falar coerentemente.

Conal levou um momento para falar e quando o fez, sua voz era abafada.

— Me chame de masoquista.

— Eu sinto muito.

— Pelo quê? Por não ser uma lobisomem? Por não me amar? — Ele afrouxou seu aperto, acomodando-se na cama com as costas contra os travesseiros antes de me puxar para seus braços, aninhando-me contra seu peito. — Você não pode escolher quem você ama. — Ele enxugou as lágrimas do meu rosto com o polegar. — Não posso deixar de amar você. Não importa o que eu diga a mim mesmo, o quanto eu tente negar, essa é a verdade. Não quero ficar com mais ninguém além de você. Inferno, eu não quero *pensar* em mais ninguém além de você.

Eu precisava ser honesta com ele.

— Eu sei que não é consolo, mas eu te amo, Conal. Eu gostaria de poder te amar o suficiente para esquecer Lucas. Mas eu *não posso*. Não quero me arrepender disso. Não quero que você tenha uma impressão errada e não quero machucá-lo. Quero ter você em minha vida sempre. Sei que isso é egoísmo e vou entender se você não quiser a mesma coisa, sabendo que ainda estou apaixonada pelo Lucas. Tentei me convencer de que posso esquecê-lo, mas isso simplesmente não está acontecendo.

Os olhos negros de Conal eram poças solenes e escuras sob o brilho suave da lâmpada.

— Você sempre estará na minha vida. Estou feliz por isso não ir mais longe, se isso significar que eu a manterei em minha vida. Você precisa de tempo para resolver seus sentimentos. Não se desculpe, querida. Apenas vá dormir. Você precisa descansar.

Fechei os olhos cansada.

— Você não tem que ficar, Conal. Volte para a sua cama.

— Sim, eu preciso ficar. Porque se estou aqui com você, os pesadelos não parecem ser tão ruins. — Ele piscou. — Para ser sincero, meio que me acostumei a dormir ao seu lado. — Ele beijou minha testa suavemente e se enterrou na cama, ajustando minha posição até que eu estivesse deitada ao seu lado. — Vá dormir, querida.

Aconchegando-me contra ele, escutei sua respiração constante e senti o estresse se dissipando do meu corpo. Meus olhos se fecharam e eu relaxei contra ele, caindo profundamente em um sono profundo.

≈†◊◊†◊◊†◊◊†≈

Quando acordei na manhã seguinte, ainda estava rodeada pelos braços fortes de Conal. Eu rolei para que eu pudesse olhar para ele e sorri. Suas belas feições foram suavizadas pelo sono e ele respirava profunda e uniformemente.

Eu bocejei e me espreguicei, contorcendo-me para longe de Conal, pensando que seria bom um café da manhã. Conal sentiu o movimento e me puxou mais apertada contra ele.

— Bom dia, — ele murmurou sonolento. — Onde você está indo?

— Café da manhã. Quer um pouco?

Conal piscou na luz do sol brilhante.

— Sim. Então pensei que era melhor irmos pegar o Epi de novo. Isso deve ser delicioso.

Eu ri.

— Espero que os músculos doloridos, as contusões, tudo valha a pena.

— Eu acho que sim, mas provavelmente vou levar uma surra do sanguessuga quando ele descobrir que tenho compartilhado sua cama no último mês ou algo assim. Platonicamente ou não.

— Lucas vai entender, — afirmei com confiança. — Ele tem mais de cento e cinquenta anos. Ele é bem maduro sobre as coisas.

Conal olhou para mim incrédulo, uma sobrancelha levantada.

— Você acha? Não tenho tanta certeza. Eu vi o jeito que ele olha para você. Do mesmo jeito que eu olho para você, na verdade. Exceto que, de alguma forma, meus pensamentos lascivos parecem ser mais impuros...

Parecia um daqueles momentos de desenho animado, aqueles em que a lâmpada aparece na cabeça de um personagem quando ele tem uma ideia brilhante. Afastei Conal, sentando-me na cama e olhando para ele com espanto.

— O que você disse?

Conal ficou de lado, olhando para mim com curiosidade.

— O quê?

— Só me diga, o que você disse?

— Eu disse que sentia que cobiçar você era impuro...

— Oh meu Deus. — Tive vontade de me dar um tapa na cabeça e quase o fiz. Minha mente trabalhava em um ritmo vertiginoso e rapidamente percebi o que estava perdendo. Eu me lancei para fora da cama, correndo em direção à porta.

— O que está errado? Charlotte! — Conal puxou as cobertas de seu corpo e se levantou rapidamente.

— Impurezas! Pensamentos impuros! É por isso que continuo vendo esse selo na minha cabeça, repetidamente! — Eu corri do quarto e pelo corredor, vasculhando as pilhas de papel que Conal tinha empilhado na bancada do café da manhã.

— O que você está procurando? — Conal pegou minha mão, parecendo preocupado quando percebeu o rubor em minhas bochechas e o olhar selvagem em meus olhos. — Acalme-se, Charlotte.

Eu respirei fundo.

— Onde está a lista de pessoas que foram mortas e feridas na semana passada?

Conal vasculhou a papelada, enquanto eu pegava um marca-texto de sua escrivaninha.

— Aqui está.

Entreguei-lhe o marcador.

— Verifique a lista de quem foi morto. Marque aqueles que não eram de sangue puro.

Conal olhou para mim por alguns segundos, sua expressão me avaliava, e então mudou seu foco para o papel. O marca-texto pairou sobre o papel enquanto ele percorria a lista. Ele olhou para cima e eu pude ver o que eu suspeitava ser verdade. A raiva era evidente quando o mesmo receio lhe ocorreu.

— A maioria dos mortos são meio-sangues. Provavelmente mais de noventa por cento.

— Como você pode ter tanta certeza?

Conal fez uma careta, batendo na borda do banco com a caneta.

— Eu conheço meu bando. Todos os lobisomens de sangue puro tradicionalmente recebem um nome que significa lobo. Conal significa lobo, Kenyon significa lobo. Eu reconheço os nomes.

Fechei os olhos, pressionando o dedo indicador e o polegar na ponta do nariz enquanto clarificava o que havia descoberto.

— O conselho de vampiros está planejando uma limpeza étnica, — eu murmurei.

— O quê? — Conal parecia assustado.

Meus olhos verdes brilharam de raiva quando a enormidade do que eu tinha começado a entender afundou.

— Limpeza étnica. Lucas me contou que o Beijo Drâghici, o conselho, acreditam ser o equivalente a um governo de vampiro. E se eles também pensarem que são superiores a outros seres sobrenaturais? Acho que eles sabem que não podem matar todos vocês, mas não podem ou não aceitam mestiços.

— Você acha que eles vão matar qualquer um que não seja de sangue puro?

Andei do banco para o sofá e voltei novamente, tentando absorver o que havia descoberto. Eu tinha certeza de que entendia o plano deles agora, o que eles pretendiam fazer. O selo de pureza era a chave.

— Estou assumindo que, como muitas raças no mundo, eles não querem tolerar outros grupos raciais, por falta de uma palavra melhor. Por alguma razão, eles estão selecionando as pessoas que não atendem aos seus ideais de perfeição.

— Como criar uma raça superior?

— Possivelmente.

Conal se apoiou no banco, cruzando os braços sobre o peito nu, com expressão pensativa.

— O sangue misturado cria fraquezas em nosso povo.

Eu levantei minha cabeça para olhar para ele.

— Como assim?

Conal encolheu os ombros.

— Alguns deles não podem mudar completamente, outros demoram muito para se recuperar quando se ferem. O sangue misturado os torna mais fracos, não tão rápidos.

— Será que os vampiros sabem disso?

Conal pensou em silêncio por um minuto.

— É provável, — ele admitiu.

— Que porcentagem de um bando médio teria herança de sangue misto?

— Provavelmente sessenta por cento. — Conal viu minhas sobrancelhas se erguerem em surpresa e continuou. — Charlotte, eu já disse a você como é difícil carregar um filho até o fim. As taxas de aborto espontâneo são altas e para as mulheres lobisomens, a taxa é ainda maior. A maioria delas não consegue levar uma gravidez até o fim.

— Por quê?

Conal encolheu os ombros.

— Sei que descobrimos que podemos mudar à vontade, não apenas na lua cheia. Mas temos *que* trocar na lua cheia, não tem jeito.

Comecei a entender onde ele queria chegar com essa conversa.

— Quando as mulheres mudam para a forma de lobo...

— O bebê não pode sobreviver à mudança, Charlotte. Temos que sedar as mães quando estão grávidas para tentar superar a necessidade de mudar a cada lua cheia durante a gravidez. Às vezes é bem-sucedido e elas permanecem na forma humana. Na maioria das vezes não dá certo e elas perdem o bebê. Temos mais sucesso com relacionamentos de herança mista, onde ambos os pais têm sangue misto. As relações em que a mulher é humana e o homem é lobisomem também são mais bem-sucedidas.

— Então, se eles matarem todas as pessoas que têm sangue misturado...

— ... eles dizimam meu bando.

— E todos os outros bandos que eles atacam. — Eu bati meus dedos ansiosamente contra o tampo da bancada. — Acho que esse é o plano deles. Eles pretendem matar todos os que têm sangue misturado e assumir o controle do que resta. — Parei de bater e encarei Conal. — Eles vão começar uma guerra.

Conal esfregou a mão sobre a barba por fazer.

— Como os filhos de Nememiah se encaixam nisso?

— Epi disse que os Filhos do Anjo foram colocadas na terra para manter a paz entre os grupos sobrenaturais.

Conal balançou a cabeça.

— Parece ótimo em teoria, Charlotte. Caso você não tenha notado, existe apenas um filho de Nememiah e é você.

Outra peça se encaixou no lugar. O homem que eu via nos pesadelos, aquele que parecia tão familiar. Ele tinha algo a ver com os filhos de Nememiah? Ou ele era apenas uma invenção de uma imaginação exagerada?

Andei um pouco mais, invocando os espíritos enquanto andava de um lado para o outro. Fiz perguntas que intuitivamente sabia que seriam respondidas agora. Parecia que, a cada passo que eu avançava no quebra-cabeça, os espíritos permitiam um pouco mais de informação. Eu finalmente deduzi o raciocínio por trás do conselho de vampiros atacando os lobisomens, então os espíritos estavam preparados para compartilhar um pouco mais de seus conhecimentos.

Conal permaneceu pacientemente e me observou andar, ondas de tensão emanando de seu corpo. Quando parei e me virei para ele, pude ver a imobilidade animal em seu corpo enquanto esperava que eu falasse.

— Precisamos ver Epi.

CAPÍTULO 36
O OUTRO

Epi abriu a porta depois que eu bati nela continuamente por quase cinco minutos. Ele espiou pela porta por trás de seus óculos redondos, seus olhos parecendo muito maiores do que realmente eram.

— Você está atrasada, — ele murmurou rebeldemente. — E pare de bater na minha porta assim.

Empurrei impacientemente a porta, quase derrubando Epi quando Conal e eu entramos na igreja silenciosa.

— Epi, conte-me sobre a reprodução dos Anjos de novo, — exigi.

— Desculpe? — Epi tirou os óculos do nariz bulboso, limpando-os com cuidado na túnica cinza desbotada que usava. Ele os recolocou, ajustando-os na ponta do nariz e olhou para mim atentamente. — Você está pensando em ter um filho? Agora?

Balancei a cabeça, impaciente com ele.

— Epi, isso é importante. Você disse que se eu ficar como estou até meu aniversário, não poderei ser transformada, não em um lobisomem ou vampiro.

— Está correto.

— Você também disse que não importa com quem eu esteja... o bebê sempre vai ter sangue de anjo. Isso está certo?

— Sim, claro. — Epi olhou do meu rosto, com minhas bochechas coradas e olhos brilhantes para Conal, que parecia estrondoso. — Do que se trata?

Cruzei os braços e olhei para o velhinho, me perguntando se ele tinha as respostas que eu procurava. Especulando se eu poderia estar certa.

— Quantos filhos de Nememiah existem?

— Só você.

— Você tem certeza? — Olhei para ele, desejando que ele pensasse cuidadosamente sobre o que sabia.

— Bem, sim. — Ele coçou o topo da cabeça, pensativo. — Eu deveria pensar assim. Não ouvi falar de nenhum outro, demorou anos para descobrir você e, mesmo assim, foi completamente surpreendente. — Ele devolveu meu olhar, seu olhar se tornando perspicaz. — Onde você quer chegar com isso, criança?

— E se fossem dois? — eu questionei. — Uma menina... e um menino.

Epi esfregou o queixo pensativamente, os olhos azuis correndo para frente e para trás sobre o chão de pedra enquanto ele considerava.

— Bem, isso só aconteceria se o mundo enfrentasse um evento apocalíptico, imagino. Os filhos de Nememiah foram criados a partir de um homem e uma mulher. Eles acasalaram e produziram os primeiros verdadeiros sangues dos Anjos... *oh*... oh, querida. Entendo para onde você está indo com essa linha de pensamento... sim, sim, de fato... — Ele se virou e correu em direção às estantes, subindo a escada alta e rolante que alcançou para as prateleiras mais altas, resmungando baixinho e recuperando os livros antes de deslizar a escada pelas prateleiras com pressa. Ele despejou a pilha de livros que havia reunido sobre a mesa e começou a vasculhá-los, resmungando baixinho o tempo todo. — Aqui! Aqui está! — Ele leu um trecho de um dos livros que havia colecionado. — ... e Nememiah criou o homem Anjo e a mulher Anjo, e eles geraram uma raça de descendentes poderosos de Anjos, que protegeriam a terra e governariam os que nela habitam, tanto os homens quanto os submundos...

A tontura me inundou em uma onda e eu balancei um pouco. Conal pegou meu braço e me puxou contra ele, envolvendo seu outro braço em volta dos meus ombros.

— Calma, querida.

— Epi. — Compreensão e pavor encheram minha mente em partes iguais. — Não sou descendente dos Filhos de Nememiah, sou? Eu sou o *novo* começo dos Filhos de Nememiah.

— Não podemos ter certeza disso, — alertou Epi. — Você ainda pode ser uma descendente dos originais.

— Mas para criar uma nova raça de filhos do Anjo...

— ... você precisaria de um homem e uma mulher, — Conal terminou a frase.

— Mas só existe você, criança, — Epi protestou, com os olhos arregalados.

— E se não houver? E se houver um homem e uma mulher? O que aconteceria se o Conselho de Vampiros Drâghici capturasse dois Filhos de Nememiah, um homem e uma mulher? E transformassem os dois como vampiros? — Eu perguntei trêmula.

— Bem. Graças a Deus. Eu não tenho certeza.

Deixe-me pensar. — Epi começou a andar de um lado para o outro, resmungando consigo mesmo e usando o dedo indicador para fazer anotações imaginárias no ar à sua frente. — Sim, acho que está certa, embora seja difícil ter certeza... seria um evento sem precedentes... — Ele parou de andar e se virou para nós. — Vampiros não podem procriar. Cada novo vampiro é criado pela mordida de outro. Mas a mistura de sangue de anjo e sangue de vampiro, embora seja difícil ter certeza absoluta, estou apenas pensando nas possibilidades, pode ser que eles possam procriar, o sangue do anjo sendo o mais forte dos dois.

— E as crianças teriam sangue de anjo e sangue de vampiro, — eu sussurrei, fazendo alguns cálculos mentais por conta própria. — O que é tecnicamente sangue de demônio.

— Então a prole seria capaz de chamar os espíritos, — Conal acrescentou, — porque eles têm sangue de anjo...

— Não apenas quaisquer espíritos, — Epi interrompeu, seu rosto consideravelmente mais pálido do que alguns minutos antes. — Charlotte ouve e contata, por falta de uma expressão melhor, os "bons" espíritos. Os espíritos brilhantes. Ela não tem contato com espíritos demoníacos porque é humana. Se ela fosse mordida e transformada em vampira, se houvesse um segundo dos Filhos de Nememiah e ele também fosse transformado... — Ele ficou ainda mais pálido. — Eles e qualquer descendente que eles produzam teriam a capacidade de invocar os espíritos demoníacos sempre que quisessem. Eles poderiam acumular uma força tão formidável, nada parecido foi visto em nosso tempo.

— Isso é o que os vampiros querem, — afirmei com convicção. — Para obter controle absoluto não apenas sobre vampiros, mas também feiticeiros, metamorfos, — eu olhei para Conal, vendo a tensão em seus ombros. — E lobisomens.

— E fadas, — acrescentou Epi.

Fiquei boquiaberta com ele, incrédula.

— Fadas?

— Claro. O povo Fey também faz parte da terra — afirmou Epi com naturalidade. — Eles tendem a ser reservados e não se misturam com os outros.

Conal apertou meu braço suavemente.

— Acho que você não ouviu falar deles?

— Oh, não. — Nas últimas semanas, não pensei que nada pudesse me surpreender. Depois de tudo que vi e ouvi, pensei que era inabalável. Mas fadas?

— São como nos livros de histórias? Minúsculos, asas, orelhas pontudas?

— Não. Mais como nossa altura, temperamentos desagradáveis, lutadores cruéis, — Conal respondeu com um sorriso malicioso. — Eles têm orelhas pontudas, no entanto.

Voltei ao assunto em questão, afastando a ideia de fadas, para ser pensada mais tarde. Se houvesse um depois, eu me lembrei melancolicamente. Quanto mais informações eu reunia sobre nossa situação, pior parecia. A ideia do que o Conselho Drâghici pretendia fazer era inconcebível. No entanto, fazia todo o sentido explicar os ataques aos lobisomens, o sequestro de Lucas e os outros. O Conselho Drâghici os estava usando como isca. Eles devem estar apostando em uma tentativa de resgate e presumiram que eu estaria envolvida nisso. Uma vez que eu estava lá, o pensamento me fez tremer e congelei até os ossos. A coisa que eu mais temia agora era uma possibilidade distinta, se eles me pegassem, não havia dúvida de que me transformariam em vampira. E queria que eu acasalasse com este outro anjo. Prometi a mim mesma que isso nunca aconteceria. Prefiro morrer primeiro.

— Por que você acha que pode haver um filho anjo do sexo masculino? — Epi perguntou curiosamente, tirando-me das minhas deliberações silenciosas.

— Tenho certeza de que o vi, — afirmei desoladamente. — Ele continua aparecendo nos meus pesadelos. — Olhei de Conal para Epi. — Ele já foi transformado em vampiro.

Epi caminhou lentamente até o sofá e afundou nele, segurando a cabeça nas mãos. Conal me segurou mais perto de seu peito, suas mãos suaves contra minhas costas.

— Tem certeza? — ele começou duvidoso. — Você mesma disse, os pesadelos contêm elementos de realidade e imaginação.

— Eu não posso te dizer como eu sei, mas eu *sei*, Conal, — eu insisti com firmeza.

— Ela pode estar certa, — concordou Epi. — A decisão do Conselho Drâghici de assumir o controle de todas as criaturas sobrenaturais seria o tipo de evento catastrófico que poderia causar a transformação de dois filhos do Anjo. — Ele se levantou, voltando ao livro que estava lendo e parecia que tinha envelhecido mil anos nos últimos minutos. — Os Filhos de Nememiah foram originalmente criados para procriar e produzir descendentes que, por sua vez, procriariam e criariam outros Filhos de Anjo para proteger o mundo do perigo. — Ele virou a página, lendo mais antes de continuar. — Parece que Charlotte estava predestinada a conhecer o homem, se apaixonar e criar filhos do Anjo. Por alguma razão, desconhecida para nós, isso não aconteceu. O curso da história foi contornado de alguma maneira, para desviá-los para caminhos totalmente diferentes.

— E os sugadores de sangue se apoderaram deste homem anjo, — Conal supôs.

— Sim, — Epi concordou preocupado. — Parece que sim. Isto é ruim. Muito ruim.

— Bem, — anunciei com uma convicção que não sentia. — Só vamos ter que dar a volta por cima.

CAPÍTULO 37
REFORÇOS

Nick estava sentado no sofá, vestido casualmente com jeans preto e uma camiseta azul, o único sinal de suas emoções estava na frieza de seus olhos cinzentos. Ele chegou algumas horas atrás, junto com Rafe, Marco e Katie. Nonny havia levado a garotinha para o terreno atrás da igreja e a estava ajudando a desenhar usando as provisões que Epi havia criado magicamente.

Discutimos tudo o que sabíamos até agora, atualizando os homens e por insistência de Nick, dando a ele a oportunidade de ver o quanto meus poderes progrediram desde que deixei Montana. Ele parecia ter parado de me culpar pelo sequestro, embora certamente estivesse mais frio do que antes de eu deixar Montana. Eu não podia culpá-lo, Lucas era seu amigo e eu o havia abandonado – não era de surpreender que Nick tivesse ficado do lado dele.

— Então deixe-me ver se entendi, — Nick anunciou quando fiz uma pausa nas explicações. — Os vampiros já têm um anjo, que foi transformado em vampiro?

— Sim. — Eu estava sentada de pernas cruzadas no chão, onde estava empoleirada desde que começamos a conversar.

— E eles querem você, para completar o plano deles?

— Sim.

Nick se inclinou para a frente no sofá, parecendo muito mais velho do que seus vinte e cinco anos.

— Então vamos sozinhos, Charlotte. Não estou correndo o risco de você ser capturada e transformada. Pelo que Epimetheus diz, isso seria um desastre.

— Eu já disse isso a ela, — Conal disse seriamente. Ele estava de pé atrás do sofá, apoiando as mãos na parte de trás.

Senti vontade de gritar e controlei a vontade com dificuldade. Por que os homens eram tão desajeitados? Conal, Epi e eu discutimos esse ponto por dias, os dois homens tentando me convencer de que seria uma má ideia a única filha do Anjo sobrevivente viajar para a Romênia. Eu argumentei com a mesma veemência que não tinha escolha a não ser ir. Repeti esse argumento para Nick, mas pelo olhar teimoso em seus olhos, seria uma batalha difícil.

— Se eu não for, eles vão matá-los. Tudo o que eles estão planejando depende de mim. Se você aparecer e tentar resgatar os Tines, eles vão matá-los no segundo em que perceberem que não estou lá.

Nick estava balançando a cabeça, mesmo antes de eu terminar de falar.

— Você não tem experiência de luta, Charlotte. Você vai ser mais um estorvo do que uma ajuda e eu prefiro não ter que me preocupar em proteger sua bunda.

Eu me irritei com raiva.

— Você acabou de me ver lutar!

— Em condições controladas, claro. Algumas delas foram até impressionantes. Mas não vou arriscar a mim mesmo ou ao meu pessoal por você, não quando... — ele parou, esfregando a cicatriz em sua bochecha com a mão.

— Não quando *o quê?* — Eu questionei friamente.

— Nada, — Nick murmurou.

Levantei-me e de minha visão periférica, vi Marco e Rafe trocarem um olhar. Os olhos de Marco se arregalaram e Rafe balançou a cabeça imperceptivelmente. Eu não sabia o que aquele olhar significava, mas Rafe se levantou. Ele tinha um metro e oitenta e cinco de altura, músculos poderosos e esguios e se movia como um gato elegante, o que era uma pista de sua forma de leão quando mudava de forma, o único no bando de Nick. Com olhos azuis surpreendentes e cabelo loiro escuro desgrenhado, ele estava vestido de preto: jeans preto, uma camiseta preta e uma jaqueta de couro preta por cima, óculos escuros empurrados para trás na cabeça. Ele parecia um guarda-costas, um trabalho que ele fazia desde que saiu de casa aos dezessete anos.

Enquanto Rafe se levantava, Conal se endireitou e se afastou do sofá. O ar de repente parecia um pouco mais difícil de respirar, pois ambos flexionaram sua influência sobrenatural um no outro e a sensação só aumentou quando Nick rosnou baixo em sua garganta.

— Basta, senhores! — Epi anunciou em voz alta. — Não há espaço aqui para egos ou competição.

— Diga isso ao Lobo, — Rafe rosnou.

— Você se levantou primeiro, — Conal retrucou.

Por um momento tenso, os dois homens olharam um para o outro, mas foi Nick quem falou.

—Rafe. — Sua voz era baixa, mas firme e Rafe olhou para ele. Enquanto eu observava, a tensão caiu dos ombros de Rafe e ele se recostou na cadeira.

A energia de Conal se dissipou tão rapidamente quanto apareceu e ele olhou para mim, sua expressão não revelando nada. Isso me deixou ainda irritada e procurando uma briga. Eu sabia que Rafe tinha a intenção de proteger Nick, Conal tinha a intenção de me proteger, mas ainda estava com raiva de Nick. Eu me virei para ele e cruzei os braços sobre o peito.

— Diga o que você quer dizer, Nick. Vamos resolver isso agora, antes que eu mande você e seus homens de volta para Montana.

O olhar de Nick estava decidido quando ele olhou para mim.

— Não vou voltar sem resgatá-los.

— Bem, eu não preciso de você aqui.

Nick se levantou, usando sua altura extra para olhar para mim. Eu me mantive firme, dando a ele um olhar tão bom quanto ele estava me dando. Ele cintilou um pouco de seu próprio poder considerável sobre a minha pele, fazendo os pelos dos meus braços se arrepiarem, mas eu não estava recuando.

— Eu tenho que ir, Nick. Se você gosta de mim ou me odeia, não dou a mínima, mas vou para a Romênia. Ou você trabalha comigo ou vai para o inferno.

Seus lábios se curvaram em um rosnado que era mais de lobo do que humano, seus olhos escurecendo para um cinza tempestuoso.

— Você é uma vadia teimosa.

— Obrigada.

Por mais alguns segundos cheios de tensão, ele continuou a me encarar, mas então respirou fundo, deixando a respiração sair de seus lábios em um acesso de raiva. Ele inclinou a cabeça em direção à porta.

— Vamos você e eu dar um passeio.

— Nick... — Rafe começou.

— Fique aqui, — Nick ordenou. — Charlotte está certa. Precisamos esclarecer algumas coisas e resolvê-las.

Agora foi a vez de Conal protestar.

— Charlotte, não vou deixá-lo ficar sozinho com você.

Coloquei a mão em seu ombro.

— Eu vou ficar bem, Conal.

O músculo em sua mandíbula se contraiu, seus olhos negros duros.

— Meia hora, Charlotte. Então eu vou atrás de você.

— Eu vou cuidar dela, Lobo.

— Isso é discutível, — Conal murmurou.

— Cale a boca, vocês dois, — eu resmunguei. Dirigi-me para a porta, deixando Nick me seguir. — Você está vindo ou não?

Ele me alcançou quando cheguei ao portão pesado, abrindo-o e recuando para o lado.

— Depois de você.

Eu atravessei, sentindo o calor do dia batendo

nas minhas costas. Ainda estava abafado em Jackson e eu me perguntei como Nick estava lidando com a diferença de temperatura e umidade em Montana. Como os lobisomens, os metamorfos tinham uma temperatura mais alta do que os humanos, mas em seus jeans e camiseta, ele não parecia com calor.

Caminhamos em silêncio por alguns minutos e comecei a contar o mato, que se espalhava pelas frestas da calçada. Lutando pela vida em condições tão difíceis, ainda assim eles permaneceram altos e eretos no calor cintilante, aparentemente capazes de sobreviver às condições de fornalha. Não seria eu quem quebraria o silêncio entre nós, embora pudesse sentir a tensão emanando do corpo de Nick, ele havia começado isso e poderia continuar.

— Você quase destruiu Lucas.

De todas as coisas que eu esperava que ele dissesse, sua rajada de abertura quase me deixou de joelhos. Eu estava ciente, muito ciente de como Lucas estaria sofrendo depois que eu saí, eu senti uma dor comparável. Ouvir Nick dizer abertamente apenas esfregou sal nas feridas ainda abertas.

Nick parou de andar, seus olhos vagando pelo meu rosto e seus olhos cinzas suavizados, fazendo-o parecer mais jovem.

— Desculpe. Isso foi duro.

Eu inalei pesadamente, mastigando meu lábio superior.

— Mas é verdade.

— Por que você fez isso, Charlotte?

Eu me virei para ele, abruptamente com raiva e na defensiva.

— Você *viu* o que eu fiz com ele? Com Holden?

Nick deu de ombros, enfiando os dedos nos bolsos da calça jeans.

— Eles curaram, Charlotte. Eles são vampiros.

Eu balancei minha cabeça.

— Eu estava com medo, Nick. Assustada com o que fiz e como fiz. — Eu me virei e continuei andando pela calçada, sem me importar se ele me seguia ou não. O que eu deveria dizer? Como eu poderia explicar o quanto eu estava apavorada com o poder, o que ele poderia fazer se eu o liberasse novamente?

— Então você estava com medo, eu entendo, — Nick anunciou, me alcançando e combinando seu passo com o meu. — Mas você largou Lucas como um problema, Charlotte. Ele é meu amigo. Você tem que entender o quão chateado isso me deixou, vê-lo assim.

— Assim como? — Eu não queria saber, mas não pude deixar de perguntar.

— Deprimido, solitário. Se entregando. Como se ele quisesse morrer, mas não pudesse.

Lágrimas queimaram em meus olhos e eu me virei para ele.

— Fiz o que achei melhor, Nick. Sei que Lucas é seu amigo, mas se terminamos ou não, não é da sua conta. Se você vai usar isso contra mim, não podemos trabalhar juntos.

Nick pegou meu braço e me impediu de me afastar dele.

— Eu culpo você por os Drâghici os terem levado.

— Eu também, Nick. Eu também. — Soltei meu braço de seu aperto e comecei a andar de novo, as lágrimas escorrendo lentamente pelo meu rosto. Que bagunça eu tinha feito das coisas, por ser covarde e não querer falar com o Lucas ou com os outros, eu os colocava bem no meio de algo que não os envolvia, os colocava em perigo que eles não podiam prever. Marianne teve uma visão dos Drâghici vindo atrás deles? Ou ela estava falhando? Houve algum aviso? Eles sabiam por que foram levados, que foi minha culpa? Eu simplesmente não sabia e Nick tinha aberto aquela lata de minhocas agora. A culpa estava me corroendo, corroendo meu coração e minha mente.

Nick segurou meu braço pela segunda vez e desta vez eu lutei com ele, empurrando e socando e arranhando seus braços até que ele me pegou em um abraço de urso, segurando-me com força contra seu peito. Eu chorei então, o acúmulo de emoções era demais para lidar. Eu estava tensa antes da chegada de Nick e agora com sua desaprovação óbvia, eu não conseguia me controlar.

Para minha surpresa, Nick passou a mão pela parte de trás da minha cabeça, a ação calmante e gentil.

— Sinto muito, Charlotte. Merda, me desculpe. Você sabe que não confio facilmente, já disse que desconfio de todo mundo. Eu estava começando a te conhecer, a confiar em você, quando você fugiu do Lucas. Isso me fez duvidar de você e culpei você pela infelicidade dele. Inferno, toda a infelicidade do Beijo. Nenhum deles foi o mesmo depois que você saiu. Marianne me disse que foi porque você deu a eles luz e alegria e quando você partiu, essas emoções foram embora com você. Nada disso fazia muito sentido para mim, mas não sou um vampiro.

Eu me afastei dele, limpando as lágrimas do meu rosto.

— É o sangue de Anjo.

Nick franziu a testa.

— O quê?

— O sangue de anjo. Isso faz com que as pessoas cuidem de mim, queiram me proteger. Epi diz que qualquer um que não queira me prejudicar será afetado pelo que eu sou.

Ele ainda tinha os braços em volta da minha cintura e por um longo momento, seu foco estava na distância, mais adiante na rua enquanto ele pensava.

— Isso explica muita coisa, — ele finalmente disse.

—Explica o quê?

Ele sorriu.

— Apesar de quão chateado estou com você, ainda quero protegê-la, Charlotte. Manter você longe do perigo. Todo o meu pessoal que conheceu você, cada um deles queria vir aqui e ajudá-la. Estive discutindo com Jerome a maior parte da semana passada, ele quase me atacou quando me ouviu ao telefone com você naquele primeiro dia. Disse que você era como uma filha para ele e que ele me mataria se eu falasse assim com você de novo. Não é algo que você geralmente faz com o líder do bando e sobrevive.

— Viu? Você realmente não gosta de mim. Eu sabia. É o sangue de anjo, mexendo com sua cabeça.

Nick riu.

— Eu não disse que não gostava de você, Charlotte. Estou com raiva de você, claro. Mas você me tratou com respeito, não tolerou minhas merdas e tenho que admitir, poucas pessoas me dão uma segunda chance. Você deu.

— Não muda nada. Eles foram levados porque eu não os avisei quando deveria.

— Por que você não contou a eles?

— Porque eu já lhes causei problemas suficientes. Eu honestamente não sabia quem estava atrás de mim. Epi havia juntado tudo, sabia que alguém estava atrás de mim, mas não tínhamos ideia de quem. Só aconteceu quando os ataques aconteceram.

Nick soltou meus braços e me deixou ficar sozinha novamente.

— Os espíritos não te avisaram? Achei que eles falavam com você o tempo todo.

— Não necessariamente para me dizer algo útil. Eles têm algum tipo de regra que governa o que e quando eles podem me contar coisas.

— Quem os controla? Esse tal de Nememiah?

Eu sorri fracamente.

— Não tenho nenhuma ideia.

Nick ficou pensativo por um longo tempo, olhando para a rua com as mãos nos bolsos. Ele estava olhando para as árvores de âmbar que margeavam a rua, lançando sombra nas casas e na estrada.

— Então você acha que tem que ir conosco? Para a Romênia?

Eu balancei a cabeça.

— Sem escolha?

— Isso é o que os espíritos me dizem.

Nick voltou a observar as árvores e eu esperei em

silêncio, observando-o enquanto ele lutava com a ideia. Finalmente, ele olhou para mim.

— Tudo bem. Eu vou acreditar em você. Mas estou avisando...

— Se eu estragar tudo, você nunca vai me perdoar.

Nick balançou a cabeça.

— Não. Se você estragar tudo, eu te mato.

— Vou manter isso em mente.

CAPÍTULO 38
TRAIDOR

Havia uma fileira de fotografias sobre a mesa e eu olhava cada uma delas, memorizando os rostos. Agora que Nick e eu tínhamos chegado a um acordo, ele estava compartilhando o que havia descoberto por meio de suas fontes. Ele havia fornecido fotos de quatro membros do Conselho Drâghici, mas havia outros, tão secretos que nenhuma foto estava disponível. Mesmo essas fotos não eram claras, borradas como se tivessem sido tiradas por alguém usando uma câmera escondida.

Conal ergueu os olhos das fotos para olhar para Nick.

— Alguém se arriscou ao conseguir isso. — Foi uma afirmação, não uma pergunta e vi Nick encolher os ombros.

— Não foi eu. Mas conheço alguém que conhecia alguém que as tinha.

Tive a impressão de que Nick estava envolvido em algo ilegal ou dissimulado para conseguir as fotos, mas não ia discutir sobre isso. Precisávamos deles, precisávamos de qualquer informação que pudéssemos obter sobre nossos adversários. Nick apontou para a primeira foto de uma linda mulher.

— Essa é Qadesh.

Ela era uma mulher impressionante, pequena com cabelos tão loiros que pareciam brancos. A maquiagem perfeita emoldurava seus lindos olhos cor de avelã e seus lábios estavam artisticamente maquiados em um beicinho escarlate brilhante. A foto estava granulada, tirada à noite, mas dava para ver que ela era uma garota bonita. Ela parecia ter a minha idade, embora eu soubesse que provavelmente era muito, *muito* mais velha. A foto mostrava seu rosto e parte superior do corpo, vestida de forma provocante em um vestido preto que realçava os seios fartos.

— O que sabemos sobre ela?

— Muito pouco, — respondeu Rafe. — Ela é pequena, tem menos de um metro e meio de altura, mas como todos os vampiros, ela é sem dúvida poderosa. Não faço ideia de quantos anos ela pode ter.

— E os poderes? — Epi questionou.

Nick encolheu os ombros novamente, seus olhos cinzentos duros.

— Não tenho nenhuma informação.

— Quem é? — Apontei para a segunda fotografia, que mostrava um homem elegantemente vestido com um terno caro. A camisa, a gravata e o paletó estavam imaculados, e era a foto mais nítida das quatro, nítida o suficiente para distinguir o alfinete de gravata de ouro e diamante. Eu me perguntei vagamente se era ouro e diamantes de verdade e decidi imediatamente que eram. Ele parecia o tipo de homem que gostava do melhor de tudo. Ele era classicamente bonito, sua pele era mais pálida, da cor do café com leite. Havia uma covinha profunda em seu queixo e seu cabelo castanho estava cuidadosamente penteado em torno de suas feições.

— Enlil. Ele é o mais novo do Conselho, escolhido porque seu poder específico é a habilidade de criar pequenas tempestades e minitornados, para atacar seus inimigos. Ele é jovem para ter tanto poder, mas o Conselho adora esse tipo de coisa, — explicou Nick. — Ele é grego.

Rafe apontou para a próxima foto.

— Bellona. Ela aparentemente está encarregada da estratégia militar dos Drâghici. Ela é descrita como brilhante, sanguinária e implacável.

Ela não se parecia com nenhum dos adjetivos

usados por Rafe. A foto mostrava uma mulher de pele escura, com cabelos pretos brilhantes presos em uma trança apertada. Seus lábios eram um pouco cheios demais, seu nariz um pouco largo demais para torná-la classicamente bonita, mas ela certamente era impressionante. Ao contrário de Qadesh, Bellona parecia usar roupas para se esconder, em vez de exibir seu corpo. A foto foi tirada à distância e ela usava uma jaqueta e calças pretas severas, quase no estilo masculino.

— Sabemos que poderes ela possui? — Epi perguntou.

— Se os rumores forem verdadeiros, ela pode voar, — respondeu Nick.

Eu olhei para ele, meus olhos arregalados.

— Como?

Epi falou.

— Ela deve ser muito velha. Apenas muito poucos vampiros têm a habilidade de voar e é um poder que só aparece quando eles têm mais de dois mil anos de idade.

— Lucas me disse que vampiros não podiam voar, — eu disse e me encolhi quando mencionar seu nome causou a mesma dor aguda em meu peito. Eu me perguntei se algum dia seria capaz de pronunciar seu nome sem doer, ou se seria sempre assim.

— Lucas estava errado, — Epi anunciou com

naturalidade. — Talvez ele nunca tenha conhecido alguém que pudesse.

Nick voltou para as fotos e apontou para a última.

— Este é um dos Consiliului, mas não temos nenhuma informação sobre ele. Nem mesmo o nome dele, nesta fase.

A fotografia mostrava um homem musculoso e bem constituído, cabelo curto e encaracolado, olhos azul-gelo. Ele estava vestindo uma camiseta branca, uma jaqueta de couro bem gasta por cima da camiseta. A foto havia sido tirada em uma rua em algum lugar e, embora não fosse uma foto nítida, seus olhos eram assustadores. Cheio de raiva e algo mais. Embora eu não pudesse dizer o que era, era uma emoção sombria e perigosa. Estremeci um pouco enquanto olhava para a foto, em seguida, olhei para Nick.

— Ele parece perigoso.

— Merda, Charlotte, todos eles parecem perigosos, — Nick respondeu calmamente. — Eles *são* todos perigosos. — Seus olhos procuraram os meus por um longo momento. — Você ainda quer entrar lá?

Eu balancei a cabeça com firmeza.

— Eu tenho que ir.

— Você deveria falar com os espíritos, criança. Veja se eles podem nos dar mais informações.

Eu balancei a cabeça.

— Eu vou.

Epi juntou as fotos em uma pilha organizada sobre a mesa.

— Acho que sabemos tudo o que podemos por enquanto sobre o Consiliului. Nick, suponho que se mais informações surgirem, você nos informará?

Nick deixou-se cair no sofá, com as longas pernas abertas à sua frente.

— Faremos o nosso melhor. Informações não são fáceis de obter, mas esperamos ter mais antes de partirmos para a Romênia.

— E esse traidor? — Rafe perguntou, olhando para Conal. — Charlotte nos disse que você acredita que alguém em seu bando está espionando para o Consiliului. Você chegou mais perto de saber quem é?

Olhei de relance para Conal, seu rosto endureceu com a menção do traidor, sua boca comprimida em uma linha fina. Eu temia esse assunto, mas sabia que teria que vir à tona.

— Eu sei quem é, — anunciei calmamente.

Os olhos de Conal estavam em mim, eu podia senti-los perfurando meu rosto.

— Você sabe? Por que você não me contou? — ele rosnou.

Suspirei profundamente.

— Porque eu precisava de tempo para percorrer

os processos de pensamento. Inicialmente era apenas um palpite, mas tenho conversado com os espíritos, tentando confirmar o que eu suspeitava.

Os olhos de Conal brilharam com raiva, um sinal de alerta de que ele estava perdendo o controle de seu temperamento

— Charlotte, pelo amor de Deus, se for alguém do meu bando, eu preciso saber sobre isso! Você deveria ter me contado o que sabia!

— Isso não é fácil, sabe, — eu resmunguei rebeldemente. — Não só tenho minha própria voz na minha cabeça, como também tenho dezenas, centenas de outras. Eu tenho que ter certeza antes de tirar conclusões precipitadas. Há vidas em risco e não quero perder mais do que o necessário.

— Você deveria ter me contado de quem suspeitava.

— E o que você teria feito? — Eu exigi.

Ele parou e pensou por apenas um segundo.

— Interrogá-lo.

— Usando seu poder? — Conal tinha a capacidade de sondar a mente de uma pessoa para descobrir seus pensamentos, sua história. Ele o usou em mim, mas temeu que pudesse me matar. Foi incrivelmente doloroso e ele matou outros antes ao usar o dom.

— Sim, — ele rosnou.

— É por isso que eu não queria te contar até que

eu tivesse certeza absoluta. Eu fui alvo de sua habilidade, Conal, e não desejaria isso a ninguém se não tivesse certeza absoluta de que eles são culpados.

— Quem é? — Conal rosnou, sua voz e expressão mais dura, contorcida com raiva mal disfarçada.

— Quinn Saunders.

Conal ficou boquiaberto, olhando para mim como se eu tivesse enlouquecido.

— Quinn Saunders, — ele repetiu inexpressivamente. — Não pode ser Quinn Saunders. Ele era um dos aliados mais próximos de meu pai. Ele tem apoiado você! — Ele amaldiçoou, um fluxo de palavrões fluindo de sua boca enquanto ele olhava para mim com raiva. — Você está errada. Você deve estar errada.

Levantei meu olhar para encontrar o dele, desejando não ter que fazer isso e sabendo que não tinha escolha. Tirei a lista de mortos e feridos da bolsa e entreguei a ele.

— Você me deu a ideia. Você disse que todos os lobisomens de sangue puro têm nomes que significam lobo. Veja a lista dos feridos. Revise os que tratei e me diga que estou errada.

Conal fez uma careta, mas arrancou a página de mim e começou a percorrer a lista como eu havia pedido. Quando ele chegou ao final da página e olhou para cima novamente, seus olhos negros estavam cheios de raiva.

— Eles são todos sangues-puros. Cada um deles.

— Quando você estava com sua mãe e avó na noite do ataque, Kenyon veio até mim. Eu disse a ele que tentaria ajudar os feridos e ele me apresentou a Quinn Saunders. Enquanto eu usava o Hjördis para tratar os ferimentos das pessoas, Quinn trabalhava na triagem. Ele é um paramédico, então foi a escolha óbvia para trabalhar entre os feridos, localizar os feridos mais graves e me informar quem deveria ajudar. Quinn tomou as decisões naquela noite. Foi ele quem escolheu quem poderia ser ajudado.

Conal agarrou a parte de trás do sofá, enterrando seus dedos pelo tecido pesado. Ele estava totalmente imóvel e eu podia ver a gama de emoções que cruzavam seu rosto enquanto ele processava o que eu disse. Ele baixou a cabeça e seus ombros caíram desanimados.

— Não faz sentido.

— Não tenho certeza, porque os espíritos não dão exatamente as respostas, — expliquei, minha voz baixa. — Aparentemente, parte de ser filha de Nememiah é que eu posso esbarrar na verdade até descobrir muitas coisas por mim mesma. — Olhei em volta para os homens sentados na sala, vi Rafe, Nick e Marco me observando atentamente. — Acho que Quinn Saunders tem trabalhado para os vampiros. Por quanto tempo, não sei dizer. Ele orquestrou o ataque ao bando por ordem do Conselho Drâghici. Acho que eles transformaram o outro anjo muito cedo. Eles já sabem sobre mim há algum tempo, mas eles precisavam me dar tempo para aprender tanto quanto eu pudesse, antes que eu fizesse vinte e um anos e não pudesse ser transformada em vampira. Acho que Quinn está alimentando-os com informações que descobriu conosco, por meio de seu relacionamento com seu pai.

— Mas por que atacar seu próprio bando? — Conal perguntou, sua voz vazia, devastação clara em suas feições duras.

— Porque, — eu girei a lata de refrigerante que eu estava bebendo entre meus dedos, — ele não sabia o quão poderosa eu me tornei. Ele nunca esteve aqui e com os encantamentos de Epi, ele não poderia dizer aos Drâghici onde eu estava. Com quem eu estava. O ataque ao bando era uma forma de me atrair, permitindo que Quinn visse em primeira mão o que eu poderia fazer. Então ele poderia relatar ao Consiliului, permitir que eles soubessem se eu estava tão poderosa quanto eles queriam antes de ser transformada.

— Mas lobisomens de sangue puro foram mortos, — Nick apontou. — Eu pensei que você disse que o Consiliului queria que lobisomens de sangue puro fossem mantidos vivos.

— Nick está certo, — Conal concordou. — Papai era sangue puro.

— Não tenho certeza se Quinn queria que isso acontecesse, e não acho que os Drâghici realmente se importem. Eles querem se livrar dos mestiços, mas não se preocuparão se o número de puros-sangues for reduzido. O bando foi atacado por vampiros jovens, com menos de um ano de idade. Ben me disse que durante o primeiro ano eles são particularmente perigosos, sem controle sobre suas ações. Eu não acho que Quinn previu que o Consiliului enviaria vampiros recém transformados. Ele provavelmente não percebeu o quão fora de controle isso iria ficar.

— Ainda não entendi, — disse Marco, balançando a cabeça. Ele tinha apenas dezoito anos, e seu cabelo loiro cor de areia caía sobre os olhos, fazendo-o parecer ainda mais jovem. Nos meses desde que deixei Montana, ele engordou, seus ombros se alargaram e era perceptível que ele estava malhando. — Por que esse Quinn iria querer se aliar com os vampiros?

— Boa pergunta, meu jovem, — Epi anunciou e Marco pareceu encantado com o elogio do velho. — Charlotte, embora eu tenha certeza de que você está certa, eu mesmo não vejo por que Quinn faria isso.

— Essa pergunta, eu não posso responder, — eu admiti. Foi uma pergunta que fiz aos espíritos inúmeras vezes, mas sobre isso eles ficaram em silêncio. — Eles podem ter pago a ele uma quantia exorbitante de dinheiro. Ele pode ter fortes sentimentos sobre a sobrevivência do bando ser dependente de puros-sangues. Ele pode ter algo contra lobisomens mestiços. Não sei. Tudo o que sei é que ele é o traidor.

— Você tem certeza? — Epi questionou baixinho.

Eu balancei a cabeça infeliz.

— Para ter certeza, procurei entre os espíritos. Não há vestígios de nenhum ancestral de Quinn. Nenhum.

Traços de lobisomem eram aparentes nas feições de Conal e eu sabia que a raiva o aproximava de uma raiva incontrolável.

— Eu mesmo vou matá-lo. Esta noite, — ele anunciou com os dentes cerrados.

Isso era exatamente o que me preocupava e tive que agir rapidamente para dissipar a raiva de Conal antes que ele saísse furioso e se vingasse por seu pai.

— Conal, por mais que eu entenda o quanto você está com raiva e o quanto está sofrendo, não podemos fazer isso.

Ele olhou através de mim, seus olhos negros como breu, sua testa franzida com linhas profundas.

Para meu grande alívio, ele não saiu furioso, em vez disso respirou fundo.

— Por quê?

— Se você matá-lo agora, os Drâghici saberão que o descobrimos. Eles vão matar Lucas e todos os outros, pensando que eu não irei. — Levantei-me com agilidade e deslizei para trás do sofá, colocando minha mão no braço de Conal e tentando acalmá-lo. — Precisamos dele, Conal. Precisamos continuar alimentando-o com informações até que estejamos prontos para agir. A única diferença será que os vampiros saberão o que queremos que eles saibam.

Ele olhou para minha mão em seu antebraço musculoso, pensando sobre o que eu disse por um longo tempo. Eu podia sentir os tendões em seu braço, tensos e duros como pedra sob a pele.

— Você está certa, — ele finalmente disse, e os tendões relaxaram um pouco. — Mas ele vai morrer por isso. Eu me vingarei em nome de meu pai.

— Você vai, — eu prometi.

Nonny apareceu dos fundos da igreja, vestida com uma saia camponesa amarela brilhante e uma camisa branca de gola canoa, o cabelo trançado e caído nas costas. Ela estava lendo para Katie, ajudando a jovem a dormir depois de alimentá-la com macarrão com queijo no jantar. Conal a pegou quando soubemos que Nick trouxe Katie com ele, sugerindo que ela seria boa com a garotinha. Para minha alegria, ela estava, colocando a garotinha traumatizada sob sua proteção e ajudando a acomodá-la neste lugar estranho. Nonny era natural com Katie, ajudando-a a se sentir confortável em ambientes estranhos e fazendo-a se sentir um pouco mais segura por estar cercada por completos estranhos. Meu coração doeu por ela, sabendo que ela estava assustada e preocupada com William e Gwynn. Não só eles, mas todos os outros, as pessoas que ela considerava como família.

Epi resmungou um pouco sobre sua casa ter sido transformada em um refúgio, mas notei depois que Nick e eu voltamos de nossa caminhada que o quarto que ele dera a Katie havia sido transformado em um lindo quarto para uma garotinha, com ursinhos de pelúcia, brinquedos e uma linda colcha na cama.

— Como ela está? — perguntei ansiosamente.

— Ela está dormindo agora. Não vou ficar aqui fora muito tempo, acho que devo ficar com ela caso ela acorde, — Nonny disse alegremente.

— Obrigado, Sra. Tremaine, — disse Nick e foi fácil ver que ele estava aliviado por Nonny ter se oferecido como a babá de Katie. Ele assumiu a responsabilidade pela garotinha, mas obviamente estava muito fora de sua zona de conforto ser responsável por uma criança de quatro anos.

— Me chame de Nonny, — Nonny disse com firmeza. — Todo mundo chama.

— Nonny, — Nick repetiu, com um sorriso incerto. Ele olhou para mim e eu pude ver a dor em seus olhos. — Eu não sei o que diabos vou fazer se não os resgatarmos, Charlotte. O que, em nome de Deus, posso dizer a Katie, se a família dela for morta?

Eu coloquei uma mão tranquilizadora no ombro de Nick.

— Vamos resgatá-los, Nick. Vamos levá-los para casa.

CAPÍTULO 39
PLANOS

Eu estava sentada no tapete do apartamento de Conal, de pernas cruzadas com as mãos apoiadas levemente nos joelhos. Essa postura meditativa me ajudou a relaxar e falar com os espíritos e, com o passar dos dias, passei cada vez mais tempo assim, reunindo todas as informações que pude.

Faltava apenas uma semana, sete dias antes de eu completar 21 anos e estava ficando cada vez mais frustrada com a nossa falta de progresso. Fizemos avanços em relação à luta, Epi continuou a treinar todos nós diariamente, os demônios que ele produziu ficando maiores, mais feios e mais fortes. Um pequeno sorriso cintilou em meus lábios quando me lembrei da expressão nos rostos de Nick, Rafe e Marco quando eles viram um pela primeira vez, imaginei que era notavelmente semelhante ao olhar em meu rosto na primeira vez que Epi submeteu Conal e eu ao Valafar. Para dar aos homens de Lingard o devido respeito, eles atacaram com coragem e tenacidade e sua capacidade de resistir aos ataques aumentava a cada dia.

Meus pesadelos continuaram inabaláveis, os Tines estavam ficando mais fracos e os espíritos continuaram a reforçar minha consciência do fato durante minhas horas de vigília. Eu sabia que eles não poderiam sobreviver sem sangue e seus ancestrais deixaram bem claro que eles estavam morrendo de fome pelos Consiliului. Embora o conhecimento de seu sofrimento fosse suficiente para me encorajar a partir sem demora, eu sabia em meu coração que as objeções de Epi para que partíssemos imediatamente eram válidas.

O feiticeiro insistiu que eu deveria estar o mais perto possível do meu aniversário, garantindo que eu seria mais forte psiquicamente do que o outro filho do Anjo porque eu tinha permissão para amadurecer. Mas sua transfomação em vampiro significava que ele seria fisicamente mais forte do que eu e não seria meu único oponente. Não tínhamos ideia de quantos vampiros estavam abrigados na fortaleza dos Drâghici e não sabíamos quantos mais eles poderiam reunir.

Estávamos lidando com muitas incógnitas e isso estava fazendo com que nosso pequeno grupo ficasse nervoso e não cooperasse uns com os outros. Nick e seus homens queriam partir imediatamente, eles estavam ansiosos por uma luta e queriam lutar contra o Consiliului de frente. Conal estava insistindo em levar o máximo de seu bando que pudéssemos, acreditando que números igualavam força. Epi pedia calma, fazendo o possível para impedir que perdêssemos o foco na tarefa em questão.

E eu estava me sentindo distante, certa de que, mais uma vez, havia algo que estava faltando. Se chegássemos a Sfantu Drâghici e lançássemos um ataque frontal total, o Consiliului mataria os Tines imediatamente. Eu estava convencida de que eles teriam tomado precauções contra um ataque em grande número e teriam pessoas suficientes em sua comitiva para se defender.

E não podíamos levar grandes números conosco, porque eu não sabia como chegaríamos lá. Epi me garantiu que nos levaria até lá, mas não havia divulgado como faria isso. Não imaginava que envolveria um avião. Cada vez que eu questionava Epi sobre nossos planos de viagem, ele se recusava a discuti-los, insistindo que deveríamos nos concentrar na preparação e nos preocupar com os planos de viagem mais tarde.

Enquanto Nick trouxe apenas dois membros do bando com ele, o bando de Conal era maior e estava próximo, Conal ficou horrorizado quando eu insisti em apenas três deles treinando conosco. Conal, Ralph Torres e para grande surpresa de Conal, escolhi Phelan Walker. Embora ele e eu tivéssemos um relacionamento conturbado desde que nos conhecemos, eu sabia que ele era a pessoa certa para o grupo.

Conal discutiu veementemente sobre permitir que apenas três de seu bando treinassem conosco, mas eu insisti em três como o máximo. Eu sabia que, historicamente, metamorfos e lobisomens não se davam bem. Parecia sensato manter o número de homens de Nick e Conal igual, para garantir que não tivéssemos problemas entre os dois grupos. Até agora parecia estar funcionando, Conal e Nick estavam se dando bem e com a confiança constante um no outro enquanto treinavam com os demônios, os outros quatro homens estavam desenvolvendo um respeito saudável um pelo outro. Nos últimos dias, porém, houve problemas crescentes, pois todos ficaram mais tensos com nossa incursão na Romênia.

Eu sabia que números não eram a resposta para o dilema. Não sabia porquê, mas não ia ser a quantidade de gente que levávamos conosco, ia ser outra coisa.

Continuamos a fornecer informações a Quinn, embora incorretas, para repassá-las ao Drâghici

Consiliului. Conal tinha uma habilidade inata para permitir que Quinn acreditasse que ele era importante e fazia algo útil para o bando, quando na verdade, ele estava sendo conduzido em círculos cada vez maiores.

Ouvi uma chave girar na fechadura e soltei minha postura meditativa, esticando as pernas à minha frente enquanto Conal entrava.

Ele estava imundo, coberto de suor e sangue de demônio, a combinação pútrida de excremento e carne podre flutuando ao seu redor.

— Oi.

— Acho que Epi manteve você ocupado?

— Sim. Você poderia dizer isso. — Ele largou as chaves na mesa e veio me encontrar no meio da sala. — Como é que os meninos e eu temos que continuar treinando e você não? Dificilmente parece justo, dado que você é a Anjo, — ele resmungou, embora houvesse um brilho distinto em seus olhos negros.

— Acho que Epi acha que meus esforços precisam ser dedicados a um nível mais... espiritual.

— Bem, poderíamos ter feito com que você estivesse lá, — Conal admitiu com uma careta.

— Por quê? O que aconteceu?

Conal afastou o cabelo do rosto distraidamente.

— Não podemos matar os demônios.

— O quê? — Ergui a cabeça para olhá-lo bruscamente, alarmada com a declaração. — O que você quer dizer com vocês *não podem* matar os demônios?

A expressão de Conal era séria, seus olhos negros cheios de preocupação.

— Podemos machucá-los, fazê-los sangrar, se é que essa merda preta pode ser chamada de sangue. Enfraquecê-los, eu acho. Mas não podemos dar o golpe final para mandá-los de volta para o Outro Mundo. Epi teve que intervir e mandá-los de volta ele mesmo.

Levei um minuto para processar o que ele estava dizendo, a compreensão do que significava bater como um golpe físico.

— É porque... oh, *merda*.

Conal terminou o pensamento para mim.

— Epi acredita que eles só podem ser mortos pelas armas. As armas que só você pode usar, — ele anunciou.

Respirei fundo, tentando racionalizar o que ele estava dizendo. Saber disso significava que tínhamos um problema enorme.

— Bem, não há nada que possamos fazer sobre isso agora, — eu finalmente anunciei. — Temos que nos concentrar em resgatar os Tines e depois encontraremos uma solução. — Consegui dar um leve sorriso, tentando transmitir uma confiança que certamente não sentia.

Conal levantou uma sobrancelha.

— Os *Tines*?

Dei de ombros timidamente.

— Eu não consigo descobrir como chamá-los. Eles se sentem como uma família, mas não são realmente. Estou cansada de dizer Lucas... e os outros. Eles são o Beijo Tine, então acho que o Tines funciona em nível de grupo.

Conal sorriu e então viu a preocupação em meus olhos.

— Vai ficar tudo bem, querida. Epi vai descobrir alguma coisa, ele geralmente encontra. — Ele se inclinou para me beijar, mas eu me esquivei.

— Sem chance. Vá tomar um banho, então eu vou pensar sobre isso.

— Covarde. — Ele se virou e seguiu pelo corredor, arrancando a camisa arruinada enquanto avançava. — Ficarei feliz quando tudo isso acabar e eu puder parar de feder a carne podre.

Observei seu corpo recuando, admirando os músculos flexionados em suas costas e sua bunda firme enquanto eu deslizava de volta para minha posição no chão. A inquietação tomou conta de mim quando tive que forçar meus olhos para longe dele. Não é bom, definitivamente não é bom começar a considerar como olhei para Conal quando estávamos prestes a resgatar Lucas. A desaprovação de Nick em relação ao nosso arranjo de vida já era óbvia, sua linguagem corporal me deixando saber que ele não gostou. Ele também não gostou da maneira como Conal e eu nos olhamos, como nos tocamos e nos abraçamos instintivamente. Nick não disse nada, mas eu o vi nos observando e sabia que ele não gostava disso. Se ele não gostou, como Lucas iria se sentir se conseguíssemos resgatá-lo? Afastei o pensamento, apenas para ter o pânico borbulhando enquanto considerava os lobisomens e os metamorfos incapazes de matar os demônios, corroendo ainda mais minha já frágil confiança. *Ok, não entre em pânico. Este é apenas mais dois problemas que precisamos resolver,* disse para mim mesma severamente. Empurrei esses últimos dilemas para o fundo da minha mente e voltei para minha crise mais urgente – resgatar os Tines.

Conal ficou tão frustrado com a nossa falta de ação quanto todos os outros, mas ele acreditou em mim e teve mais fé do que os outros. Ele tinha uma crença inabalável no fato de que eu sabia o que estava fazendo. Uma onda de náusea encheu meu estômago, me perguntando se ele deveria acreditar em mim com tanta convicção. Sete dias antes do meu aniversário, duvidei de mim mesma. Eu poderia fazer isso? Gotas de suor brotaram em minha testa e eu me sacudi mentalmente. Eu *tinha* que fazer isso. Não havia escolha. Eu era a filha de Nememiah e tinha a obrigação de resgatar os Tines e impedir que os Drâghici Consiliului realizassem seus planos.

A relação entre Conal e eu havia se estabelecido em um padrão confortável e fácil. Ele sabia o que faria quando isso acabasse e eu sabia o que queria. Ainda dormíamos juntos todas as noites, os braços de Conal em volta de mim, mas ambos aceitamos que não poderia ir mais longe. Eu amava Conal, mas amava mais Lucas. Era com Lucas que eu esperava passar o resto da minha vida – se ele ainda me quisesse. Conal e eu compartilhamos uma relação física de abraços e beijos por enquanto, mas isso seria tudo. Conal encontraria alguém adequado para casar e eu queria estar com Lucas. *Se ainda estivéssemos vivos para ter um futuro*, a voz mesquinha na minha cabeça me lembrou.

Com um suspiro, coloquei minhas mãos contra os joelhos, aliviando deliberadamente a tensão de meus músculos e voltei para os espíritos.

Eu poderia conversar com várias vozes em uníssono agora. Considerando que nos meses anteriores havia sido uma confusão em minha mente, agora os espíritos trabalhavam comigo, em vez de me dominar. Chamei mamãe, Lady Wadsworth, Galen e Lyell juntos e eles ficaram lado a lado.

— *Diga-me o que preciso fazer,* — implorei. — *Eu não posso fazer isso sozinha.*

Mamãe parecia infeliz, tristeza e preocupação gravadas em seu rosto bonito que geralmente era tão sereno.

— *Não podemos te dizer, Charlotte. Você deve resolver isso por si mesma.*

— *Você tem a resposta em seu coração, Charlotte. Tem estado lá o tempo todo,* — Galen respondeu. Ele estava vestido com a túnica religiosa que sempre usava, com uma mão segurando o pulso oposto. — *Você sabe o que precisa fazer. Você tem que abraçar isso.*

— *Não deveria ser mais fácil do que isso? Estou tão perto, aprendi tudo, fiz tudo o que me pediram. Eu descobri o que os Drâghici estão fazendo. Se eu sou tão boa e eles são tão maus, por que vocês não podem me dizer o que fazer para derrotá-los?*

— *Mal e bom. Escuridão e luz,* — disse mamãe. — *Não existe mal verdadeiro, não existe bem verdadeiro. Você matou seu padrasto para me vingar.*

— *Porque ele matou você, e minhas irmãs e irmão,* — eu gritei de volta com raiva. — *Ele era mau, por causa do que fez com todos vocês!*

— *Não é tão simples assim, Charlotte. Sim, ele era mau, por causa dos crimes que cometeu. Mas seus irmãos, eles eram maus? Porque eles foram gerados pelo mal, isso os torna automaticamente maus também?* — Lady Wadworth perguntou baixinho, passando os dedos pelo colarinho em sua garganta.

Eu considerei suas palavras, estudando o

conceito em minha mente. Meus irmãos não eram maus, eles eram jovens e inocentes. E ainda, eles foram gerados por alguém mal. Isso significava que eles eram bons ou ruins? Bons, claro. Mas eles seriam bons sempre? Embora tivessem sido gerados por um homem que eu abominava, eles poderiam ter ido para qualquer um dos lados quando se aproximaram da idade adulta. Eles poderiam ter escolhido se tornar membros sólidos e respeitáveis da comunidade. Ou eles poderiam ter crescido à semelhança de seu pai, cruéis, de sangue frio, assassinos. Do nada, percebi com clareza o que estava sendo dito. Ninguém é verdadeiramente mau, ninguém é verdadeiramente bom. São as escolhas que fazemos, os caminhos que escolhemos, que fazem de nós quem somos. Eu tinha matado meu padrasto. Isso me tornou má? Não. Foram as escolhas que fiz que me levaram a ser a pessoa que sou agora. Eu sabia em meu coração que estava firmemente do lado do certo, em uma guerra entre o certo e o errado. Mas como tudo isso me ajudava?

Os espíritos estavam avançando, seus comportamentos animados. Havia um ar de expectativa em torno deles, ansiedade em suas expressões que sugeriam que eu estava perto, muito perto da resposta que procurava.

— *Charlotte, as respostas que você procura estão*

bem diante de você. E só você. Você deve pensar nisso, apenas com uma mente, — Lady Wadworth implorou.

— *Outros podem ajudá-la, mas você deve dar o primeiro passo sozinha,* — insistiu Lyell. — *Toda decisão, todos os caminhos da vida são percorridos com um passo, uma pessoa sozinha.*

Eu abri meus olhos, sabia que eles estavam brilhantes quando a solução de repente surgiu em mim. Os espíritos evaporaram em tanta névoa e eu me levantei apressadamente, andando de um lado para o outro enquanto pensava em seus conselhos.

Eu sabia a resposta.

CAPÍTULO 40
CONFISSÕES

Conal estava deitado na cama comigo, deitado de lado, ele tinha um braço em sua postura protetora usual ao redor do meu corpo, o outro punho contra seu queixo. Ele se inclinou para me beijar suavemente, seus olhos quentes, mas preocupados.

— Você tem certeza?

— Sim. — Estendi a mão para tocar seu rosto, correndo meus dedos em sua bochecha. — Eu sei que é isso que devemos fazer.

— Por favor, diga, como vamos fazer *isso*? — ele perguntou. — O que você está sugerindo, como sabemos que é possível? — Sua voz tinha um ar de incerteza e eu me inclinei para beijá-lo.

— Confie em mim, deve haver uma maneira. Epi vai saber. — Eu era inflexível em minha crença de que Epi poderia fazer o que eu precisava. Se alguém pode fazer isso, seria ele. Isso envolveria magia e Epi era um mestre. Pelo menos, esse era o meu desejo fervoroso.

— Tudo bem. Falaremos com ele pela manhã, — Conal afirmou, colocando sua confiança em mim mais uma vez. Eu o abracei perto, animada por finalmente ter descoberto o que eu estava procurando. Eu levantei minha boca para a dele e o beijei, com muito mais entusiasmo do que provavelmente seria sábio.

— Ei, relaxe, — ele resmungou baixinho, quando eu caí de volta contra os travesseiros. — Você vai me colocar no caminho errado novamente. Um homem não tem tanto autocontrole.

— Desculpe, — eu fiz uma careta.

— Tudo bem. — Ele rolou de costas, olhando para o teto. — Já faz um tempo para mim, às vezes fico sobrecarregado com esses pensamentos lascivos. Principalmente quando você se joga em mim.

— Bem, acho que isso faz de nós dois. Eu nunca fiz isso antes.

Ele rolou para trás para olhar para mim, surpresa registrando em seus olhos.

— Nunca? — ele repetiu com voz rouca.

Eu balancei minha cabeça, o calor de um rubor colorindo minhas bochechas.

— Lucas tinha problemas de controle. Paixão e

mordida aparentemente andam de mãos dadas quando você é um vampiro.

Conal fechou os olhos com força.

— Muita informação. Acho que não quero ouvir isso.

— Ok, eu não vou te dizer então. — Eu me acomodei contra seu peito e ele passou o braço em volta das minhas costas. Por um longo tempo, houve silêncio entre nós.

— Então você nunca teve alguém fazendo amor com você? — ele perguntou em voz baixa.

— Não.

Ele rolou de volta, puxando-me gentilmente com ele para que ficássemos cara a cara.

— Sabe, nós dois podemos ser mortos. Se você quiser tentar uma vez antes de morrer, eu ficaria honrado...

— Conal, — interrompi gentilmente, — você sabe que é uma péssima ideia. — Toquei sua bochecha, roçando meus dedos em sua mandíbula forte enquanto ele olhava para mim.

— Eu sei, — ele respondeu com a voz rouca. — Mas se eu achasse que você estaria disposta, eu faria isso em um segundo. — Ele se inclinou para frente, pegou meus lábios contra os dele e sua língua sondou minha boca gentilmente e completamente. Eu o beijei de volta, não pude deixar de fazê-lo e o beijo foi gentil, cheio de um mundo de palavras e emoções. Quando ele me soltou, seus olhos estavam cheios de ternura, tanto que fez meu peito doer. — Eu nunca quis alguém tanto quanto eu quero você.

Mordi o lábio, plenamente consciente do desejo que se agitava em minha virilha enquanto lutava comigo mesma. Eu o amava. Eu o queria, provavelmente tanto quanto ele me queria. E eu não fazia ideia do que aconteceria quando visse Lucas novamente. Apesar da minha firme determinação de resgatá-lo, eu nem tinha certeza se ele ainda iria me querer. Eu o deixei há quase cinco meses. Ele pode ter seguido em frente com outra pessoa. Apenas o pensamento dele estar com outra mulher me encheu de inveja e eu sabia que o amava tanto hoje quanto quando saí meses atrás. Mas talvez ele tivesse seguido em frente, encontrado outra pessoa. Seria totalmente razoável depois que eu saí e nunca mais o contatei. Acho que poderia ter perguntado a Nick ou Rafe e eles poderiam ter me contado, mas não perguntei. Eu não queria saber.

Mas tudo isso era motivo suficiente para deixar Conal fazer amor comigo? O que Lucas pensaria se me quisesse de volta? Dormir na mesma cama que Conal e beijá-lo era totalmente diferente de fazer sexo com ele. Lucas poderia me perdoar pelo que eu estava fazendo agora, mas eu não tinha certeza se ele poderia me perdoar por fazer sexo com outro homem.

Mas Conal estava certo, poderíamos morrer na tentativa de resgatar os Tines. Eu queria morrer sem nunca ter experimentado um homem fazendo amor comigo?

— Você está demorando um pouco para pensar sobre isso, — Conal comentou baixinho, esfregando os dedos em meu ombro. — Devo considerar isso um sinal positivo?

Corri meus dedos por seu cabelo, apreciando a sensação macia e sedosa contra a minha pele enquanto lutava para tomar uma decisão.

— Eu gostaria de poder dizer sim, Conal. Parte de mim quer muito, que você não acreditaria.

Ele me beijou suavemente, seus lábios apenas um toque suave contra os meus.

— Ah, acho que sim.

— Eu quero que você faça amor comigo, eu realmente quero. Mas é o lugar e a hora errada. E eu não sou uma lobisomem, — eu o lembrei.

— Eu não ligo. Eu desistiria do bando por você.

— Você não quis dizer isso.

Eu vi a luta em seus olhos, antes que ele os fechasse com força e balançasse a cabeça.

— Você tem razão. Não posso desistir do bando.

— Então fazer amor seria uma péssima ideia. Ainda estou apaixonada por outro homem e você precisa se casar com uma lobisomem.

— Sabe, nós poderíamos fazer amor apenas para

fazer isso, — ele sugeriu, esfregando um dedo no meu braço e me fazendo tremer. — Uma noite, sem laços, sem recriminações. Ninguém precisa saber, exceto você e eu.

— Não. — Eu soquei seu peito com força. — Eu saberia sobre isso, e isso poderia atrapalhar nosso relacionamento completamente.

Ele me encarou por um longo momento.

— Você está certa, e eu sei que você vai voltar para o sugador de sangue. É o que você sempre fará. Você o ama, Charlotte, mais do que jamais amará qualquer outra pessoa.

Baixei meu olhar, lutando com minhas inseguranças.

— Eu nem tenho certeza se ele vai me querer de volta, — eu admiti. — Estamos separados há meses.

Conal pareceu atordoado por um segundo, então recuperou a compostura e forçou seu rosto a relaxar em uma expressão mais neutra.

— Você está brincando? Eu vi o jeito que ele olhou para você, querida. Ele te ama e não duvido que sempre te amará.

— Eu não tenho tanta certeza, — eu sussurrei, com lágrimas enchendo meus olhos.

Conal me apertou perto de seu peito, seus dedos acariciando meu cabelo enquanto ele falava.

— Ele ainda te ama, tenho certeza. — Ele ficou em silêncio por um minuto, me deixando chorar antes de me soltar com um tapinha gentil no ombro e sair da cama. Ele caminhou até a cômoda de madeira, abrindo a gaveta de baixo e procurando por alguns minutos antes de voltar para a cama com um envelope na mão. — Nunca consegui me livrar disso. Achei que um dia você poderia querer ler, — ele admitiu rispidamente.

Era a carta de Lucas, aquela que estava nas caixas com as minhas coisas quando me mudei para Jackson e Lucas havia encaminhado meus pertences. Olhei para ele, minhas mãos tremendo enquanto eu hesitava sobre o que fazer.

— Leia, Charlotte, — Conal afirmou calmamente.

— E se ele me disser que nunca mais quer me ver?

— Então você saberá. De um jeito ou de outro. — Ele tocou meu braço suavemente, inclinou-se para me beijar. — Vou fazer café. Dar para você um pouco de privacidade.

Ele saiu do quarto, me deixando sozinha. Olhei para o envelope, corri meus dedos sobre a elegante escrita em cobre no envelope. Foi endereçado simplesmente a "Charlotte".

Respirando fundo, virei-o e passei o dedo sob a aba, rasgando-a antes de puxar a folha de papel. Desdobrando-a com as mãos trêmulas, olhei para ela por um longo momento antes de começar a ler.

Charlotte,

Enquanto escrevo isso, mantenho minha promessa a você, embora a dor em meu peito não tenha fim e me envolva constantemente. Cada dia parece durar uma eternidade enquanto luto para existir sem você. Mas eu lhe fiz uma promessa e cumprirei minha parte no trato.

Meu coração pode ter parado de bater há mais de um século, mas enquanto estive com você, realmente senti como se *tivesse* começado a bater novamente. Nunca me senti mais vivo do que com você.

Rowena e Marianne empacotaram seus pertences, aceitamos sua decisão de partir, embora eu mesmo deva admitir que nunca aceitarei isso.

Eu não te culpo, amor. O que aconteceu foi algo que eu temia desde o primeiro dia em que te conheci. Você está certa em temer a mim e meus amigos, somos perigosos e sua reação ao ataque de Holden foi totalmente compreensível. Isso reforçou para mim que seu sangue desperta em mim sentimentos que são impossíveis de controlar totalmente. É mais seguro para você

527

ficar longe de mim. E, no entanto, desejo com todo o meu ser que fosse diferente.

Desejo-lhe toda a felicidade no seu futuro, meu amor. Desejo-lhe amor e alegria, e uma vida cheia de contentamento.

Você permanecerá sempre em meu coração e meu amor nunca desaparecerá. Como pode desaparecer, quando você é a minha luz, minha alegria, minha razão de existir neste mundo?

Eternamente seu,
Lucas

Li e reli a carta uma dúzia de vezes, as lágrimas escorrendo pelo meu rosto e pingando nos lençóis, deixando manchas úmidas.

Conal bateu silenciosamente e entrou no quarto.

— Você quer ficar sozinha?

Eu balancei minha cabeça, enxugando as lágrimas com o dorso da minha mão.

Conal atravessou o quarto e deslizou para a cama, puxando-me para seus braços.

— Eu estava certo?

Eu balancei a cabeça.

— Mas isso foi há muito tempo atrás.

Conal suspirou.

— Para alguém que quer tanto fazer amor com você, devo ser um tolo por admitir isso. — Ele segurou meu queixo com o polegar e ergueu meu rosto até que eu o encarasse. — Ele ama você, Charlotte. Ele sempre amou você. Ele sempre *vai* te amar.

— Você realmente acha isso?

— Claro, — afirmou Conal com confiança. — Embora, se conseguirmos resgatá-lo, há uma boa chance de que o sugador de sangue nem reconheça você.

Estreitei os olhos, optando por ignorar o apelido degradante.

— Por quê?

Conal suspirou.

— Você é uma garota diferente daquela que eu encontrei. Você estava tão perdida, tão sozinha. Sem direção. Agora você está cheia de confiança, alguns podem dizer superconfiante...

Eu bati em seu braço e em resposta, ele me puxou para mais perto, seus braços capturando os meus em um aperto de ferro.

— Você não parece ver isso, Charlotte, — ele afirmou seriamente. — Eu notei isso, Nick e seus homens, e até mesmo Epi diz que você mudou. Tudo sobre você mudou. Você sabe quem você é, você vai atrás do que quer. Você tem autocontrole, o que seria surpreendente em alguém com o dobro da sua idade. E não são apenas mudanças mentais, são físicas. Você parece, — ele olhou para o meu rosto, seus olhos cheios de admiração, — ... celestial.

— Acho que essa é a parte de mim que é Anjo, — eu sussurrei.

Conal sorriu.

— Bem, pode ser, mas o corpo definitivamente é todo demônio. Você está absolutamente sexy.

Eu corei, o calor subindo para colorir minhas bochechas. Eu podia ver as mudanças em meu corpo, sabia que a atividade contínua havia feito algumas mudanças notáveis em minha anatomia. De repente, fiquei ainda mais preocupada.

— Você acha que Lucas não vai gostar?

Conal rosnou, profundamente em seu peito e pegou minha boca contra a dele para um breve beijo.

— Confie em mim, ele vai adorar.

CAPÍTULO 41
SFANTU DRÂGHICI

Epi estava pairando, observando enquanto eu marcava selos na minha pele, seu corpo pequeno um feixe de energia nervosa.

— Esse deve ser feito lá. Perto do seu coração. — Ele apontou para o meu peito, acima do meu seio esquerdo.

Segui suas instruções, sentindo-me incrivelmente calma para uma mulher que estava prestes a entrar em batalha. A maior parte do nosso plano estava pronta, a única coisa que faltava fazer era completar os selos na minha pele e eu estaria pronta. Os homens já haviam se preparado e estariam de prontidão quando eu os chamasse. A única parte adversa do nosso plano era não saber exatamente o que encontraríamos do outro lado. Nick não conseguiu obter mais informações sobre os vampiros, então estávamos praticamente cegos, além da quantidade limitada de informações que tínhamos sobre os quatro vampiros dos quais tínhamos fotos. Não havia escolha agora – ficaríamos sem tempo.

A mochila que eu estava levando estava ao meu lado, Katie sentada ao lado dela, observando enquanto eu trabalhava. Vestida com um lindo vestido de algodão vermelho com bolinhas brancas, um laço combinando prendia o cabelo em um rabo de cavalo. Seus olhos estavam arregalados e eu sabia o que ela estava pensando.

— Não dói, Katie, — eu a tranquilizei calmamente.

— Vão ficar para sempre? — Ela passou seus dedinhos sobre uma das inúmeras marcas que eu já havia feito em meu braço direito.

— Não, querida. Eles só ficam enquanto eu preciso deles. Eles me dão poderes especiais extras.

— Para salvar Gwynn e William, — ela anunciou seriamente.

Mordi o lábio ansiosamente, desviando o olhar para que ela não percebesse a preocupação em meus olhos.

— Sim, querida. Para salvar Gwynn e William. Vou trazê-los de volta para você. — Voltei para o meu braço quando tinha minha expressão sob controle, continuando o selo em que estava trabalhando.

— Nonny diz que você é um anjo, — afirmou Katie.

— Eu sou, — eu concordei.

— Então você trará William e Gwynn de volta. Anjos sempre fazem coisas boas, — ela me assegurou, seu rostinho solene.

— Vou fazer o meu melhor, — prometi. Eu completei o último selo, no alto do meu ombro e guardei o Hjördis na bota de combate que eu estava usando, certificando-me de que estava bem escondido abaixo do topo da bota. Levantei-me, pegando a jaqueta que estava no sofá e a vesti, fechando-a sobre a regata para esconder minha pele.

Peguei a mochila e a joguei no ombro, virando-me para olhar para Epi.

— Acho que é isso, velho.

Nonny correu em minha direção, com lágrimas nos olhos.

— Fique segura, Charlotte. — Ela me pegou pela cintura, me abraçando forte contra ela.

Abracei a velha com a mesma intensidade.

— Vou tentar.

Epi pegou minha mão entre as suas.

— Eu vou ter tudo pronto para quando você

voltar, — ele disse ansiosamente. — Você se lembra do que tem que fazer para abrir o portal desse lado?

Eu balancei a cabeça, ajustando as alças da mochila.

— Faça o que fizer, não deixe os membros do Consiliului tocarem em você. Não sabemos o suficiente sobre suas habilidades para ter certeza de que não poderiam enfeitiçar você ou ler sua mente através do toque.

— Eles provavelmente poderiam fazer isso sem me tocar, — eu murmurei.

— Mas acredito que o toque será pior. Use os espíritos para ajudá-la, como eu ensinei a você.

Mais uma vez, eu balancei a cabeça. Respirando fundo, eu me virei para Katie, com pena da garotinha quando vi o olhar de angústia em seus olhos cinzentos.

— Me dê um beijo de boa sorte, Katie?

A garotinha se lançou sobre mim, abraçando minha cintura como se nunca fosse me soltar. Eu gentilmente soltei suas mãos e me ajoelhei na frente dela.

— Seja boa para Nonny e Epi, ok? Faça um desenho enquanto eu estiver fora. Algo bonito. — Ela assentiu com seriedade e beijou minha bochecha.

— Nós cuidaremos dela, — Nonny prometeu.

— Eu sei, — respondi simplesmente. Não havia

dúvida de que eles cuidariam de Katie enquanto estivéssemos fora. E além, se as coisas dessem errado. Caminhei com Epi até a parede da igreja, onde as estantes haviam desaparecido, substituídas por um grande pentagrama desenhado na parede. Quatro dos cinco cantos foram marcados com selos, apenas o último ainda esperando para ser concluído.

— Algum conselho de última hora? — perguntei a Epi.

— Volte.

Eu sorri, apesar da minha apreensão.

— Obrigada por isso. Bom conselho, Epi.

Ele completou o pentagrama com um selo que eu não reconheci e enquanto eu observava, a parede brilhou com luz dourada. Respirando fundo, entrei na luz como Epi havia descrito.

Nunca seria minha forma favorita de viajar, decidi, quando fui jogada de cabeça para fora do portal, caindo no chão acidentado e batendo com força o ombro contra a terra. Senti um leve enjoo, minha cabeça cheia dos estranhos raios de luz que acompanharam minha jornada.

Levantei-me, verificando se a mochila ainda estava bem fechada e abri o zíper da minha jaqueta para olhar para o meu ombro. A jaqueta bloqueou qualquer dano à minha pele e fechei o zíper com firmeza novamente. A última coisa que eu precisava antes de entrar em uma fortaleza de vampiros era estar sangrando.

Virei-me para olhar a imponente fortaleza de Sfantu Drâghici. Situado no alto das colinas que cercam a própria cidade, era antiga e imponente, com torres acasteladas subindo em direção aos céus nublados.

Como Epi previu, ele me transportou exatamente para onde pretendia, a poucos metros das próprias paredes e escondida de vista por um monte de vegetação alta. Tinha me divertido muito quando ele recorreu ao uso do Google Earth para localizar a localização exata que queria. Saí de trás da vegetação e caminhei em direção aos portões. À minha direita, uma estrada de paralelepípedos descia em direção à cidade de Sfantu Drâghici e pude ver turistas circulando, tirando fotos do magnífico castelo. Um cavalo veio em minha direção, puxando uma carroça de cores vivas que estava cheia de excursionistas que vinham visitar o prédio histórico. Tive que me lembrar de que eles não sabiam que o que havia por trás daqueles portões pesados era perigoso e aterrorizante. As pessoas faziam fila em uma cabine perto dos portões abertos, comprando ingressos para um dos passeios anunciados em uma placa decorada com ornamentos.

Não me incomodei em ir para a fila para comprar

um ingresso. Dois homens se aproximaram de mim enquanto eu atravessava os portões, vestidos com ternos cinza-escuros idênticos, óculos escuros cobrindo os olhos. Seus rostos estavam impassíveis, mas era evidente que eles estavam atentos. Um era alto e corpulento, o outro menor e esguio, ambos de pele clara e cabelos escuros. Silenciosamente, eles se posicionaram de cada lado de mim. Eu era esperada.

Caminhamos por entre a multidão de turistas que se misturava dentro do complexo do castelo, seguindo um caminho de paralelepípedos. Justamente quando eu pensei que poderia ter que pedir informações a eles, o alto e corpulento falou.

— Por aqui.

Ele assumiu a liderança e eu o segui, passando por prédios que continham uma variedade de lojas tipicamente turísticas. Uma delas vendia cartões-postais e lembranças e eu espiei uma garotinha segurando um globo de neve para sua mãe que continha uma versão em miniatura da própria fortaleza em que estávamos. Ao lado havia uma cafeteria, visitantes sentados e rindo sob o sol fraco. O menor e esguio seguiu atrás, acompanhando cada movimento meu.

No centro do pátio, homens encenavam uma luta de espadas. Vestidos com roupas medievais, eles se cortavam uns aos outros com espadas muito realistas. Eu me perguntei se eles eram humanos ou vampiros. Seus movimentos pareciam desajeitados demais para serem de vampiros, então imaginei que fossem atores humanos. Era desconcertante saber que os vampiros mais poderosos do mundo estavam neste castelo, onde pessoas inocentes estavam circulando e aproveitando um dia sem se importar com o mundo.

O alto e corpulento apontou para uma porta fortemente reforçada que estava bem encaixada em um arco de pedra. A placa ao lado da porta dizia "Administração", sugerindo que era perfeitamente inócuo. Ele abriu a porta e esperou que eu passasse antes de seguir atrás.

Entramos em um grande corredor, com ladrilhos pretos e brancos no chão que pareciam envelhecidos por centenas de anos. As paredes eram forradas de carvalho e cobertas de tapeçarias que se estendiam por grandes extensões do salão. As tapeçarias retratavam cenas de batalha, homens em armaduras montadas em cavalos igualmente protegidos, seus braços erguidos com espadas erguidas. Outra tapeçaria mostrava a cena de um homem deitado sobre uma pedra, uma faca perfurando seu peito, sangue pingando na grama abaixo dele. Uma terceira era de homens em trajes medievais, lutando uns contra os outros em um vasto campo com espadas desembainhadas e escudos erguidos em batalha.

O alto e corpulento silenciosamente me indicou uma segunda porta, segurando-a aberta. O contraste era severo, quando deixamos o grande salão relativamente bem iluminado e caminhamos por um longo corredor, as paredes feitas da mesma pedra do lado de fora do castelo. Nenhuma iluminação elétrica era visível, apenas tochas flamejantes penduradas em intervalos ao longo das paredes para fornecer poças de luz bruxuleante na escuridão. Estava ameaçadoramente quieto, as paredes escuras frias e úmidas e minhas botas ecoavam nitidamente no chão de paralelepípedos. Chegamos a outra porta, de carvalho maciço com o polimento envelhecido que vinha do uso constante ao longo dos séculos. Alto e corpulento empurrou-a e entrei em outra sala que conseguia ser elegantemente bela e berrantemente feia. O teto era decorado com gesso moldado, folhas de hera intrincadamente esculpidas penduradas e enroladas para emoldurar uma enorme peça central oval que se elevava bem acima do chão. A peça central foi primorosamente pintada e me lembrou o trabalho de Michelangelo na Capela Sistina. Ao longo de ambos os lados da sala, colunas de mármore negro erguiam-se em direção ao céu, separadas por distâncias iguais e contei doze para cada lado. O capitel e a base de cada coluna eram primorosamente esculpidos, com ornamentos decorados com ouro. Ele pairava em algum lugar entre escandalosamente berrante e indescritivelmente belo.

Entre cada coluna, estátuas de mármore branco ficavam em pedestais pretos, seus olhos vazios olhando para o chão de granito cinza e branco. Cada estátua usava uma coroa de folhas de louro em volta da cabeça, decorada com grandes quantidades de ouro. As paredes atrás das colunas eram ainda mais de mármore branco, intrincadamente esculpidas com um padrão de diamante com bordas de ouro. No outro extremo da sala, mais distante da porta pela qual entramos, sete tronos de espaldar alto ficavam sobre um estrado. Havia um dossel de veludo azul-escuro sobre o estrado, decorado com elaboradas quantidades de ouro e fitas grossas entralaçadas, reunidas e mantidas no estrado por duas colunas delgadas.

Pisquei rapidamente, tentando igualar a opulência desta sala após a crueza do corredor que tínhamos acabado de sair. A sala era lindamente berrante. Ostentação ao extremo e decidi na hora que *era* linda, mas quase ao ponto da feiúra. Era demais... demais de tudo, como se os Drâghici Consiliului quisessem exibir seu poder, seu bom gosto e tivessem exagerado ao máximo.

Os dois homens permaneceram em silêncio ao

lado da porta, fechando-a enquanto eu entrava na sala.

De frente para o estrado havia dez cadeiras de madeira separadas em dois grupos de cinco com um tapete vermelho entre elas. Simples e sem adornos, eram os únicos móveis da sala que não eram dourados e polidos até o mínimo possível e cada um continha uma pessoa.

Meus pesadelos explodiram em uma realidade impressionante e aterrorizante. Caminhei lentamente pela longa sala ao longo do estreito tapete vermelho, parando entre as cadeiras. Foi arrepiante descobrir que meus amigos pareciam muito piores do que pareciam, mesmo no pior dos meus terrores noturnos. Era evidente que eles estavam famintos de sangue desde a sua chegada e eu podia ver o quão gravemente feridos eles estavam. Eles foram despidos, seus torsos, pernas, braços e gargantas cobertos com múltiplas correntes de prata. Eu me balancei mentalmente, tentando controlar minhas reações ao horror que estava testemunhando, tentando processar o que estava vendo. Lucas me disse que isso era um mito. Vampiros eram insensíveis à prata, cruzes, alho, água benta. Tudo isso eram mitos. E, no entanto, as correntes de prata estavam cravadas profundamente em seus corpos, como se a prata tivesse queimado diretamente em sua pele. Eles tinham queimaduras horríveis e dolorosas por todo o corpo, como se tivessem sido queimados por ácido. Os pesadelos em que vi Striker sendo torturado com água benta eram assustadoramente precisos.

Isso não poderia ser real. Respirei fundo, ciente de que não podia me dar ao luxo de perder o foco agora. Cada um deles parecia terrível, seus rostos abatidos e mais pálidos do que eu já tinha visto, como se os músculos e tendões sob a pele tivessem se desgastado, deixando uma fina camada translúcida de pele sobre o osso. Seus olhos eram opacos e sem vida, a bela cor de suas írises parecia desbotada, como se a cor tivesse desbotado por horas sem fim sob um sol escaldante. A pele ao redor dos olhos parecia machucada e os lábios estavam rachados e cheios de bolhas.

Lucas estava mais próximo de mim à direita e me encolhi quando notei os cortes profundos salpicando seu peito. Eu tinha visto isso em um pesadelo, visto o dano feito a ele com uma faca de prata. Não havia sangue, apenas os entalhes profundos na pele e os músculos por baixo. O osso se destacava branco contra o músculo rosa pálido e a carne e eu estremeci. Ben sentou-se no lado oposto do corredor deixado entre eles. Ele também havia sido torturado, mas sua pele era uma massa de marcas de queimaduras, onde água benta havia sido derramada sobre seu torso. A pele parecia ter derretido, como riachos de cera de vela escorrendo por seu peito e ombros. A bile correu para minha garganta e um pequeno gemido escapou de meus lábios sem impedimentos.

Os dois levantaram a cabeça e registrei dois fatos preocupantes. O primeiro, eles estavam quase loucos de fome. E segundo, ambos ficaram horrorizados ao me ver aqui. Examinei o resto do grupo, obtendo uma indicação de sua condição. Gwynn estava quase inconsciente, seu cabelo ruivo acobreado imundo e emaranhado, caindo sobre seu rosto onde ela caiu para frente indiferentemente contra suas amarras. Seu seio esquerdo foi cortado profundamente e aberto. Sua calcinha estava rasgada em ambas as costuras e tinha sido colocada de volta em seu corpo como se tivesse sido arrancada, e depois colocada de volta em uma imitação doentia para lhe dar alguma modéstia. Eu odiei pensar o que os fez rasgar em primeiro lugar, mas forcei o pensamento para o fundo da minha mente. Lidarei com isso mais tarde, preciso lidar com os problemas em mãos agora.

William parecia morto, seu rosto era uma imagem de miséria, como se tivesse sofrido tanto abuso quanto podia e morrido, a agonia de seu sofrimento ainda impressa em suas feições. Ele parecia ter se fechado completamente, nenhuma animação, nenhum sinal de qualquer tipo de vida saía de seu corpo. Ele parecia um cadáver e eu me preocupei se isso era exatamente o que ele havia se tornado.

Marianne estava inconsciente e eu estava grata por isso, pelo bem dela. A tortura a que ela foi submetida estava clara em seu corpo, cada centímetro quadrado continha enormes danos, e suas pernas pareciam ter sido removidas com um descascador de batatas, grandes faixas de pele faltando, deixando a carne pálida por baixo. Eu não poderia começar a imaginar como deve ter sido, sabia que eu não queria.

O rosto de Acenith havia sido queimado com água benta e fiquei horrorizada quando vi sua mão flácida pendendo para o lado da cadeira. Seus dedos foram cortados. Eu tive que me virar, engolindo em seco para manter a náusea sob controle.

Rowena estava consciente e sua expressão sugeria que ela estaria chorando se tivesse lágrimas para fazê-lo. Tanta devastação em um rosto tão gentil, seus olhos castanhos não mais brilhando com vida e amor. Agora eles continham apenas uma dor insuportável e era fácil ver o abuso em seu corpo. Como Gwynn, sua calcinha foi mexida e a raiva queimou em meu coração, detestando a ideia do que poderia ter acontecido com ela. Saber que pode muito bem ser a verdade e me perguntar como ela e Gwynn poderiam sobreviver se meus piores medos forem verdadeiros.

Quando olhei para Ripley, ele estava olhando para mim, seus olhos escondendo a fome que ameaçava destruí-lo. Eu tinha certeza de que ele não estava me vendo, tudo o que ele podia ver era uma fonte de alimento. Como Ben, ele foi atacado com água benta e havia uma imagem queimada de uma cruz marcada em sua coxa, a pele enegrecida e cheia de bolhas.

Holden e Striker sentaram-se juntos, lado a lado. Eu mal conhecia Holden e ainda olhando para ele, eu só podia sentir simpatia por sua situação. Como Lucas, ele foi cortado, uma ferida era tão profunda e longa que eu podia ver o osso de suas costelas projetando-se através da carne. Striker parecia estar na melhor forma de todos, o que não dizia muito, mas sempre foi o mais forte. Agora ele não parecia tão forte, estava muito espancado e cortado, mas ainda havia mais de Striker em seus olhos, mais do que qualquer um dos outros.

Eu endireitei meus ombros. Eu queria dizer algo, qualquer coisa para eles que tornasse isso melhor. Mas não havia nada que eu pudesse dizer. Pisquei casualmente para Striker e ele me observou, a tristeza claramente visível em seus olhos azuis. Eles não eram o azul brilhante de antes, desbotados em uma versão mais pálida do que antes, mas ele parecia me ver e me reconhecer.

— Arawn, eu disse que ela viria! — Olhei para cima para ver três vampiros do sexo masculino entrarem na sala por uma porta atrás do estrado, cada um seguido de perto por mais dois homens de terno. A julgar pelos ternos e óculos escuros, eles eram guardas como os dois que me trouxeram aqui. Eu só reconheci um dos três vampiros no estrado, o que significava que havia pelo menos seis no conselho. Merda.

Deixei os Tines para trás e entrei na sala, parando a cerca de um metro e meio dos três vampiros. Aquele que falou era talvez da minha altura, cerca de um metro e sessenta e cinco com uma constituição esbelta e um rosto pálido e com marcas de varíola. Seu cabelo era pegajoso, castanho-escuro e ele tinha um cavanhaque e bigode Vandyke. Seu corpo era esguio ao ponto da magreza, quase afeminado e ele usava uma jaqueta longa preta com uma camisa branca de babados e calças pretas. Seus pés estavam envoltos em mocassins pretos e eu podia sentir seu poder, mesmo dessa distância, como se ele estivesse jogando em mim como uma granada.

O segundo vampiro, a quem ele chamava de Arawn, era alto e forte, uma parede de músculos poderosos. Eu o reconheci pela foto que Nick havia produzido, uma do conselho para a qual não tínhamos um nome. Ele tinha cachos loiros que emolduravam um rosto quase bonito. Seus olhos eram azuis gelo, como duas lascas de água congelada do oceano e ele olhou para mim, sua expressão calculista. Seu olhar percorreu cada centímetro do meu corpo, gastando uma quantidade excessiva de tempo em torno de meus quadris e seios, seus olhos se demorando como se ele pudesse me despir com seu olhar. Ele estava vestindo jeans e uma camiseta de seda que esticava nas costuras para cobrir os músculos salientes por baixo.

O terceiro vampiro caiu em um dos tronos dourados, parecendo totalmente indiferente ao anúncio animado do primeiro vampiro. Seus olhos eram verdes claros, muitos tons mais claros que os meus, quase como olhar para um vidro verde semi-opaco. O cabelo curto e encaracolado, castanho-escuro, chegava quase aos ombros e o rosto era comprido e magro. Ele estava vestido como um antigo romano, usando uma túnica branca com um simples cinto marrom na cintura e sandálias de couro. Suas pernas estavam nuas dos joelhos para baixo, solidamente musculosas e salpicadas com um leve punhado de pelo escuro.

— Bem, — eu disse friamente, meus olhos verdes desafiadores. — Se não são os Três Patetas. — Meus olhos passaram pelo vampiro menor, que havia falado. — Larry, Curly e... — Olhei para o cara romano, — Moe.

O vampiro que falou me olhou com fúria mal disfarçada, seus olhos brilhando.

— Você não será tão insolente quando eu te transformar, criança.

— Onde estão os outros membros salubres do Consiliului Suprem de Drâghici Vampiri?

— Eles não são necessários para isso, — o vampiro retrucou friamente. — Eu vou transformar você, e então você será minha vampira para controlar.

— Ah, direto ao ponto. Eu gosto disso. — Olhei para os Tines, pude ver que através da névoa debilitante da fome, Lucas parecia perturbado, seus olhos cheios de desesperança. — O que você fez com meus amigos... Larry?

Sua energia soprou em mim, forçando meu cabelo a se mexer com o vento repentino que ele havia criado, mas ele não fez mais nada, nenhum sinal de ataque.

— Meu nome é Odin, sua putinha rude. — Ele respirou fundo, como se estivesse atraindo sua raiva de volta para si mesmo. Quando voltou a falar, sorriu friamente. — Pensamos em realizar alguns pequenos experimentos enquanto esperamos sua chegada. Deixar um vampiro morrer de fome é uma provação cansativa para quem está esperando. —

Ele se aproximou, apenas um metro de distância e seus dois guardas seguiram cada movimento seu. — Foi tudo muito chato. Arawn fica entediado com muita facilidade, sabe, e ele gosta de manter a mão na massa.

Eu o olhei com cautela.

— Manter a mão na massa? — Eu repeti, transformando isso em uma pergunta.

— Sim. Arawn tem uma tendência bastante sádica, você vê. Ele adora ver os outros sofrendo e para mantê-lo longe do tédio, devemos... alimentar seu pequeno ponto fraco. Caso contrário, ele tende a se tornar um tanto destrutivo. Quem melhor para trabalhar com seus amigos aqui? — Ele se virou para olhar para Lucas e os outros, seus olhos movendo-se sobre eles como se sentisse grande prazer com suas misérias. — Para nos divertir, primeiro tentamos quebrá-los, para ver quanto tempo eles poderiam manter o uso de seus poderes. Testamos as habilidades de leitura da mente de Ripley com várias avaliações. Infelizmente, ele falhou em nossos testes. Rowena, coitada, sua habilidade como empática a fez sofrer muito quando insistimos que ela tocasse nosso atual sujeito de teste enquanto eles estavam sendo brutalizados. Tanta dor, tenho certeza que você mal pode imaginar o sofrimento dela. Acenith e Striker tentaram ajudar os outros controlando sua agonia, mas isso realmente não ajudou em nada em seu próprio sofrimento. Foi muito divertido vê-los tentando acalmar os outros, enquanto nós cortávamos partes de seus corpos. — Ele riu de repente, uma risada que era fria e pura maldade. — E, claro, a jovem Marianne, bem, digamos que o futuro dela não parece muito promissor. De qualquer forma, ela não era um grande desafio, visto que não conseguia nem prever nossa chegada à casa deles. Provavelmente foi bom termos trabalhado com ela, para garantir que ela esteja ciente de como ela é totalmente inútil. — Ele acenou com a mão para meus amigos e fiquei satisfeita com o selo da coragem que Epi havia me mostrado, desenhado perto do meu coração. Esse cara era seriamente *assustador*.

Ele estava andando ao meu redor em um círculo lento, seu olhar penetrante enquanto ele me estudava e falava novamente.

— Como eles começaram a morrer de fome, Arawn teve a maravilhosa ideia de testar a validade de alguns de nossos mitos. Imagine nossa surpresa quando descobrimos a verdade em alguns deles. Parece que a fraqueza permite que velhos inimigos do vampiro funcionem. O alho não surtiu efeito, é claro, mas nunca esperei que surtisse. Mas você não pode imaginar nossa alegria quando Arawn descobriu que a prata poderia ser usada para prendê-los. Não apenas prendê-los, mas queimar sua pele como você vê em sua frente. Eles gritaram, Charlotte, gritaram e gritaram por dias e não conseguiam se afastar disso, não conseguiam se livrar disso. Ficamos interessados em descobrir que isso removeu qualquer força restante deles, o que foi bastante útil porque tanto Holden quanto Striker foram meninos muito travessos, tentando escapar. Foi quando Arawn testou a teoria de usar facas de prata neles, sabendo que o mito sugeria que um vampiro não poderia curar uma ferida de prata. — Ele atirou novamente. — Foi maravilhoso descobrir a verdade nesse mito também, eles agora têm todas essas feridas magníficas e nenhuma delas vai cicatrizar por causa da prata usada. Arawn criou uma obra-prima, você não concorda?

Permaneci em silêncio, tentando digerir o que ele estava me dizendo, e então me contive. Eu não conseguia pensar nisso, não ousava pensar nisso agora, não quando ainda tinha tanto a fazer e todos corríamos um terrível perigo. Melhor empurrá-lo para o fundo da minha mente, focar no que eu estava aqui para fazer.

Odin continuou a falar, como se eu fosse uma convidada encantada e ele mal pudesse esperar para se gabar de suas descobertas.

— A água benta foi notável. Algumas gotas aqui e ali na pele, queima como ácido. Tem sido muito divertido, não é, Hyperion?

Arrisquei um rápido olhar para Hyperion, que estava olhando com indiferença entediada. Quando olhei para trás, Odin estava olhando para mim como se estivesse hipnotizado.

— Posso tocar em você? — ele perguntou suavemente. — Você tem... uma beleza angelical sobre você, minha querida.

Eu me afastei dele, fora de alcance.

— Não, obrigada. Eu não gosto de bastardos antigos esqueléticos.

Seus olhos endureceram até que eram como pedaços de obsidiana, faiscando com relâmpagos prateados.

— Você realmente precisa ser controlada. Andando com lobisomens e metamorfos, temo que você tenha desenvolvido uma grosseria intolerável sobre você, minha querida.

— Eu gosto disso, — retorqui. — Eu prefiro sair com metamorfos e lobisomens do que com você, qualquer dia. Eles são uma classe muito melhor de pessoas. E eu não sou *sua querida*, seu idiota.

Novamente com a corrente de vento que girou ao meu redor por um segundo, depois se dissipou. Quando voltou a falar, sua voz estava calma, pensativa.

— Estou muito surpreso que você veio sozinha.

— Ah, vamos, Odin. Você sabia que eu estava vindo sozinha. Seu espião o informou desse fato. —

Virei as costas para ele, caminhando em direção a Lucas. — Você disse aos meus amigos por que você me queria tanto?

— Não havia razão para contar a eles. Eles cumpriram seu propósito e serão destruídos, agora que temos você.

Quando me virei, Odin estava olhando para mim e minha pele formigou. Ele estava praticamente salivando enquanto estudava meu corpo de cima a baixo e suas presas aparecendo.

— Isso dificilmente parece justo. Eles estão sofrendo, eles deveriam pelo menos saber o porquê. — Olhei para Lucas, depois para Ben e mais adiante para onde Striker estava sentado. — Vejam, o conselho de vampiros está atrás de mim por um tempo. Eles ouviram falar de mim por meio daqueles vampiros que foram à sua casa, meses atrás. Eles sabiam sobre minhas habilidades e sabiam que meus talentos eram incomuns, para dizer o mínimo. Eles queriam que Armstrong me capturasse, me entregasse a eles. O que eles não permitiam era que ele tentasse me manter, tomar o poder para si. Na verdade, — eu me virei para encarar Odin, meus olhos verdes gelados, — eles realmente estragaram o plano. Mais de uma vez. Veja, a parte importante do plano era me manter humana até quase os vinte e um anos. Então eles me deixaram sozinha por um tempo e esperaram, observando do lado de fora para ver quanto talento eu realmente tinha. — Olhei para Lucas, observando seus olhos quase mortos com o coração apertado. — Eles perceberam que eu tinha deixado sua casa e me rastreado até Conal e seu bando. Mas então, eu descobri mais sobre minhas habilidades e sabia mais sobre o que estava enfrentando. Então eles colocaram esse plano mestre em prática. Sequestrar vocês, prendê-los, torturá-los, sabendo que eu viria. O que ele não contou, foi por que eles me queriam tanto. O que há em mim que é tão importante para eles. O que ele não contou é que sou uma dos filhos de Nememiah. — Olhei de volta para Lucas, senti meu coração quebrar um pouco. — Eu sou anjo. Quem teria pensado nisso?

CAPÍTULO 42
NO COVIL DO DIABO

O rosto de Odin ficou repentinamente inexpressivo, seus olhos eram a única parte dele mostrando qualquer emoção e havia fúria neles.

— Pegue a mochila dela. Ela terá as armas lá dentro.

A mochila foi arrancada bruscamente dos meus ombros. O guarda entregou a Odin e ele abriu o zíper, olhando para dentro. Ele colocou a mão dentro da mochila e tirou o conteúdo.

— Pedras? Você trouxe pedras com você? — ele afirmou incrédulo.

Eu estava olhando deliberadamente para minhas unhas e esperei alguns segundos antes de falar, tornando meu tom insolente.

— Achei que você pegaria qualquer arma que eu tivesse. Eu tinha certeza que um de seus capangas iria me revistar no minuto em que eu colocasse os pés no lugar. Na verdade, você demorou mais do que eu pensava. Não é muito preocupado com a segurança, não é, deixar-me entrar aqui com uma mochila e não ter ninguém para revistá-la?

Ele me olhou com desconfiança, jogando as pedras em um ataque de raiva para que elas se espalhassem pelo chão, o barulho ecoando por toda a sala.

— Que truque é esse? — ele rosnou.

Dei de ombros com indiferença.

— Sem truques. Imaginei que eu poderia atirar uma pedra em sua cabeça feia, ver se conseguiria fazer você sangrar. Diga-me, Odin, se você é tão especial e poderoso, se você *sangrar*, será que você vai querer morder seu *próprio* pescoço para te satisfazer?

Ele me encarou, como se tentasse me avaliar e descobrisse que não conseguia me entender. Era exatamente o que eu esperava.

— Acho que vou te ensinar uma lição, veja como você é impertinente depois de provar um pouco do meu dom especial.

— Não! — Lucas murmurou desesperadamente, o som doloroso para meus ouvidos.

Eu me virei para olhar de volta para Lucas, querendo tranquilizá-lo, mas antes que eu pudesse piscar, Arawn estava ao lado dele e puxando uma lâmina de seu bolso. Ele cortou o rosto de Lucas, abrindo sua bochecha do olho ao queixo. Ele largou a faca e deu um soco no estômago de Lucas e o som do impacto ricocheteou pela sala como um trovão. O rosto de Lucas convulsionou em agonia, mas seus olhos permaneceram em mim através da névoa de dor que o dominava. Não havia nada que eu pudesse fazer, exceto arregalar os olhos, esperando que ele entendesse que eu estava bem, que tinha tudo sob controle. Não havia como deixá-lo saber disso claramente, quando ele não entendia o quanto minhas habilidades haviam aumentado nos últimos meses, mas eu faria qualquer coisa que pudesse para tentar fazê-lo perceber que estava tudo bem.

Eu me virei para Odin, engolindo em seco enquanto tentava apagar a visão do rosto de Lucas, o corte profundo em suas belas feições.

— Faça o seu pior, Odin.

Odin sorriu insensivelmente, olhando diretamente nos meus olhos. Novamente senti aquela força do vento ao meu redor, e então pude sentir algo oscilando na minha mente, embora eu não tivesse certeza do que era. Eu o encarei friamente, minha mente a salvo de seu poder e protegida pelos espíritos. Por um minuto, Odin continuou, então o sorriso em seus lábios vacilou e ele piscou.

— Desculpe, Odin, — eu disse, um tom

deliberadamente entediado em minha voz. — Seu dom especial, seja lá o que for, não funciona comigo. Ah, e a propósito, você deveria abandonar a ridícula barba e bigode. Você parece um aspirante a mosqueteiro patético.

Odin me estudou por um minuto, talvez dois, me examinando cuidadosamente.

— Eu cansei disso. Acredito que vou apenas transformar você e acabar com isso. Você aprenderá a me tratar com respeito.

— Eu duvido. Eu não trato as pessoas com respeito se elas não merecerem, — retruquei calmamente. — Antes de passarmos para o plano de me transformar em uma vampira, que tal você me deixar conhecer o outro? Estou meio interessada em vê-lo.

Hyperion levantou-se abruptamente, seu olhar entediado substituído por espanto assustado. Odin acenou com a mão e Hyperion sentou-se novamente, mas agora ele estava na ponta de seu trono, me observando com cautela.

— E por que você pensaria que há outro?

Eu me virei para os Tines, vi Striker me observando com uma mistura de emoções claras em sua expressão. Ele estava definitivamente em melhor forma do que os outros e conseguiu dar um leve sorriso. Em seus olhos, ao lado da sede, reconheci outra emoção. Ter esperança.

— Eu não acho que haja outro. Eu sei que tem. — Voltei-me para Odin, olhando dele para Arawn e depois para Hyperion. — O problema é que você o transformou um pouco cedo, não é? Acho que isso seria chamado de transformação prematura, não é? Não percebeu que era melhor ser paciente, permitir que ele alcançasse todo o seu potencial antes de ser levado para o lado negro. — Caminhei em direção aos Tines, examinando-os cuidadosamente, vendo se alguém seria capaz de nos ajudar quando chegasse a hora. Era óbvio que seria impossível, eles estavam tão mal que eu sabia que seria tudo o que eles poderiam fazer para sair daqui por vontade própria. — Acho que seria educado deixar meus amigos aqui saberem todos os elementos maravilhosos de seu plano astuto. Vejam, — eu disse, andando lentamente ao longo da fileira de cadeiras, pegando seus olhos nos meus, — os Três Patetas aqui, e o resto de seus comparsas, tiveram uma ideia maravilhosa. Eles querem dominar o mundo. Eles pensam que são superiores a todos os outros seres sobrenaturais do planeta. Claro, eles percebem que não podem se livrar de todas as criaturas do submundo. Mas eles querem arrumar um pouco. Livrar o mundo de mestiços, metamorfos, aqueles que realmente não estão à altura de seus altos padrões. Aparentemente, vocês não fazem o corte, imagino porque não bebem sangue humano. — Eu me virei para Odin, que estava me observando com um olhar calculista e então voltei minha atenção para meus amigos, parados entre Lucas e Ben. Eu tinha quase certeza de que podia ver o reconhecimento nos olhos de Ben enquanto o observava e era óbvio que Lucas me reconhecia. — É por isso que eles precisam de mim e do outro. O engraçado de ser anjo é que atingi a maturidade completa aos vinte e um anos. Meu vigésimo primeiro aniversário é amanhã, então o plano é, eu ser mordida hoje à noite, antes do meu aniversário e acordar em três dias com presas. Então devo pular na cama com esse outro anjo, produzir um bando de pirralhos que serão meio vampiros, meio anjos. E então Odin e seus comparsas conseguem dominar o mundo, porque eles serão capazes de convocar espíritos demoníacos do Outro Mundo e podem criar um exército de mortos-vivos para manter todo o sobrenatural na linha. Parece uma piada, não é?

Eu me afastei dos Tines, caminhando de volta para Odin. Seus guardas instintivamente se aproximaram dele.

— O único problema com o plano deles é que é *péssimo*. Para começar, o outro que eles têm simplesmente não é meu tipo. — Fiquei muito perto de Odin, encarando-o desafiadoramente. — Então você tem um problema. Porque não pretendo ser transformada, não pretendo foder esse anjo vampiro e certamente não pretendo aniquilar metade dos seres sobrenaturais em sua busca pelo domínio do mundo.

Hyperion falou e sua voz era um rosnado áspero, profundo e ecoando pela sala de mármore.

— Deixe-a conhecer Archangelo.

Odin olhou para Hyperion e eles conversaram com os olhos por uma fração de segundo.

— Sim, — Odin anunciou. — Vamos fazer com que Archangelo mostre a ela exatamente o quão forte seus poderes se tornaram. Archangelo! Venha!

A porta atrás do estrado foi aberta e o homem dos meus pesadelos passou por ela. Era incrível a semelhança entre ele e eu, e por um minuto nos encaramos, avaliando um ao outro. Ele era mais alto do que eu, mas tinha coloração semelhante, características que se inclinavam para ser uma imagem espelhada minha em um rosto mais masculino. Minhas primeiras impressões me fizeram pensar que fomos colocados nesta terra como gêmeos, mas separados por toda a vida. Ele estava olhando atentamente para mim, sua expressão sinistra.

— Sim, Mestre Odin.

— Esta é Charlotte, Archangelo. Ela será sua esposa. — Odin acenou para frente com um pequeno movimento de seus dedos e ele veio para ficar ao lado do vampiro mais velho. — É profundamente lamentável, mas descobrimos que ela tem atitude demais para ser uma boa esposa para você. Mas não se preocupe. Pretendo remover essa natureza obstinada dela, para que ela seja a esposa obediente e submissa que você merece. Ela também tem a impressão de que você é o anjo mais fraco e acho que devemos ensiná-la algumas lições, deixá-la ver toda a força de suas habilidades. Quero que você invoque algo para ela, algo que a faça respeitar seu poder pela magnificência que ele realmente é.

Dei um passo para trás gradativamente, poucos centímetros de cada vez. Isso era o que eu estava esperando, incitando-os a obter uma grande reação. Eu só não esperava *essa* reação. Invocar alguma coisa? Esse cara poderia fazer isso? Archangelo tirou um Hjördis do bolso e comecei a abrir o zíper da minha jaqueta, preocupada com o quanto mais não sabíamos. Ele tinha as armas dos Anjos e a capacidade de invocar, ambas as eventualidades eram coisas que não havíamos imaginado. Reprimindo esses pensamentos, concentrei-me no aqui e agora. O timing tinha que ser perfeito, eu não poderia ousar mostrar minha mão tão cedo. Eles eram arrogantes, tão seguros de si mesmos e não acreditavam que eu fosse tão poderosa quanto Archangelo, o que me deixou agradecida por terem recebido os relatórios falsificados de Quinn Saunders. Eles não suspeitavam do verdadeiro aumento dos meus poderes elevados.

Archangelo ajoelhou-se no chão e usou o Hjördis para marcar um pentagrama no ladrilho de mármore, o que me sacudiu, embora eu soubesse o que invocar algo significava. Eu esperava um combate corpo a corpo entre nós, uma batalha de vontades e poder, que eu esperava ganhar. Não que ele desenhasse um pentagrama e certamente não vê-lo desenhando os selos que Epi usou para invocar demônios.

Afastei esse pensamento, como tinha feito com outros. Não agora, não pense em como ele poderia fazer isso neste momento. Haveria tempo para pensar sobre isso mais tarde, quando não estivéssemos afundados na merda.

Quando Archangelo completou a quinta marcação, tirei minha jaqueta, jogando-a na direção de um dos pilares de mármore, assegurando-me de ter sua atenção. O rosto de Odin mostrou mais expressão desde que cheguei e agora essa expressão estava atordoada, quando ele viu a massa de selos azul índigo marcando meus braços, ombros e peito como um conjunto de tatuagens ousadas.

O chão explodiu, espalhando fumaça vermelha e preta pela sala, uma neblina sinistra de fumaça acre. Ajoelhei-me, deslizando os dedos pela lateral da bota e pegando o Hjördis com a mão. Eu desenhei um selo rápido no chão de mármore a meus pés, fazendo marcas de índigo na rocha. Quando o demônio atravessou o portal eu já estava de pé novamente, observando as pedras que Odin havia jogado no chão tão descuidadamente se transformando em meus amigos em suas formas animais.

Os vampiros foram repentinamente confrontados por quatro lobos, um coiote e um leão muito impressionante. Enquanto Rafe levantava sua enorme cabeça e rugia, os guardas empurraram Odin de volta para o estrado, protegendo-o com seus próprios corpos.

Concentrei minha atenção no demônio que estava se arrastando para fora do pentagrama e amaldiçoei, uma palavra particularmente volátil escapando de meus lábios enquanto eu olhava incrédula para o tamanho dele. Era enorme, maior do que qualquer coisa que Epi havia jogado em nós. Provavelmente com cerca de 4,5 metros de altura, em uma sala menor ele precisaria se agachar, mas aqui ele poderia ficar alto e assustador. Sua cabeça estava deformada e eu me esforcei para compreender o que meus olhos estavam vendo, percebendo com apreensão que isso era porque tinha duas bocas, uma em cima da outra, ambas cheias de presas afiadas como navalhas, provavelmente sete centímetros de comprimento. O topo de sua cabeça estava completamente coberto por grossos tentáculos pretos, brilhantes na luz do teto como se tivessem sido mergulhados em óleo preto. Ele tinha seis braços longos, três de cada lado de seu corpo enorme e cada um deles terminava com longas garras curvas. Fechei os olhos por um breve segundo e, quando lancei um olhar na direção deles, meus espíritos estavam cercando os Tines, protegendo-os. Isso significava que eu estava mais exposta, mas era para isso que Conal e os outros homens estavam lá para fazer. Conal já estava rodeando o demônio, seus olhos negros brilhando, mandíbula aberta exibindo uma linha feroz de presas. Ralph e Marco estavam interferindo, mantendo os vampiros afastados enquanto Rafe, Nick e Phelan se lançavam contra o demônio. Convoquei os espíritos, chamando mais para me ajudar e joguei minha mão para frente, observando uma onda de energia pura atingir o demônio, desequilibrando-o momentaneamente.

Conal aproveitou a oportunidade para atacar, lançando-se no ar, batendo no demônio e rasgando sua garganta. Um dos braços enormes o pegou, jogando-o no ar, mas Phelan estava bem ali, lançando um segundo ataque quando Conal se levantou do chão e disparou de volta para o demônio.

Percebi um movimento com o canto do olho, percebendo que alguns dos vampiros estavam avançando pelas laterais da sala, usando os pilares de mármore como proteção. Eu joguei minha mão para cima e para frente, observando com satisfação quando eles foram atingidos por uma bola de energia branca e bateram contra as paredes. A parede de mármore rachou atrás deles, parte do mármore caindo para revelar a parede de pedra.

Um olhar garantiu que o escudo ao redor dos Tines ainda era forte e seguro. Quando me virei para o demônio, ele estava caminhando em minha direção, suas bocas abertas e emitindo um rugido sobrenatural que estremeceu o ar ao nosso redor. Ele estalou aquelas mandíbulas pesadas para mim e eu saltei no ar, conseguindo planar cerca de seis metros de altura, mas os dentes do demônio estalaram na hora errada. Caí de volta no chão e rolei com cuidado sobre meus pés, consciente da ardência dolorosa em meu braço. O braço ainda estava funcionando, então eu o ignorei e voltei para a batalha.

Conal estava preso à garganta do demônio, rosnando guturalmente enquanto mordia profundamente a pele negra do demônio. A saliva escorria de suas bocas, pingando no pelo de Conal onde chiava e queimava. Conal caiu no chão e Nick tomou seu lugar, se preocupando com a garganta do demônio.

Eu joguei outra onda de energia em sua direção, derrubando-o, fazendo a enorme besta cair no chão. Minha visão periférica captou movimento e me virei a tempo de ver ainda mais vampiros vindo em minha direção, seus olhos em chamas e narinas dilatadas enquanto eles cheiravam o sangue escorrendo lentamente pelo meu braço.

Um estava quase perto o suficiente para me tocar e dei um chute alto, acertando seu pescoço com a ponta da bota. Ele bateu para trás na parede. Uma outra bola de energia jogou três dos vampiros para trás e ouvi o grito frustrado de fúria de Odin.

Archangelo estava vindo em minha direção e lançou uma explosão de energia que me jogou para trás, deslizando pelo chão até minha cabeça bater contra a parede de mármore.

Balançando a cabeça para me livrar da dor, eu me levantei, sem vontade de esperar que a confusão deixasse meus sentidos. Archangelo estava bem em cima de mim, suas presas a mostra e sede de sangue clara em seus olhos. Ele segurou meus ombros em um aperto doloroso e cambaleamos para trás. Eu estava tentando manter um aperto firme em seu pescoço, tentando manter suas presas longe da minha pele.

Ele era mais forte do que eu, mais forte do que

eu esperava e de repente me lembrei que ele era jovem, com mais sede de sangue. Sua boca se aproximou cada vez mais da minha garganta e eu usei minha mão esquerda para lançar energia, mais ou menos ao mesmo tempo que Phelan vinha em meu socorro. Tanto Phelan quanto Archangelo foram jogados para trás pela sala, com Phelan batendo na parede e deslizando para baixo para cair em uma pilha amassada, ganindo baixinho.

Rapidamente verifiquei que o demônio ainda estava lutando. Joguei outra onda de energia, observando o demônio cair de joelhos novamente. Embora parecesse que uma eternidade de luta havia passado, não havíamos chegado nem perto de matar o demônio, pelo contrário, conseguimos agravá-lo em um nível mais alto de raiva. Eu gemi quando vi Archangelo vindo para mim novamente, a expressão em seu rosto dogmática, segurando um Katchet em uma mão, um Philaris na outra. Ele jogou o Philaris, seu objetivo forte e verdadeiro. Eu me abaixei apressadamente, mas não rápido o suficiente, pois ele atingiu o lado da minha bochecha ao passar por mim, cortando a pele abaixo do meu olho esquerdo. Ele navegou elegantemente, girando de volta para Archangelo. Cerrando os dentes, decidi que ele não iria pegá-lo de volta e saltei para frente, pegando-o na palma da minha mão. Ele cortou minha mão, mas eu o ignorei, com a intenção apenas de impedir que

Archangelo o usasse novamente. Eu bati no chão e rolei, me endireitando para jogar o Philaris de volta em Archangelo.

O olhar em seus olhos era de puro espanto quando o Philaris bateu em seu peito. Ele caiu de joelhos, levando a mão à camisa para tocar o sangue que escorria de seu coração. Ele me encarou por um longo momento, seus olhos cheios de surpresa, então ele caiu no chão, imóvel. Corri até onde ele estava deitado, arrancando a Katchet de sua mão. Tive que colocá-lo na mão esquerda, pois a palma direita sangrava incontrolavelmente.

Houve um movimento rápido no estrado, onde Odin, Hyperion e Arawn estavam sendo empurrados para fora da sala, os guardas empurrando-os sem cerimônia pela porta aberta. Não tive tempo de fazer nada a respeito, meu escudo ao redor dos Tines estava falhando e o demônio estava caminhando em direção a eles. Lancei-me a ele em uma corrida a toda velocidade, escalando suas costas largas enquanto ele gritava. Agarrando o pescoço maciço para me apoiar, cortei o Katchet em sua garganta, uma e outra vez, enquanto os homens continuavam a morder e se preocupar com suas pernas e corpo com suas presas.

Justamente quando eu estava começando a pensar que não tínhamos chance de derrotar o demônio selvagem, ele caiu, lançando-me sobre sua cabeça ao atingir o chão. Eu derrapei pelo chão, coberto por uma mistura de sangue de demônio e meu próprio suor escorrendo da minha pele. O demônio se fechou sobre si mesmo, diminuindo cada vez mais até que tudo o que restou foi uma pequena marca de queimadura no mármore.

CAPÍTULO 43
OPERAÇÃO DE RECUPERAÇÃO

Eu caí no chão por um minuto, ofegante para colocar o ar de volta em meus pulmões, tentando reaprender a respirar. A adrenalina corria pelo meu corpo, mas não o suficiente para manter a dor sob controle. Agora que a luta acabou, os receptores de dor estavam operando por todo o meu corpo e eu me levantei e suguei enormes quantidades de oxigênio enquanto apoiava minhas mãos nos joelhos, esperando que meu batimento cardíaco diminuísse antes de me endireitar.

Conal se transformou, olhando os corpos caídos no chão com cautela enquanto caminhava em minha direção, gloriosamente nu e nem um pouco envergonhado.

— Não tenho certeza se o selo da coragem é bom para você, — ele anunciou suavemente. — Você fica muito louca. Sério, Charlotte ,"Eu sou um anjo, quem diria isso?"

Estendi a mão para a mochila que Nick carregava com ele, quando ele foi transportado para o selo da pedra, vasculhando-a para encontrar as roupas de Conal.

— Então Epi estava certo? Você podia ouvir tudo? Muito bem, Epi. — Joguei sua calça jeans para ele. — Coloque alguma coisa e veja se consegue trancar as portas. — Tirei as outras roupas da mochila, colocando-as em pilhas organizadas no chão.

— Aquela coisa era enorme, — Nick anunciou com um sorriso largo enquanto se transformava de volta em humano. — A maior maldita coisa que lutamos até agora.

Desviei meus olhos de seu corpo e apontei para suas roupas, antes de focar minha atenção nos Tines. Dei um passo à frente, com a intenção de tentar libertá-los de suas amarras, mas Lucas falou.

— Charlotte... as correntes. Não... remova as correntes, — ele murmurou dolorosamente. — Você está sangrando... e nossa sede... é muito extrema.

— Ele está certo, — Ben concordou, sua voz soando como se ele tivesse engolido cacos de vidro.

— Bom ponto. — Eu me virei para Nick, que tinha colocado um jeans azul desbotado. As marcas do selo em seus braços ainda eram fortes, mas ele tinha um corte feio no lado esquerdo do peito e hematomas roxos estavam surgindo em seu rosto.

— Você trouxe, Nick?

Nick puxou outra mochila em sua direção, aquela que Marco carregava dentro de seu selo da pedra. Ele jogou para mim e eu abri, puxando as bolsas de sangue que trouxemos de dentro. Eu me virei para Ben.

— Isso deve ajudar. — Eu levantei uma das sacolas, cortando uma ponta dela com o Katchet. Nick estava fazendo a mesma coisa, usando um pequeno canivete. Segurei o saco aberto, deixando o sangue escorrer pela boca aberta de Ben. Ele engoliu com sede, desesperado, bebendo tão rapidamente quanto caiu em seus lábios abertos.

— Querida, temos um problema. Não posso trancar esta porta. — Conal estava de pé no outro extremo da sala, ao lado do estrado que sustentava os tronos.

Eu me endireitei do lado de Ben, jogando a bolsa de sangue drenada no chão.

— Saia do caminho. — Conal se afastou da porta e eu levantei minha mão, convocando uma bola concentrada de energia que joguei pela sala. Ela se chocou contra a parede ao redor da pesada porta de carvalho e com um estrondo ensurdecedor, a parede de mármore e pedra quebrou, derrubando a porta e bloqueando a entrada. O estrado foi atingido pela explosão, o dossel de veludo caindo no chão e as duas colunas de mármore caindo, quebrando-se em uma fileira de pedaços quebrados.

— Você não poderia ter apenas encontrado uma maneira de trancar a maldita coisa? — Conal perguntou tranquilamente enquanto caminhava de volta para nós.

— Bem, — eu disse, puxando uma segunda bolsa de sangue da mochila, — agora os vampiros só podem entrar aqui por uma porta. — Cortei a ponta do saco, segurando-o sobre a boca aberta de Rowena. — Verifique a outra porta.

— O que... foi aquela... coisa? — Ben resmungou.

— Um demônio, — eu respondi baixinho, observando enquanto Rowena terminava o saco e se recostava na cadeira, fechando os olhos. Olhei para Ben, alarmada ao ver que ele não parecia melhor agora que havia se alimentado. Isso não era um bom sinal.

— Um demônio, — Ben repetiu e eu pude ouvir a descrença em sua voz.

— Sim. Ben, ficarei feliz em explicar tudo, mas não agora. Agora, eu tenho que nos tirar daqui. Ainda não estamos seguros, nem de longe.

Nick e eu avançamos pela fileira e, quando cheguei até Striker, ele conseguiu dar um sorriso fraco, estremecendo quando o movimento esticou algumas das feridas em seu rosto.

— Esquilo? — ele murmurou.

— Não tive essa sorte, Striker. Sangue de vaca velha e chata. O melhor que pude fazer em cima da hora. — Eu sorri para ele, aliviada por vê-lo ainda vivo e observei enquanto ele engolia o sangue rapidamente.

— O que vamos fazer com Marianne e Acenith? — Nick perguntou preocupado quando terminou de alimentar Ripley. — As duas estão inconscientes.

— Tente abrir a boca delas, coloque um pouco, veja se elas engolem. Elas podem, mesmo que não estejam conscientes, — eu sugeri. — Ralph, você pode ajudá-lo? — Olhei para Lucas. — Acha que estamos seguros agora?

Ele olhou para cima e para mim, como se ainda estivesse atordoado por me encontrar aqui neste lugar.

— Dê-nos alguns minutos, — ele resmungou. — Vá ajudar seus amigos.

Phelan e Rafe, ambos de volta à forma humana, estavam caídos no chão um ao lado do outro. A perna de Rafe estava em um ângulo estranho e Phelan estava segurando seu próprio ombro, a articulação entre o braço e a clavícula inchada e irregular, como se algo não estivesse exatamente no lugar certo. Conal estava arrastando Marco para onde eles estavam e o sangue escorria das feridas em seu peito. Corri até eles, puxando o Hjördis de onde eu o guardei em minhas calças de combate e me ajoelhei na frente de Marco quando Conal o colocou contra a parede suavemente. Desenhei selos de cura perto da borda dos cortes e os observei se entrelaçarem. Marco olhou para cima, seus olhos clareando de dor e conseguiu parecer um pouco envergonhado com sua nudez.

— Obrigado, Lottie.

— Vá colocar uma calça, — eu o encorajei, antes de voltar minha atenção para Phelan.

Ele sorriu fracamente.

— Bom trabalho, menina Anjo. — Ele apontou para Rafe com a cabeça. — O meu é apenas um deslocamento, Conal vai consertá-lo. Ajude Rafe, a perna dele está muito machucada.

— Na verdade, acho que o ombro deslocado pode ser minha culpa. Desculpe.

Phelan sorriu.

— Sem sangue, sem sujeira.

Virei-me para Rafe e ele baixou o olhar timidamente.

— Charlotte, com licença...

— Nudez? Acredite em mim, estou me acostumando com isso.

Ouvi Conal murmurar algo sobre o selo da coragem novamente e sorri.

— Você só está com ciúmes porque eu posso dizer qualquer coisa, pensar qualquer coisa e não dou a mínima. — Voltei minha atenção para a perna de Rafe, marcando sua pele perto das fendas com selos. Ele ficou observando, com as mãos cuidadosamente posicionadas para se manter decente. Ele gemeu quando o osso se uniu e depois de um minuto ou dois, flexionou-o, testando o movimento.

Conal puxou o braço de Phelan de volta em seu encaixe com um movimento rápido. Phelan praguejou alto e longo, e então olhou para mim com culpa.

— Desculpe, Lottie.

— Depois do que saiu da boca dela? Não acho que seja algo que ela já não tenha ouvido antes. — Conal piscou para mim.

— Sua vez. — Ele se levantou e me deixou tratá-lo, flexionando o braço quando as feridas cicatrizaram. — Esse veneno de demônio é uma porcaria desagradável.

Voltei para Nick, que tinha acabado de alimentar os Tines com sangue.

— Vamos dar uma olhada nessa ferida, Nick.

— Isso vai doer? — Nick perguntou com uma careta. — Esses outros selos queimam como o inferno quando você os desenha.

Era uma prova da força de suas habilidades de luta que ele não precisava de selos de cura até agora. Isso não me impediu de provocar.

— Não seja um bebê.

Nick rosnou baixinho, seus olhos cinza escurecendo.

— Eu não sou um bebê.

— Ignore-a, — disse Conal, caminhando de volta para onde estávamos. — São os selos falando, ela está sendo brincalhona.

Quando o braço de Nick estava curado, voltei minha atenção para os Tines, mas Conal pegou meu pulso.

— Cure-se primeiro, querida. Seria melhor para nossos amigos se você não estiver sangrando.

Nick observou enquanto eu desenhava selos de cura em minha mão e no alto de meu braço, observando o sangue diminuir e as feridas cicatrizarem.

— Já vi você fazer isso algumas vezes, mas tenho que admitir, ainda me impressiona muito.

— É muito legal, — eu concordei.

Conal parou na minha frente, passando o polegar sobre o corte na minha bochecha.

— Esse já parou de sangrar, foi só um arranhão. Como está a cabeça?

Esfreguei meus dedos na parte de trás da minha cabeça, onde bati na parede de mármore.

— Tudo bem. — Havia um caroço bastante considerável, mas quando levantei meus dedos, não havia sinal de sangue. — Provavelmente vou ter dor de cabeça, mas estou bem agora.

Voltando minha atenção para os Tines, eu me agachei na frente de Lucas.

— Melhor? — Eu mantive meu tom profissional e, embora tenha feito contato visual com ele, não consegui superar a vontade de desviar o olhar. Eu estava desconfortável agora que o drama inicial havia acabado, mas não podia me permitir o constrangimento até que estivéssemos seguros. Contive a emoção e me concentrei nos assuntos em questão.

— Um pouco, — ele concordou calmamente. — Não tenho certeza se é o suficiente para controlarmos a sede. — Suas narinas dilataram com o cheiro de sangue na minha pele e com um olhar, eu confirmei que cada um deles tinha suas presas para fora. — Não nos alimentamos desde que fomos sequestrados.

Olhei para o meu relógio, hiperconsciente da passagem do tempo.

— Vai ter que servir. Tenho certeza de que os Três Patetas estão reunindo reforços enquanto conversamos. Temos que sair daqui.

— Como você faz isso? — Ben perguntou, seus olhos na ferida agora curada em meu braço. — Como você pode curar feridas, consertar ossos quebrados?

Eu sorri sombriamente.

— Parece que havia algumas coisas sobre minha habilidade que não sabíamos. Eu vou contar sobre isso assim que tirarmos vocês daqui, eu prometo.

— Espero que você tenha um plano, Lott, — Nick desafiou calmamente. — Esses caras não parecem capazes de se mover.

Mordi meu lábio ansiosamente. Nick estava certo, nenhum dos Tines parecia suficientemente bem para andar e alguns deles ainda não estavam conscientes. Éramos seis para dez e eu não tinha a capacidade de carregar alguém. Não para nos manter seguros se a merda batesse no ventilador e fôssemos atacados novamente. Comecei a perceber que não tinha permitido que os pesadelos fossem tão precisos. Pensei que as correntes de prata que os prendiam eram o resultado de uma imaginação hiperativa porque eu tinha entendido que os vampiros eram imunes a tantas coisas. Agora parecia que eu estava errada e isso nos deixou com um dilema.

— Não podemos criar um portal aqui? — Marco questionou.

Eu balancei minha cabeça.

— Epi foi bastante claro sobre isso. Tenho que criar o portal de onde viemos; caso contrário, ele não poderá lacrá-lo quando voltarmos. Se criarmos um portal aqui, os vampiros podem nos rastrear e saber nossa localização. Isso nos deixa com um problema.

— Apenas um? — Conal comentou, sua voz seca. — Estamos presos no meio da fortaleza Consiliului e você só consegue ver um problema? Esse selo da coragem está te deixando louca, querida.

— Cala a boca, — eu retorqui suavemente. — Eu tenho respostas para a maioria dos nossos problemas, exceto um.

— Qual?

— Posso nos levar de volta ao portal, — cocei a cabeça, pensativa, — mas não tenho certeza se conseguiremos levar os Tines até lá.

— Podemos carregá-los, — sugeriu Phelan. — Se Conal, Rafe e eu nos transformarmos de volta, podemos carregar um par cada um em nossas costas.

— Não é tanto levá-los ao portal, — expliquei pensativa, ainda procurando desesperadamente por uma solução. — Estou mais preocupada que, se a coisa prateada funcionar, a luz do sol também funcionará.

Houve um silêncio horrorizado e aproveitei a oportunidade para olhar novamente para o meu relógio. Eram quatro horas e ainda haveria sol lá fora. Planejamos esse ataque durante o dia porque haveria turistas do lado de fora e Epi e Conal concordaram que os turistas ajudariam porque o

Consiliului não iria querer fazer nada que pudesse trair seu segredo. Agora, porém, a luz do dia era uma desvantagem.

Ben olhou para mim e acenou com a cabeça lentamente, estremecendo dolorosamente com o movimento.

— É verdade. A luz do sol pode nos queimar em nosso estado enfraquecido.

— Estava nublado, não era sol pleno, — expliquei.

Ele balançou sua cabeça.

— Ainda assim... pode queimar.

— E o tecido? — Marco apontou para o dossel caido sobre o estrado. — Podemos usar isso, fazer algum tipo de capa?

— Ótima ideia, Marco, — eu concordei com uma onda de alívio. — Reúna-o, veja se consegue cortá-lo em pedaços grandes o suficiente para cobri-los. Precisamos de dez.

— Não vai ser o suficiente, — Lucas resmungou com voz rouca. — Qualquer centímetro de pele exposta... pode nos matar.

— Lucas tem razão. Não há tecido suficiente aqui, — Nick confirmou.

Eu fiz uma careta pesadamente, senti o início do pânico.

— Ok, deixe-me pensar. — Abri minha mente automaticamente, falando com os espíritos. Eu esperava que eles fossem úteis agora que cheguei tão longe. Se eles me dissessem que era outra missão, eu iria gritar. Eles foram notavelmente abertos sobre o que eu precisava fazer e me encolhi ao ouvir suas instruções.

— Ok, entendi, — eu anunciei. Dei um passo na direção de Lucas, segurando a corrente de prata em minhas mãos e começando a puxá-la com cuidado. Ele fechou os olhos e gemeu quando a corrente rasgou sua pele, deixando feridas abertas. Estremeci e tentei bloquear o som e a visão do que eu estava fazendo, tentando fechar minha mente para a dor excruciante que ele estava sendo dominado. — Sinto muito, Deus, sinto muito, — sussurrei.

— Apenas faça isso, — Lucas rosnou. — Eles não vão nos deixar sozinhos aqui por muito tempo.

— Marco, apresse-se com esse tecido.

Rafe correu para ajudar Marco enquanto Conal, Phelan, Ralph e Nick trabalhavam comigo para remover as correntes. Foi difícil saber a melhor maneira de fazer isso, me fazendo pensar em band-aids. É melhor removê-lo lentamente ou apenas arrancá-lo da pele? Mesmo essa não era uma analogia adequada, porque um band-aid não penetra na sua pele antes de você tentar removê-lo. Infelizmente, não tínhamos a opção de ficar do nosso lado, então trabalhei rápido, rezando para não causar mais estragos do que já havia sido feito.

Conal estava puxando as correntes do corpo de Striker e ele estava fazendo isso rapidamente, obviamente tendo decidido que rápido era melhor do que lento. Striker apertou a mandíbula com força e cerrou os dentes, mas foi forte o suficiente para não gritar, embora eu tivesse certeza de que ele queria.

— Quantos vampiros estão neste lugar? — Conal perguntou a Ben enquanto ele trabalhava.

Ben estava livre das correntes e lutando para envolver um pedaço de tecido que Marco lhe dera em torno de seu corpo nu, estremecendo enquanto se movia por sua pele gravemente danificada. Eu gostaria de poder curar suas feridas aqui e agora, mas o tempo estava contra nós. Conal e Epi insistiram em recuperá-los e voltar para casa antes de tratarmos de seus ferimentos e agora eu gostaria de ter discutido mais sobre o plano deles, mas era óbvio que levaria muito tempo, precisaria de muita cura para ser feito aqui. Ben parou de lutar com o tecido e falou, com a voz tensa.

— Pelo menos quarenta.

Conal e eu trocamos um olhar preocupado.

— Talvez seja melhor nos transformarmos novamente, — ele sugeriu suavemente.

Olhei para os Tines e balancei a cabeça.

— Melhor ficar humano por enquanto, todos vão precisar de apoio físico para sair daqui e acho que mãos e pernas funcionarão melhor do que patas.

Por fim, tiramos todos das correntes que os prendiam. Eles pareciam muito sedentos, mas conseguiram se controlar, e era óbvio ver a intensa luta que travavam.

— Eu prometo, não vai demorar muito e vamos conseguir mais sangue para vocês, — eu murmurei baixinho. Peguei o braço de Ben em minha mão e desenhei um selo em seu pulso. — Ele engasgou quando o Hjördis queimou a marca em seu braço. Quando marquei todos os vampiros, virei-me para Conal. — Sua vez.

Conal franziu a testa.

— O quê?

— Um selo de invisibilidade.

— Você está brincando?

— Não, isso é o que Epi estava me ensinando ontem à noite, ele achou que poderia ser útil. — Terminei de desenhar e ele ergueu o braço para olhar a marcação.

— Você acha que eu poderia dar um tempo dessas coisas quando chegarmos em casa?

— Claro, — concordei facilmente, virando-me para Rafe. — Se conseguirmos chegar em casa.

Enquanto eu terminava de marcar todos, Conal, Marco e Ralph ajudaram a envolver os Tines no tecido, cobrindo o máximo de pele possível. Uma olhada e pude ver que o tecido não seria suficiente. Não havia o suficiente para cobrir cada um deles completamente e vários pedaços de pele eram visíveis em cada um deles. Estremeci um pouco, imaginando se o que os espíritos me contaram funcionaria ou se os condenaríamos à morte no minuto em que os levássemos para fora.

— Graças a Deus, o selo da coragem está desaparecendo, — comentou Conal para ninguém em particular.

Olhei para o meu peito, vi o selo desaparecendo diante dos meus olhos.

— Você acha que eu deveria colocar outro?

— Você está louca? Eu nunca quero que você o use novamente, — ele retorquiu secamente. — Você fica completamente fora de controle com isso. Vou avisar a Epi que você virou uma lunática completa quando voltarmos.

Eu me virei para Ben e Lucas, onde eles estavam sentados juntos com os outros.

— Ok, há apenas mais uma coisa a fazer antes de sairmos. — Estendi a mão para o Katchet e passei-o em meu antebraço, estremecendo enquanto o sangue brotava e rolava pelo meu braço. — Vocês precisam beber meu sangue.

CAPÍTULO 44
SANGUE

Conal foi o primeiro a reagir e praguejou ferozmente.

— Coloque o maldito selo de volta, você estava fazendo mais sentido com ele. — Ele se colocou entre mim e os Tines, que estavam observando meu braço, seus olhos hipnotizados pelo sangue pingando no chão.

— Não tenho tempo para discutir com você, Conal. Os espíritos me disseram que esse era o único jeito, — retorqui com raiva.

— É uma loucura, é isso mesmo! Eles não se alimentam há semanas e o sangue de vaca não ajudou! Eles vão te sugar até secar!

— Conal, saia do caminho! — Passei por ele e caminhei em direção a Lucas, vi-o se afastar de mim.

— Lucas, você tem que fazer isso. É a única maneira de tirá-lo daqui com vida, — implorei baixinho.

— Eu não posso, Charlotte, — ele sussurrou, seus olhos focados no sangue em meu braço. — Conal está certo, não vou conseguir me conter.

Eu levantei meu braço, mas ele recuou, horrorizado. Em vez disso, virei-me para Ben.

— Por favor, Ben. Eu sei que você tem força para fazer isso. Só mais um pouquinho e posso tirar vocês daqui.

Ben olhou para o meu braço por um minuto, horror e desejo misturados igualmente em seus olhos castanhos escuros.

— Eu não provei sangue humano há muito tempo, Charlotte, quase um século, — ele disse com voz rouca.

— Por favor, Ben. — Percebi as vozes em minha cabeça, gritando advertências. Não temos muito tempo. — Por favor. Eu sei que você pode se conter, você tem força de vontade. Você sabe que sou eu, você não quer me machucar. Mas você precisa do sangue, isso vai impedir que a luz do sol queime vocês. Os espíritos disseram que esta era a única maneira de tirá-los daqui com segurança.

Ele segurou meu braço entre as mãos e me encarou por um longo momento, seus olhos brilhando de fome. De repente, ele pressionou a boca contra o meu braço e começou a chupar com força. Senti o sangue saindo da minha veia, a pressão de seus lábios sugando e me senti fraca nos joelhos. Ele estava tendo o cuidado de manter suas presas longe da minha pele e eu apreciei o gesto. Com a mesma rapidez com que começou, ele se afastou, enxugando a boca com a manga e me olhando envergonhado.

— Está tudo bem, Ben, — sussurrei baixinho.

Eu me virei para Striker, que não hesitou. Ele agarrou meu braço e passou pelo mesmo processo que Ben, chupando meu braço com força, seus lábios frios cheios de bolhas contra minha pele. Ele se afastou com um pequeno sorriso.

— Muito melhor que vaca.

Rowena foi a próxima e levou alguns segundos antes de tocar meu braço timidamente.

— Por favor, Rowena, por favor, faça isso, — implorei. Algo em minha voz a forçou a se mover e ela chupou meu braço, sua boca mais gentil do que os homens tinham sido.

Dei um passo em direção a Gwynn e ela sorriu fracamente, mas havia um olhar assombrado em seus olhos azuis claros.

— Eu não acho que posso, — ela murmurou, sua voz baixa e fraca.

— Gwynn, me escute. Você tem que beber, você tem que beber meu sangue para que eu possa tirar você daqui. William está indo para casa e você também, — eu persuadi baixinho, movendo-me lentamente para onde ela estava sentada. — Gwynn, você tem que fazer isso, você não precisa de muito, apenas o suficiente para impedir que você queime na luz do sol.

— Por favor, Gwynn, apenas tente, — Ben persuadiu.

— Eu não acho que vou parar... — Gwynn começou, e eu podia ouvir o pânico em suas palavras.

— Você vai, Gwynn. Você pode se conter, — eu pressionei meu braço mais perto dela e ela se encolheu, medo e auto-aversão aparecendo em seus olhos, mas ela agarrou meu braço entre as mãos, abaixando a cabeça. Ela chupou contra a pele por apenas um momento, e então puxou de volta.

— Você precisa de mais, Gwynn, só um pouco mais.

— Não posso.

Ajoelhei-me na frente dela, mantendo minha voz baixa, mas sabia que todos ao nosso redor iriam me ouvir porque a audição deles era muito mais aguçada do que a minha. Eu estava procurando a ilusão de privacidade, porém, queria que ela pensasse que nossas palavras eram privadas.

— Gwynn, eu vi o estado de sua calcinha. Eu posso adivinhar o que eles fizeram com você, e eu não quero que eles façam isso com você novamente.

Por favor. Beba um pouco mais, para que eu possa tirar você daqui com segurança.

Seus olhos se arregalaram e ela balançou a cabeça, baixando a boca para o meu braço novamente e chupando por mais alguns segundos. Quando ela me soltou, recostou-se na cadeira, fechando os olhos como se estivesse envergonhada demais para que eu visse seus pensamentos.

Ripley se aproximou de mim lentamente, seus olhos ardendo, seus ombros firmes com determinação.

— Eu irei em seguida.

Eu ofereci meu braço para ele e ele o capturou entre suas mãos, chupando fortemente contra o corte em meu antebraço. Eu estava começando a me sentir tonta, mas sabia que tínhamos que passar por isso antes que eu pudesse relaxar, antes que pudesse me preocupar com a quantidade de sangue que estava perdendo. Ripley forçou-se a soltar meu braço, o custo de fazê-lo aparente na maneira como ele se levantou e estremeceu.

— E quanto a Acenith e Marianne? — ele perguntou baixinho.

Olhei para as duas mulheres, ambas deitadas semiconscientes contra as cadeiras às quais haviam sido amarradas. Striker estava segurando Marianne contra ele, seus olhos revelando o quão preocupado ele estava.

— Vou tentar derramar um pouco do meu sangue diretamente em suas gargantas. Não sei o que mais posso fazer — respondi baixinho a Ripley.

William se levantou e eu o observei cautelosamente enquanto Rafe e Nick o ajudavam a caminhar em minha direção. Ele olhou para eles, suas feições sérias.

— Você vai precisar me parar se eu perder o controle, — ele alertou. — Mate-me, se for preciso. — Ele agarrou meu braço e deixou cair sua boca na minha pele, suas mãos agarrando como se ele fosse quebrar os ossos. Senti suas presas perfurarem minha carne e meus joelhos cederam um pouco. Conal deu um passo à frente.

— Não, espere, — eu o adverti. Falei com William, tocando meus dedos em seu cabelo imundo. — William, já chega. Você precisa parar, William, *por favor*.

Com um esforço visivelmente imenso, William se afastou e a força de vontade necessária para isso era evidente. Ele se afastou lentamente e Nick e Ralph agarraram seus braços, impedindo-o de desmaiar.

Seis já foram, faltam quatro. Eu só esperava que meu suprimento de sangue durasse o suficiente. Lucas deu um passo à frente, seus olhos nos meus. Cada emoção que ele estava sentindo – o desejo irresistível pelo meu sangue, o amor que sentia por mim, a preocupação que sentia em se alimentar de mim – cada uma delas estava gravada em seu rosto. Ele caminhou decidido para frente, apoiando-se pesadamente em Marco e eu estendi meu braço, totalmente ciente de que tudo isso poderia terminar em desastre. Meu sangue era diferente para Lucas, mais potente para ele do que qualquer outro no grupo.

— Eu confio em você Lucas. Você pode controlar isso.

Ele fechou os olhos por um segundo e puro terror cruzou suas belas feições. Ele agarrou meu braço e baixou a boca, seus lábios puxando com força o sangue de minhas veias. A tontura piorou enquanto ele se alimentava e eu estava perto de desmaiar.

— Lucas, pare. Pare agora. — Ele continuou a chupar com força e eu choraminguei, vi Conal avançando. — Por favor, Lucas, *pare!*

Com um grunhido, ele se forçou a me soltar, fechando os olhos enquanto engolia o resto do sangue. Respirei com dificuldade, sabendo que tinha perdido muito mais sangue do que era seguro, mas cambaleei um pouco em meus pés, caminhando com determinação para onde Holden estava sentado.

Ele olhou para mim, seus olhos cheios de determinação e me dispensou.

— Por favor, tente alimentar Acenith e Marianne primeiro, antes que seja demais para você. Eu assustei você em Montana, não mereço ser ajudado até que todos que você ama estejam seguros.

Eu não discuti, não me senti bem o suficiente para debater o fato de que ele só estava tentando me proteger porque pensou que eu estava sendo atacada. Cambaleei até onde Acenith e Marianne estavam caídas nas cadeiras.

— Ralph, abra a boca de Acenith para mim. — Ele fez o que eu pedi e segurou meu braço sobre sua boca, apertando a ferida para fazer o máximo de sangue possível cair entre seus lábios. Ela engoliu convulsivamente, semiconsciente por alguns segundos e continuei apertando até achar que ela tinha o suficiente em seu sistema.

Conal conversou com Ben enquanto eu trabalhava, olhando-me com uma expressão preocupada.

— Quanto sangue você acha que ela perdeu?

Ben considerou a questão por um ou dois segundos enquanto calculava mentalmente.

— Pelo menos duas garrafas de cervejas.

— Isso vai ser demais? — Conal perguntou asperamente.

— Não sei. Mas certamente a enfraquecerá.

Marco me ajudou com Marianne, segurando sua boca aberta enquanto eu apertava meu braço acima dela e ela conseguiu engolir um pouco do meu sangue. Ela voltou à consciência por um momento ou dois e tentou sorrir fracamente.

— Charlotte... você veio atrás de nós.

— Eu vim, — eu concordei calmamente. — Marianne, beba um pouco mais, por favor. — Obedientemente, ela engoliu um pouco mais de sangue que escorria do meu braço. Conal estava ocupado trabalhando com Nick para embrulhar Acenith em um pedaço de veludo azul e quando me afastei de Marianne, Ralph e Rafe avançaram para pegá-la gentilmente e envolvê-la em outro pedaço do tecido.

Eu me virei para Holden, que estava recostado em sua cadeira, as costelas que foram reveladas através do longo corte em seu lado pareciam um pouco surreal e fortemente nauseante.

— Nós não fomos formalmente apresentados, — ele disse em voz baixa, ofegando enquanto o próprio ato de falar lhe causava dor. — Sou Holden Striker.

— Olá, Holden. Eu sou Charlotte Duncan, — eu sussurrei de volta com um pequeno sorriso. Estendi minha mão para ele e ele a agarrou, puxando-me lentamente para sua boca.

— Que maneira infernal de fazer uma apresentação, — ele engasgou.

— Apenas beba e teremos uma apresentação melhor mais tarde, — eu prometi.

Ele fez o que eu pedi, sua boca firme e implacável contra meu braço. Ele soltou seu aperto abruptamente e ergueu as mãos na frente do rosto.

— Não, não mais, Charlotte. Minha necessidade é avassaladora, não ouso beber mais.

Tirei o Hjördis do bolso e passei-o sobre a pele do meu braço, observando a ferida fechar e cicatrizar. Eu balancei um pouco, instável em meus pés e Conal me pegou, agarrando-me contra seu peito.

— Charlotte!

Eu balancei minha cabeça, tentando me livrar da sensação de tontura, mas eu perdi muito sangue. Eu tinha que me controlar, porém, todas essas pessoas dependiam de mim e eu não podia decepcioná-las. Eu me endireitei, usando pura força de vontade para me mover novamente.

— Vamos.

Nick pegou Acenith em seus braços e Conal pegou Marianne.

— Uau, ela é leve, — ele comentou suavemente. O resto se reuniu em um grupo, com os lobisomens e metamorfos apoiando os vampiros. Eu estava morrendo de medo agora, me preocupando como poderíamos sair deste lugar quando os fortes estavam completamente sobrecarregados apoiando os fracos. Além de mim, não havia ninguém sobressalente para lutar se as coisas piorassem. E eu tinha certeza de que o pior não estava muito longe.

— E agora? — Conal perguntou baixinho.

Segurei a Katchet na mão esquerda e o Hjördis na direita.

— Agora, vamos sair deste lugar.

Levei-os de volta para a porta pela qual entrei e encostei meu ouvido contra ela, ouvindo barulhos. Parecia que a passagem estava vazia e eu destranquei e abri a porta. A passagem, úmida e fria, estava vazia e fiz sinal para que os outros avançassem.

Nick estava caminhando atrás de mim e sussurrou perto do meu ouvido.

— Charlotte, como você sabe que estamos *realmente* invisíveis?

Tínhamos chegado ao fim do corredor e eu escutei na porta, ouvi o suave murmúrio de vozes.

— Parece que estamos prestes a descobrir.

Uma rápida conversa com os espíritos confirmou o que eu suspeitava. Só havia uma saída e os vampiros a tinham coberto. Eles estavam esperando na primeira grande sala para a qual eu fui trazida, sabendo que era a única maneira que tínhamos de escapar.

— Droga, — eu murmurei infeliz. — Há uma festa de recepção. Precisamos de uma distração.

— O que você sugere? — Conal perguntou suavemente.

— Cale a boca, estou pensando.

— Você percebeu quantas vezes você disse isso para mim hoje? — ele murmurou.

— Isso é porque você está dolorosamente irritante.

— Sempre, querida. Sempre.

Fechei os olhos, ignorando-o enquanto me concentrava mais uma vez nos espíritos. Quando abri os olhos, voltei-me para o grupo.

— Tudo bem, vou criar a distração. Quando isso acontecer, quero que todos passem pela porta e saiam para o pátio. — Olhei para o meu relógio, confirmei que eram apenas quatro e meia, menos de meia hora desde a última vez que verifiquei. Parecia que muito mais tempo deveria ter se passado, mas fiquei grata ao descobrir que estava errada. O castelo permanecia aberto até as cinco, o que significava que o pátio ainda estaria cheio de turistas felizes e alheios ao perigo. — Os portões estão bem em frente à porta pela qual vocês escaparão, não parem por nada, vão o mais rápido que puderem e saiam por esses portões.

— Que tipo de diversão é essa? — Nick sussurrou.

— Uma bagunçada. — Virei-me para a parede e troquei o Katchet pelo Hjördis em minha mão direita. — Preciso de mais luz, — sussurrei e Phelan pegou uma das tochas na parede. Passando-o de volta para mim, Nick a segurou perto da parede para que eu pudesse ver. Empurrei o Hjördis contra a rocha e fiz um selo. Os outros esperaram pacientemente enquanto eu terminava, embora a tensão fosse tangível no corredor estreito.

— E agora? — Ralf sussurrou.

O chão começou a tremer abaixo de nós, um estrondo que penetrou nas profundezas do solo. Algumas das tochas crepitaram e se extinguiram, mergulhando-nos na semi-escuridão.

— Pense nisso como um pequeno terremoto, — anunciei calmamente. Eu abri a porta, observando enquanto os vampiros na sala olhavam para as paredes em confusão. Uma das tapeçarias maciças estava balançando para frente e para trás, como se estivesse sendo chicoteada por uma brisa forte, antes que um dos fechos quebrasse e caísse no chão de ladrilhos. O chão se agitava e tremia sob nossos pés e decidi que havíamos esperado o máximo que podíamos. Abri a porta e sibilei para os outros. — Vão!

Eu me segurei, preparada para atacar se parecesse que o selo de invisibilidade não estava funcionando e os vampiros pudessem ver nosso grupo. Logo ficou óbvio que os vampiros não podiam ver ninguém, embora levantassem a cabeça quando os cheiros passavam por eles, eles estavam mais preocupados com o aparente terremoto que sacudia a sala. Eu avistei Odin, parado ao lado de Hyperion. Arawn não estava à vista. Eu tropecei um pouco quando um abismo escancarado se abriu no chão sob meus pés e saltei sobre ele levemente. Corri pela sala enquanto os outros chegavam à porta e Ralph Torres a abriu, ainda apoiando Lucas com o braço esquerdo. Este era o momento da verdade, quando a luz do sol se filtrou pela porta aberta. Prendi a respiração quando, um a um, os Tines foram carregados ou tropeçaram para a luz do dia. Parecia que eles receberam o suficiente do meu sangue para mantê-los seguros e meus níveis de estresse diminuíram de acordo. Eu honestamente não tinha certeza de que eles haviam recebido sangue suficiente, nem mesmo tinha certeza de que o que os espíritos aconselharam era correto, mas parecia que tínhamos feito isso.

Seguindo-os pelo pátio, virei-me momentaneamente e vi Arawn parado ao lado de outro vampiro na porta. Seus olhos estavam vasculhando o pátio, mas Epi e Conal estavam certos, eles não se arriscariam a se expor aos turistas.

Alcancei o resto do nosso grupo e corri pelos enormes portões de entrada, esquivando-me e desviando dos turistas. Um dos cavalos que estava puxando uma carruagem de turistas da vila abaixo empinou, suas narinas dilatadas e eu me perguntei se ele poderia nos sentir, embora ainda estivéssemos aparentemente invisíveis. Eu tinha certeza que se a invisibilidade tivesse passado, os turistas teriam reagido e até agora, eles não pareciam notar um grupo de dezessete homens e mulheres, a maioria deles seminus e envoltos em veludo azul escuro, correndo pela estrada de paralelepípedos.

— Me sigam.

Eu corri para onde o portal se abriu, encontrando a marca na grama onde eu apareci pela primeira vez. Caí de joelhos e usei o Hjördis para marcar o chão com o pentagrama que Epi havia me ensinado. Ele brilhou por um momento e então se abriu em uma onda dourada de luz.

— O que é *isso*? — Ben perguntou.

— Nossa passagem para casa.

— Podemos... viajar através disso? — Lucas perguntou em dúvida.

— É um portal. Completamente seguro, embora ligeiramente nauseante. — Eu empurrei Conal para a frente, olhando para trás em direção aos altos parapeitos do castelo. — Hora de ir para casa. — Conal entrou no portal, desaparecendo na luz dourada com Marianne embalada em seus braços.

— Você fez isso? — Striker perguntou incrédulo. Ele estava encostado em Rafe, mal conseguindo se sustentar e Ripley estava agarrado ao outro braço de Rafe.

— Sim. Era a minha única maneira de chegar aqui. Lembre-se, eu sou a garota sem passaporte. — Dei um leve empurrão em Rafe e ele atravessou o portal com Striker e Ripley.

Em pequenos grupos, todos passaram pela luz dourada, Nick carregando Acenith, Marco apoiando Lucas. Ralph carregava Rowena nas costas, o braço ao redor de Ben para suportar seu peso. Phelan tinha Gwynn em seus braços e estava arrastando William ao lado dele, dando-lhe tanto apoio quanto podia. Holden veio por último, lutando sozinho.

Quando Holden desapareceu, entrei no portal, virando-me para dar uma última olhada em Sfantu Drâghici.

Uma figura solitária estava parada nos portões, sua aparência me arrepiando até os ossos. Tentei voltar, para impedir que o poder do portal me puxasse de volta para a América, mas era tarde demais e eu o perdi de vista quando o portal me levou para longe.

Continua...

Caro leitor,

Esperamos que você tenha gostado de ler *Aceleração do Conhecimento*. Reserve um momento para deixar uma crítica, mesmo que curta. A sua opinião é importante para nós.

Atenciosamente,

D.S. Williams e Next Chapter Team

SOBRE A AUTORA

 Esposa e mãe de quatro jovens exigentes, D.S. Williams começou a escrever aos cinco anos, quando a vida era mais simples e suas histórias realmente não precisavam fazer sentido. Quando você tem cinco anos, o "felizes para sempre" sempre era como a história terminava e como você chegou lá? Bem, isso não importava tanto.

Uma introvertida ao extremo, D.S. Williams criou seus próprios mundos para viver, encontrou amigos entre seus personagens e viajou pela Terra a partir da segurança do teclado de seu notebook.

D.S. Williams gosta de escrever (obviamente), ler (vorazmente) e fazer listas (obsessivamente). Ela desfrutou de um vício ao longo da vida em alimentos que começam com "ch" – cheesecake, chocolate e chips – e quando se trata de livros, ela adora uma infinidade de gêneros e autores.

Ela compartilha sua vida com seu amado marido há vinte e nove anos, a Gangue dos Quatro e os atuais residentes peludos, Tuppence, o Groodle e Angus, o Bull Mastiff.

Aceleração do Conhecimento
ISBN: 978-4-82417-614-1
Edição impressa grande

Publicado por
Next Chapter
2-5-6 SANNO
SANNO BRIDGE
143-0023 Ota-Ku, Tokyo
+818035793528

1 abril 2023